Harry Baumann – Tod an der Schwarzen Elster

Harry Baumann

Tod an der Schwarzen Elster

Historischer Roman

Bibliografische Information der Deutschen Nationalbibliothek:
Die Deutsche Nationalbibliothek verzeichnet diese Publikation in der Deutschen Nationalbibliografie; detaillierte bibliografische Daten sind im Internet über http://dnb.dnb.de abrufbar.

Coverdesign und Bildrechte: Christine Bouzrou

www.coverdesign-4you.com

Herstellung und Verlag: BoD – Books on Demand, Norderstedt

ISBN: 9783753498072

Kapitel 1

Sie hatten den Hund zuerst erschlagen. Blut quoll aus der Schnauze des Tieres. Matthias hatte als Kind mit dem Welpen gespielt. Sanft strich er über das goldbraune Fell und verscheuchte die Fliegen. Die Gebete würde er sich für die weiteren Opfer des Überfalls aufheben. Ein Knüppeldamm führte zum Hof mit dem Wohnhaus, der Scheune, dem Stall und der alten Mühle. Sie hatten kein Feuer gelegt. Matthias sah keine qualmenden Balken. Am Ende des Dammes lag die Leiche des Knechtes Jakob. Dessen Kleidung war blutüberströmt. Ein Schwerthieb von oben hatte offensichtlich die Halsschlagader verletzt. Daneben lag eine lange Heugabel.

Matthias hatte Bilder vor Augen: Der Hund hatte gebellt, weil sich unbekannte Reiter näherten. Jakob wollte nachsehen, was los war und hatte womöglich versucht, den ersten Angreifer mittels der Gabel vom Pferd zu holen. Beide hatten ihren Mut mit dem Leben bezahlt.

Er war nur vier Tage weggewesen, um einen Freund zu besuchen. Wer waren die Angreifer? Warum hatten sie hier in diesem abgelegenen Gehöft ein Blutbad angerichtet? Er brauchte dringend einen Humpen Bier, um den Durst nach der Wanderung zu löschen. Und einen Schnaps, um alles weitere erträglicher zu machen. Um zur Speisekammer zu gelangen, musste er an den Leichen seiner Schwester und seiner Mutter vorbei. Kleider und Unterkleider waren zerrissen. Falls man sie geschändet hatte, dann waren sie anschließend erschlagen worden.

Matthias suchte zunächst alles ab. Schaute in die Scheune. Die Ställe waren leer. Die Mörder hatten die Kuh, die Schweine und die Hühner mitgenommen. Einige Federn zeugten davon, dass das Hühner und Hahn versucht hatten zu fliehen. Weder in der alten Mühle, die kaum noch betrieben wurde, noch im Wohnhaus fand Matthias weitere Leichen.

Sein Vater Karl und die Magd waren verschwunden. Wollten die Bastarde, die das angerichtet hatten, die Magd noch öfter schänden, um sie erst dann …? Warum hatte sich sein Vater den Angreifern nicht entgegengestellt? Matthias wusste, dass sein Vater ein Schwert besessen hatte. Ungewöhnlich für einen Müller in der Lausitz. Er verfluchte sich, weil er nicht dagewesen war. Was hätte er bewirken können? Matthias schüttelte den Kopf und kämpfte gegen aufsteigende Schwermut und Tränen. Er machte sich nichts vor, sie hätten ihn auch getötet.

Die Mörder hatten bis auf das Vieh nichts weiter mitgenommen. In einem Versteck in der Küche fand er sogar einen Beutel böhmische Groschen. In der Speisekammer waren Brot, Bier, Käse, Schinken und der Branntwein unangetastet geblieben. Nachdem sich Matthias gestärkt hatte, holte er einen Spaten aus der Scheune und machte sich daran, vier Gräber auszuheben. Wegen des morastigen Bodens rann ihm bald der Schweiß von der Stirn. Mit einer Axt schlug er gerade Zweige ab und stellte vier Kreuze her. Der Hund war zwar kein Lebewesen mit einer Seele wie ein Mensch – er bekam trotzdem ein Kreuz am Grabhügel.

Matthias wollte die Nacht nicht an diesem Ort verbringen, wo die Geister der verstorbenen Seelen herumschwirrten. Nach einem weiteren Humpen Bier und zwei kräftigen Schlucken aus dem Tonkrug mit dem Branntwein torkelte er hinunter zum Ufer der Schwarzen Elster.

Dort lag an einem Holzpflock mittels eines Seiles gesichert der Kahn. Der war flach und konnte mit einer langen Stange gestakt, aber auch gerudert werden. Die Bauweise hatte man sich vom slawischen Volk der Wenden im Spreewald abgeschaut.

Als Matthias aus seinem Rausch erwachte, verblassten Mond und Sterne. Das Seil hatte sich gelöst und der Kahn war flussabwärts getrieben worden.

Der junge Mann schüttete sich kaltes Flusswasser ins Gesicht. Am linken Ufer lag eine Truggestalt, eine unglaublich schöne Frau, die ihre Füße ins Wasser hielt. Noch ein Schwall kaltes Nass. Das überirdische Wesen war immer noch da! Als Matthias genauer hinschaute, bemerkte er, dass dieses Wesen die einfache graue Kleidung einer Magd trug. Das lange Haar goss sich wie flüssiges Gold über ihre Schultern und die grüne Wiese. Matthias war wieder klar im Kopf. Er zog den Kahn ein Stück auf die Uferwiese. Dann stupste er das feenhafte Wesen an.

Sie erwachte und erschrak. Ein fremder Mann über ihr – das konnte nur Unheil bedeuten! Unwillkürlich presste Margarete die Knie zusammen. Falls dieser Mann sie schänden wollte wäre sie gewappnet. Ihre Hand tastete nach dem versteckten Dolch.

»He, ich will dir nichts tun! Ich bin Matthias, Sohn des Müllers Karl Brandt. Man hat meine Familie gemeuchelt! Du warst entlang des Flusses unterwegs – hast du etwas gesehen? Reiter, die sich entfernten?« Es war nur die halbe Wahrheit. Sein Vater und die Magd Hanka wurden vermisst.

»Ich bin Gretel, eine entlaufene Magd aus Senftenberg. Nein, ich habe nichts gesehen oder gehört!« Margarete entspannte sich und richtete sich auf. »Es tut mir leid, was passiert ist, Matthias!« Der junge Mann, der sie aus blaugrauen Augen forschend anblickte, stellte keine unmittelbare Gefahr da. Es war dumm und gefährlich gewesen, Senftenberg fluchtartig zu verlassen. Als junge Frau sollte man nachts nicht allein unterwegs sein. Margarete hatte keine andere Möglichkeit gesehen, dem Martyrium zu entkommen.

Matthias griff nach den Handgelenken der Frau, die er zunächst für ein überirdisches Wesen gehalten hatte. Die Hände waren schmal, die Haut hell, er entdeckte keine Schwielen.

»Eine Magd aus Senftenberg? Wie kommt es dann, dass deine Hände aussehen, als mussten sie nie schwere Arbeit verrichten?«, knurrte Matthias. »Die Wahrheit Gretel! Ich nehme an, du heißt gar nicht Gretel?«

Margarete kämpfte mit den Tränen. Sollte sie einem fremden Mann, den sie gerade erst kennengelernt hatte, die ganze Wahrheit offenbaren? Wenn dieser Matthias ihr helfen sollte, musste es wohl sein.

»Es tut mir leid, ich bin Margarete Kürschner, Tochter eines Fischhändlers aus Ruhland. Man hat mich vor einem Monat mit dem Vetter des Landvogts Nikolaus von Polenz vermählt. Als ich einen irdenen Krug zerbrach, fesselte mein Gemahl mir die Beine und streckte sie nach oben. Ich bekam vierzig Schläge auf die Fußsohlen. Als ich wieder laufen konnte, fasste ich den Entschluss, Senftenberg zu verlassen. Ich weiß, was Gott zusammengefügt hat, soll man nicht trennen. Ich wurde schon in der Hochzeitsnacht misshandelt. Bitte bring mich heimlich zu meiner Mutter nach Ruhland, sie wird vielleicht Verständnis zeigen und Münzen für eine Weiterreise geben!«

»Ich muss ohnehin nach Ruhland, um den Überfall zu melden. Vielleicht bekomme ich dort Hinweise auf marodierende Söldner, eine Räuberbande oder gar die böhmischen Hussiten«, sagte Matthias. »Du musst nicht zu deiner Mutter, Margarete.« Er klimperte mit dem Beutel böhmischer Groschen. »Wir werden nicht verhungern.«

»Heißt das, du hilfst mir?« Margarete schaute ihn aus großen blauen Augen an. Bei so einer Frau konnte man nicht nein sagen. Matthias kämpfte dagegen an, sie in den Arm zu nehmen.

Sie war das Weib keines Geringeren als Nikolaus von Polenz und damit unantastbar. Sie hatte gesagt, dass der sie misshandelt hatte und sie ihm davongelaufen war. Es änderte nichts an der gottgewollten Ordnung, dass sie einem anderen gehörte.

»Wir haben den gleichen Weg«, antwortete er ausweichend. »Komm, steig in den Kahn, Margarete, ich stake uns nach Ruhland. Ist ja nicht weit.«

Die junge Frau lehnte sich zurück und hielt den linken Unterarm unter Wasser. Es war ein warmer Frühsommertag und die Landschaft mit dem Schilf, dahinter den Buchen und Eichen glitt an ihr vorüber. Linkerhand fiel ihr ein Wagen mit hohen Holzwänden auf, die mit Schießscharten versehen waren. »Matthias, ein Kriegswagen der Hussiten!«, rief Margarete aufgeregt. »Ich habe es schon einmal auf einem Holzschnitt gesehen!«

Matthias lenkte den Kahn an das linke Ufer und vertäute ihn mittels eines Holzpflockes und Seiles. Galant half er seiner Begleiterin, die vorsichtshalber die Kleider raffte, an Land.

»Du hast ein gutes Auge! Ich habe wegen des Schilfes nichts gesehen.« Matthias untersuchte den Kampfwagen. Das Holz roch frisch. Der Wagen war nicht lange im Einsatz gewesen. Ein Rad gebrochen. Pferdedung deutete darauf hin, dass das Kriegsgerät erst kurze Zeit hier herumstand. Die leichten Kanonen und Handrohre hatten die Böhmen umgeladen und mitgenommen. Womöglich hatte ein Bauer dies bereits gemeldet, vielleicht auch nicht.

»Hussiten in unserer Gegend?« Matthias machte ein nachdenkliches Gesicht. Wenn sie es denn waren – warum sollten die böhmischen Ketzer ein abgelegenes Gehöft überfallen? Deren Ziele waren zumeist Klöster, die sie plünderten, um der Papst-Kirche in Rom zu schaden.

Margarete trieben andere Gedanken um. Sie hatte viele Möglichkeiten durchgespielt, wie sie unerkannt in eine Stadt gelangen konnte, wo jeder sie von Kindesbeinen an kannte. Sie hatte zwei seidene Tücher dabei, um sich zu verschleiern. Das Problem war gelöst.

Jetzt würde Matthias Brandt für sie in die Stadt gehen. Sie knotete ein Tuch auseinander und entnahm ihm einen silbernen Ring.

»Ich möchte, dass du meine Mutter aufsuchst, bitte! Dieser Ring, der einst ihr gehörte, beweist, dass du von mir kommst! Kein Wort zu meinem Vater Wilhelm Kürschner!« Margarete legte den Ring auf das Brett in der Mitte des Kahnes.

»Du verlangst einiges von mir, Weib des Nikolaus von Polenz, genannt Nickel!«, sagte Matthias und stakte weiter. Da sie flussabwärts unterwegs waren kam Ruhland bald näher.

»Die hölzerne Brücke und die Zollstation gehören zur Gemeinde Naundorf«, dozierte er.

»Ich weiß, ich wurde hier geboren!« Margarete rollte die blauen Augen.

»Ich werde den Kahn hier festmachen. Du bleibst wo du bist! Ich möchte nicht, dass dich jemand erkennt, es meldet und dein Vater zwei Büttel schickt, um dich nach Senftenberg zurück zu schleifen!«, sagte Matthias strenger als beabsichtigt. »Bis heute Abend, Margarete! Brot, Käse und Wasser sind noch vorrätig!« Ehe die junge Frau etwas erwidern konnte, war ihr Beschützer bereits über die grüne Wiese davongeeilt.

Die Wachleute am Stadttor kreuzten die Hellebarden. »Dein Begehr, Mann!«, knurrte der größere der beiden.

»Ich bin Matthias, Sohn des Karl Brandt! Ich möchte zu den Herren von Ruhland, den Gebrüdern Hentzke …« Weiter kam er nicht. Die beiden Wächter lachten. »Wer möchte das nicht!«

»Ich will einen Überfall der böhmischen Ketzer melden! An der alten Elstermühle! Meine Mutter, meine Schwester, der Knecht – alle erschlagen! Mein Vater verschleppt! Auf dem Weg hierher sah ich einen Kriegswagen der Hussiten, das Rad war gebrochen.«

Den Wachleuten war das Grinsen vergangen. Der ältere der beiden winkte einen dritten Mann herbei.

»Michael, bring den jungen Mann sofort zur Kaupe! Gefahr im Verzug!«

»Jawohl, wird gemacht, Klemenz!«

Matthias wusste, dass die Stadt Ruhland seit einigen Jahren den Brüdern Hentzke gehörte.

Der Knecht Michael eilte voran zur Kaupenburg, dem Sitz derer von Hentzke.

Zugegen war auch Wilhelm Kürschner, was die Sache nicht einfacher machte.

»Hussiten am Mittellauf der Schwarzen Elster!« Johann Hentzke schlug mit der flachen Hand auf den Eichentisch, der einen großen Teil des Raumes einnahm. Darum gruppiert waren einige Stühle mit hohen Lehnen, die mit Schnitzereien verziert waren.

»Was sagst du dazu, Wilhelm?«, wandte er sich hilfesuchend an den reichsten Fischhändler der Stadt.

»Die Horden der böhmischen Ketzer ziehen zumeist entlang der Flüsse Neiße und Spree. Hier an der Schwarzen Elster? Das ist ungewöhnlich, aber nicht auszuschließen. Wir sollten dem nachgehen!«, sagte der Vater von Margarete. Matthias hoffte inständig, dessen Tochter habe sich an die Abmachung gehalten, im Kahn zu verbleiben. Er knetete das Tuch, indem sich der silberne Ring der Maria Kürschner befand.

»Sie können gehen, Matthias Brandt! Wir schicken Bewaffnete den Fluss hinauf, um den beschädigten Kriegswagen zu bergen. Wir werden Sorge tragen, dass der Landvogt Hans von Polenz Kenntnis vom bedauernswerten Überfall erhält!«

Matthias neigte das Haupt und verließ den Saal. Er musste unbedingt das Haus des Händlers Kürschner erreichen, bevor derselbe zum Abendessen erschien. Matthias schlich durch das Markttreiben. Er wich immer wieder Hausfrauen und Mägden aus, die mit geflochtenen Körben unterwegs waren, um Gemüse und Fleisch zu kaufen. In hölzernen Käfigen gackerten Hühner oder quiekten Ferkel, als würden sie ahnen, heute in einem Kochtopf zu landen.

Margarete hatte ihm das Fachwerkhaus südlich des Marktes von Ruhland beschrieben. Matthias schaute sich nach allen Seiten um. Es war niemand da, der ihn beobachtete. Er betätigte den Türklopfer. Als eine Magd einen Spalt breit öffnete, drückte er die junge Frau beiseite.

»Nicht schreien! Matthias Brandt, ich muss dringend zur Hausherrin mit einer Nachricht von ihrer Tochter!« Die Magd war zu überrascht, um Laut zu geben. Ein Räuber würde kaum am helllichten Tag in Ruhland sein Unwesen treiben. Vor ihren Augen blitzte ein silberner Ring.

»Hat deiner Herrin gehört. Nein, ich habe ihn nicht gestohlen, Margarete selbst hat ihn mir als Erkennungszeichen gegeben. Darf ich jetzt durch? Danke!«

Die Magd blieb zunächst verblüfft stehen, dann eilte sie dem jungen Mann hinterher und stolperte in die Wohnstube, wo Maria Kürschner an einem Stickrahmen saß.

»Entschuldigt, Herrin, der junge Mann ließ sich nicht beirren, unangemeldet bei Ihnen vorzusprechen!« Die Magd machte einen Knicks und verschwand.

»Der Ring in euren Händen hat mir gehört. Ihr habt ihn nicht in Senftenberg gestohlen, um mir etwas vorzugaukeln?« Matthias wurde aus blauen Augen angeblitzt. Maria Kürschner war wie ihre Tochter eine betörend schöne Frau.

Das Alter – sie musste mehr als vierzig Lenze zählen – hatte kaum Spuren hinterlassen. Matthias deutete eine Verbeugung an.

»Matthias, Sohn des Karl Brandt von der alten Elstermühle«, sagte er. »Ich habe nicht viel Zeit. Ihr Ehegatte darf nicht erfahren, dass ich hier war! Margarete befindet sich in meiner Obhut. Sie beteuert, dass sie von Nikolaus von Polenz so schwer misshandelt und gedemütigt wurde, dass sie keinen anderen Ausweg als die Flucht sah. Wenn Sie ihrer Tochter helfen wollen, bitte ich Sie um einen Beutel Silber, meine eigenen Mittel sind nach einem Überfall auf die alte Elstermühle begrenzt.«

Maria Kürschner legte den Stickrahmen beiseite. Es war nicht einfach gewesen, die Adelsfamilie von Polenz von einer Hochzeit mit einer Kaufmannstochter zu überzeugen. Nikolaus von Polenz hatte Schulden, die man stillschweigend getilgt hatte. Der Landvogt Hans von Polenz, der nicht nur Verwaltungsbeamter war, sondern dem die Niederlausitz auch gehörte, hatte der Hochzeit zugestimmt, nachdem er die Braut gesehen hatte. Und jetzt war Margarete geflohen, nur weil sie vom Ehegatten gezüchtigt worden war? Man sollte das undankbare Kind ergreifen und zurückschicken!

»Sie sagen, Sie haben meine Tochter in ihrer Obhut. Gehe ich richtig in der Annahme, dass es unweit von Ruhland ist? Sie sind zu Fuß hierher gelangt.«

Matthias ahnte die Falle. Die verwandtschaftliche Verbindung zum Herren der Niederlausitz war zu wichtig, um sie aufs Spiel zu setzen. Er würde den Teufel tun, um den Kahn zu erwähnen.

»Wenn Sie nichts geben wollen, werte Frau Kürschner, empfehle ich mich!«, sagte Matthias und drehte sich auf dem Absatz um.

»Halt! Warten Sie! Was haben Sie vor?«, rief Maria Kürschner. »Wo wollen Sie hin?«

»Das kann und darf ich Ihnen nicht sagen, Sie würden Büttel hinterherschicken!«

Die Kaufmannsgattin eilte Matthias hinterher und drückte ihm einen Lederbeutel in die Hand.

»Für die Weiterreise! Wenn meine Tochter die Trennung will, dann sucht Rat bei einem Rechtsgelehrten in einem Kloster. Sagt ihr, sie wird immer mein geliebtes Kind bleiben, egal, was sie bewogen hat, Senftenberg zu verlassen!« Maria Kürschner hatte Tränen in den Augen. Die mütterliche Fürsorge hatte gegenüber dem Kalkül, mit dem Clan derer von Polenz verbunden zu sein, Überhand gewonnen.

Matthias deutete wiederum eine Verbeugung an. Bei einer Gräfin wäre diese tiefer ausgefallen.

»Ich werde es Margarete ausrichten. Kein Wort zum Ehegatten!«

Matthias beeilte sich, aus Ruhland herauszukommen. Mit einbrechender Dunkelheit würde man das Stadttor zum Grenzstrom schließen. Als er über die morastige Wiese die Anlegestelle des Kahns erreichte, war diese verwaist. Hatte sich Margarete aus dem Staub gemacht? Wo wollte sie hin?

In Ruhland würde ihr Vater sie ergreifen lassen und morgen wäre sie wieder in Senftenberg in der ›Obhut‹ ihres Herrn Gemahl. Der Kahn war verdeckt von Schilf von der Stadt her nicht einsehbar gewesen. Matthias wollte sich schon auf den Weg machen, um die junge Frau im angrenzenden Wäldchen zu suchen, da tauchte sie mit einem Lächeln auf dem Gesicht wieder auf.

»Schau mal, bereichert unser Abendessen!« Sie knotete ein Tuch auf, aus dem drei Walderdbeeren auf den Boden kullerten. »Leckere rote Früchtchen! Pilze habe ich nicht gefunden, ist noch zu früh im Jahr.« Margarete zuckte entschuldigend mit den Schultern. Erst jetzt entdeckte Matthias rote Flecke neben den geschwungenen Lippen und darunter.

Dieser Frau konnte man nicht böse sein. Er verstand immer weniger, warum ein Mann so ein elfenhaftes Wesen schlug.

»Mein Leckermäulchen, willst du gar nicht wissen, wie es in Ruhland gelaufen ist? Ich habe sowohl deinen Vater als auch deine Frau Mutter gesprochen! – Lass den Beutel nicht fallen, wäre schade um die Erdbeeren!«

»Nun sprich schon! Du hast mich nicht verraten? Bei einem Beutel Silberlinge kann ein Mann schon schwach werden …« Margarete kam näher, sorgfältig darauf bedacht, den Rest der Waldfrüchte nicht auch noch zu verschütten.

»Bin ich Judas? Ich habe tatsächlich einen Beutel Silber erhalten. Der ist allerdings für dich mit einem Gruß von deiner Frau Mutter. Sie sagte, du bleibst immer ihr Kind, auch wenn sie deine Flucht missbilligt. Dein Vater wunderte sich über die mögliche Anwesenheit böhmischer Ketzer. Die Stadt will den beschädigten Kriegswagen bergen und einen Boten nach Senftenberg schicken, um den Landvogt darüber in Kenntnis zu setzen. Nach der langen Rede habe ich Durst. Ist noch etwas Bier da?«, fragte Matthias.

»Ja, ich habe den verschlossenen Krug am Kahn halb im Wasser versenkt, damit das Bier kühl bleibt!« Margarete schenkte ihrem Beschützer noch ein bezauberndes Lächeln.

»Du bist eine aufmerksame Hausfrau. Wenn eine Scheidung möglich ist, mache ich dir einen Heiratsantrag!«, lachte Matthias.

»Du willst mich auf den Arm nehmen!« Margarete bespritzte ihn mit Wasser aus dem Fluss. »Was hast du wirklich vor?«

»Zum Kloster Dobrilugk, dort weiß man sicher Rat, auf welchem Wege eine Trennung von deinem Ehemann möglich ist. Die gleiche Idee hatte übrigens auch deine Frau Mutter.« Matthias blickte nach Westen, wo sich die Sonne anschickte über der Heidelandschaft unterzugehen. »Das Schilf schützt uns vor neugierigen Blicken. Wir übernachten gleich hier.«

Matthias hatte seiner Begleiterin nur die halbe Wahrheit gesagt. Von seinem alten Freund Eberhard, der sich als Mönch Bruder Michael nannte, erhoffte er Hinweise zu bekommen, wer und warum man das abgelegene Gehöft überfallen hatte. Hing es mit den Kriegszügen zusammen, an denen sein Vater Karl teilgenommen hatte? Es gab berechtigte Zweifel daran, dass die böhmischen Ketzer die Täter waren. Der beschädigte Kriegswagen war weiter stromab gefunden worden.

»Leider nur trockenes Brot, Käse und Erdbeeren zum Abendmahl, werter Herr Brandt«, sagte Margarete und schreckte Matthias aus seinen Gedanken auf. »Dafür ist das Bier gekühlt.«

»Gleich morgen früh schleiche ich nochmal in die Stadt, um frisches Brot zu kaufen. An dem Kanten beißt man sich ja die Zähne aus!«

»Sieht nicht sonderlich bequem aus«, meckerte Margarete und machte Anstalten, sich im schwankenden Kahn zur Ruhe zu begeben. »Zum Glück habe ich eine leichte Decke dabei, um mich vor den Mücken zu schützen.«

Matthias trank den Rest des Bieres aus und hatte ebenfalls die nötige Bettschwere erreicht. Es blieb ihm nichts anderes übrig, als direkt neben der jungen Frau das Lager aufzuschlagen. Er konnte die Wärme ihres Leibes spüren, ihr gleichmäßiger Atem streifte sein Gesicht. Die Sache mit dem Heiratsantrag hatte wie ein Scherz geklungen. Für Matthias war es keiner gewesen.

Sie erwachten wie gerädert. So ein Kahn ist nun mal keine Bettstatt. Matthias streckte sich ein paar Mal, schüttete sich etwas Elsterwasser ins Gesicht und machte sich erneut auf den kurzen Weg nach Ruhland. Margarete überlegte, ob sie ein Bad nehmen sollte. Nach dem Waschen von Händen und Gesicht entschied sie, dass es dafür morgens zu kalt sei. Es war bestimmt auch keine gute Idee, durch Flur und Wald zu laufen.

Wie leicht konnte sie ein Bauer, der hier mit seinem Heuwagen vorbeikam, entdecken und verraten. Es war ein kleiner Jungc, der sich eine Angel gebastelt hatte, um in der Schwarzen Elster Fische zu fangen.

»Bist du nicht Margarete? Ich habe dich schon auf dem Marktplatz gesehen, ist aber eine Weile her! Warum sitzt du im Kahn und bist nicht in der Stadt?«, wollte der neugierige Junge wissen.

»Du musst dich irren, Knabe. Ich bin Maria, das Weib des Matthias Brandt von der alten Mühle bei Naundorf! Als wir von einer Reise zurückkamen, fanden wir meine Schwiegermutter, meine Schwägerin und einen Knecht erschlagen vor. Es wurde bereits gemeldet und wir werden uns eine neue Heimstatt suchen!«

Der Junge musterte sie weiterhin aus großen Augen. »Wenn du nicht Margarete bist, dann siehst du ihr ähnlich wie eine Schwester!« Er machte keine Anstalten zu gehen. Die junge Frau überlegte, wie sie den aufdringlichen Knaben loswerden könnte.

»Wenn du mir nicht glaubst, dann geh zurück. Auf dem Wege wirst du vielleicht Matthias treffen!«

Der kleine Friedrich schien immer noch nicht überzeugt, schulterte die Angelrute und lief endlich die Wiese hinauf zur Brücke an der Zollstation.

Für Margarete gab es nur einen Ausweg. Wenn der Knabe herumerzählte, in einem Kahn sitzt eine Frau, welcher der Margarete, Tochter des Fischhändlers Kürschner, zum Verwechseln ähnlich sieht, dann würde ihr Vater jemand schicken, um dem nachzugehen. Margarete löste den Strick vom Pflock und ließ den flachen Kahn unter der Brücke hindurch flussabwärts treiben. Sie konnte nur darauf hoffen, dass ihr Beschützer sie auf dem Landweg wiederfand.

Matthias kam fröhlich pfeifend über die Wiese zurück.

In einem Beutel hatte er seine neu erworbenen Schätze verstaut: Frisches Brot vom Bäcker, Angelhaken und Pfeilspitzen vom Schmied. Er fand nur noch den hölzernen Pflock vor, den er selbst in den Boden gerammt hatte. Der Kahn und mit ihm Margarete waren weg! Jemand musste sie entdeckt haben. Wegen der Angst, ihr Vater könnte Büttel schicken, um sie zu befragen und nach Senftenberg zurück zu schicken, hatte sie sich stromabwärts treiben lassen.

Matthias hatte keine andere plausible Erklärung für ihr Verschwinden. Ohne Reittier würde es schwierig werden, Margarete bald wiederzufinden. Er machte sich auf den mühsamen Weg.

Die Schwarze Elster hatte keinen geraden Lauf. Immer wieder galt es, Nebenarme und morastige Niederungen zu umgehen. Einmal blieb sogar ein Schuh im sumpfigen Gelände stecken.

Matthias war nach nur einer Stunde Suche bereits erschöpft. Er ließ sich nieder und nahm ein verspätetes Frühstück ein. Das frische Brot schmeckte ausgezeichnet. Gerne hätte er es mit Margarete geteilt. Dann sah er sie durch das Schilf hindurch nur wenige Meter stromab. Sie winkte mit einem bunten Tuch. Mit der rechten Hand stemmte sie die lange Stange, die zum Staken diente, gegen die Strömung. Matthias rannte über die feuchte Wiese zum Kahn. Obwohl er vorsichtig hineinstieg, schwankte dieser bedenklich.

»He, willst du uns zum Kentern bringen?«, lachte Margarete. »Der kleine Friedrich Hartmann hat mich erkannt. Ich sagte ihm, ich wäre Maria, das Weib des Matthias Brandt und er würde mich verwechseln. Da ich nicht sicher sein konnte, was er in Ruhland herumerzählt, löste ich das Seil und ließ mich treiben.«

»Ich verstehe dich. Nur meine Schuhe müssten mal wieder geputzt werden!«

Matthias stakte den Kahn weiter flussabwärts. Sein Plan sah vor, noch an diesem Tag Elsterwerda zu erreichen, in der Nähe zu übernachten, um tags darauf nördlich von Liebenwerda in das Flüsschen Dober einzubiegen, welches auch Kleine Elster genannt wurde.

Die Sonne brannte so heiß, dass Matthias in der Nähe des Dorfes Plessa, das von den wendischen Einwohnern Pleso genannt wurde, eine Pause einlegen musste. Hier verästelte sich die Schwarze Elster wiederum in viele Nebenarme. Dort, wo die Strömung stärker war, gab es weniger Algen und Wasserpflanzen und man konnte den Grund erkennen. Matthias entledigte sich der Oberbekleidung und der Schuhe und hüpfte über die Bordwand, was wieder einmal den Kahn ins Schaukeln versetzte. Margarete wartete ab, bis das Boot fast ruhig lag und machte es ihrem Begleiter nach. Sie behielt das Unterkleid an.

Matthias watete durch das Wasser und zog den Kahn halb an Land, sodass dieser nicht davontreiben konnte. Bald darauf bespritzten sich beide übermütig wie Kinder mit Wasser, sorgfältig darauf bedacht, nicht zu laut zu kichern. Matthias hatte weniger Angst davor, von einem wendischen Bauern entdeckt zu werden, als vor Raubrittern und Räubern. Selbst wenn es bei ihnen nicht viel zu holen gab, konnten sie schlimmstenfalls Margarete schänden, ihn dabei zuschauen lassen und anschließend erschlagen. Mit einem Dolch konnte man gegen Schwerter nicht viel ausrichten. Matthias nahm sich vor, gleich heute Abend eine gerade gewachsene Eibe zu suchen und den fünf Fuß langen Stab mit einer aus Ruhland mitgebrachten Sehne zu bespannen. Dann klappte ihm der Unterkiefer herunter!

Margarete zog das quietschnasse Unterkleid über Kopf, wrang es aus und legte es ausgebreitet zum Trocknen aus. Als sie bemerkte, dass der Mund ihres Begleiters offenstand, zog sie es wieder näher heran, um zumindest die Körpermitte zu bedecken.

Matthias gelang es, die Muskeln zu entspannen und den Mund zu schließen. Er rutschte soweit näher, dass er die Wassertropfen auf den goldenen Härchen, die hervorlugten, erkennen konnte.

Margarete wehrte ihn ab. »Bitte, Matthias! Wir dürfen das nicht tun! Bei aller Zuneigung - sollten wir nicht, bis wir das Rechtsgutachten haben, das eine Scheidung möglich macht, wie Bruder und Schwester zusammenleben?«

»Wir sind nicht Bruder und Schwester, du bist meine Nixe, die ich am Ufer dieses Flusses entdeckt habe! Du bist so schön, dass ich dich zunächst für ein überirdisches Wesen hielt.«

Matthias machte eine Pause und rückte Zoll für Zoll näher. »Zugegeben, ich hatte nach dem Schaufeln von vier Gräbern zu tief in den Krug geschaut. Auch nüchtern betrachtet bist du ein so liebreizendes Wesen, dass ich Gott danke, dir begegnet zu sein!«

»Es ist Sünde. Ich bin das Weib eines anderen!« Nach dem ersten Kuss auf die Lippen, dem bald unzählige auf ihrer immer noch feuchten Haut folgten, erlahmte ihr Widerstand. Zarte Fingerkuppen umkreisten sanft die Knospen ihrer festen Brüste. Matthias ging so behutsam mit ihr um, dass sie wusste, es würde ganz anders werden als die brutale Inbesitznahme ihres Körpers durch Nikolaus von Polenz.

Nach dem Akt der Vereinigung blieben beide ermattet auf der Wiese liegen. Sie spürten die Käfer und Ameisen nicht, die auf ihnen herumkrabbelten. Die Welt stand für einige Augenblicke still. Der brutale Überfall auf das Gehöft in der Nähe von Naundorf, die Schläge des Nikolaus von Polenz – die Erinnerung verblasste, ohne ganz zu verschwinden.

Matthias war immer noch nur mit dem feuchten Leibtuch bekleidet, als er eine lange Haselnussrute schnitt, einen Haken an einer Sehne befestigte und die selbstgefertigte Angel ins Wasser hielt.

»Ich möchte mich ja nicht einmischen, aber wenn du etwas fangen willst, wäre ein Köder hilfreich«, kicherte Margarete.

»Dann grabe bitte nach Regenwürmern«., knurrte Matthias und starrte aufs Wasser, als habe er die magische Fähigkeit, Fische mit seinem strengen Blick anzulocken.

Es dauerte nicht lange, bis Margarete mit einer Handvoll Würmer zurückkam. Ein Burgfräulein hätte sich geekelt und das sich windende Gewürm in ein Gefäß geworfen. Ihr schien es nichts auszumachen.

»Such dir den fettesten aus«, lachte sie. Matthias spießte einen Regenwurm auf den Haken und es dauerte nur wenige Minuten bis er einen Barsch von respektabler Größe gefangen hatte.

»Mach bitte Feuer, ich nehme den Fisch aus«, bestimmte Margarete. Matthias holte aus einem Leinenbeutel Schlageisen, Feuerstein und Zunder. Margarete bemerkte die zweifelnden Blicke.

»Schon vergessen? Ich bin die Tochter eines reichen Fischhändlers aus Ruhland. Es gehörte zu den Fertigkeiten, die ich erlernen musste.« Mit geübten Schnitten ihres Dolches trennte sie die Bauchdecke des Fisches auf, entfernte die Innereien, Kopf und Schwanz und ließ die Gräten noch drin.

Matthias hatte von hochwachsenden Disteln die Wolle geerntet und konnte damit aus den geschlagenen Funken, die zunächst auf den Zunder übersprangen, ein Feuer erzeugen. Trockenes Holz war in dieser sumpfigen Niederung Mangelware. Vorsorglich hatte er ein paar Äste gesammelt und zu einem Lagerfeuer aufgeschichtet. Der ausgenommene Fisch wurde auf einen spitzen Stock gespießt und vorsichtig über der Feuerstelle geröstet. Mit dem Brot aus Ruhland schmeckte das Abendessen vorzüglich. Sie kuschelten sich aneinander ohne intim zu werden wie zuvor.

Am nächsten Morgen wurden sie unsanft geweckt.

»Serbska rěc oder Deutsch?«, fragte der Mann mit dem Speer, der wie aus dem Boden gestampft plötzlich vor ihnen stand.

»Deutsch«, stammelte Matthias. Er rieb sich den Schlaf aus den Augen. Seine rechte Hand tastete nach dem Dolch. Der Bogen mit den Pfeilen lag einige Ellen entfernt. Er verfluchte seinen Leichtsinn.

»Ihr müsst verstehen, wir haben hier in Pleso eine Bürgerwehr eingerichtet, die ein Auge auf Fremde hat. Viel zu oft ziehen kriegerische Horden aus dem Markgrafentum Meißen nach Norden und Raubritter genau in die andere Richtung nach Süden. Die Obrigkeit hilft uns nicht. Es scheint, als ob Recht und Ordnung nicht mehr durchsetzbar sind«, seufzte der Mann von der wendischen Landwehr. »Ihr seid ein Paar? Ich habe hier nur Dolche und einen Bogen gefunden. Von euch scheint keine Gefahr auszugehen. Mein Name ist Juri, Gott segne euch!« Die Gestalt stieg in einen Kahn und stakte davon, bevor Matthias etwas erwidern konnte.

Margarete stocherte mit einem Stock in der Feuerstätte herum. Die Glut war erloschen.

»Ich suche trockene Äste und Distelwolle und entfache ein neues Feuer, wenn du es möchtest«, sagte Matthias und blickte sie von der Seite an. Ihre langen blonden Haare waren verfilzt und das Kleid etwas schmutzig. Dennoch war die junge Frau traumhaft schön. ›Zeit für ein Gebet, um Gott dem Herrn für jeden Tag zu danken, den ich mit diesem Geschöpf verbringen darf‹, dachte Matthias. Er sah, dass auch seine Begleiterin die Hände flach zusammengelegt hatte.

»Feuer? Ich dachte, wir staken gleich morgens weiter?« Margarete hatte ihr Gebet beendet. »Weil ich mit dir das Lager teilte und nicht mit meinem Ehemann, wünsche ich in jeder Kirche, die wir passieren, für mein Seelenheil zu beten!«, fügte sie bestimmt hinzu.

Matthias kratzte sich das stoppelige Kinn. »Wie stellst du dir das vor? Sowohl dein Vater als auch Nikolaus von Polenz werden Reiter aussenden, um nach dir zu suchen! In Elsterwerda und Liebenwerda müssen wir vom Fluss durch eine Stadt laufen. Jemand könnte dich erkennen und es melden.« Matthias schüttelte den Kopf. »Nein, meine Liebe, du kannst im Kloster Dobrilugk deine vermeintlichen Sünden beichten!«

»Ich habe zwei Tücher dabei um mich zu verschleiern«, antwortete Margarete trotzig.

»Mir obliegt deine Sicherheit und ich sage nein! Du kannst Gott und seinem Sohn Jesus überall nahe sein. Für deine Gebete brauchst du kein Haus. Vorschlag zur Güte: In Lindena an der Kleinen Elster steht eine uralte Kirche. Dort wird dich niemand vermuten und du kannst deine Sünden beichten. Jetzt steig in den Kahn!«

»Es tut mir leid, Matthias! Manchmal verdränge ich die Gefahr. Wenn Nikolaus erfährt, dass wir beide … Ich mag es mir nicht vorstellen. Er wird sich nicht damit begnügen, uns zu töten. Er wird uns langsam zu Tode foltern. Er hat Spaß daran, ich weiß es.«

»Genau deshalb sind wir unterwegs, Liebste. Niemand außer deiner Mutter weiß, dass wir auf der Schwarzen Elster sind. Ich hoffe, sie hält dicht«, seufzte Matthias. »Wir sind jung und am Leben! Wir werden den Häschern entkommen«, versuchte er, Zuversicht zu verbreiten.

Er stakte den Kahn kräftiger als zuvor voran und sie passierten Elsterwerda. Sie würden hier nicht gemeinsam in die Stadt gehen, obwohl Margarete es sich sehnlich gewünscht hatte. Da sie noch nicht gefrühstückt hatten, machten sie eine Pause. Das Brot war hart und der Käse hatte auch mal besser ausgesehen.

Es blieb Matthias nichts anderes übrig, als in Liebenwerda an Land zu gehen, um auf dem Markt einzukaufen.

Er hatte noch böhmische Groschen und natürlich das Silber von Margaretes Mutter.

Nach weniger als einer Stunde kehrte er zurück und breitete seine Schätze aus.

»Du hast sogar Möhren, Kohl und Zwiebeln mitgebracht!«, freute sich Margarete.

»Ja, und einen kleinen Kessel, in dem wir uns heute Abend eine leckere Suppe kochen können«, sagte Matthias. Er verstaute die erworbenen Güter und stakte Wahrenbrück entgegen.

Diese Ortschaft gehörte der Witwe des Herzogs Albrecht III. von Sachsen-Wittenberg, Euphemia von Oels, genannt Offka. In diesen Zeiten wechselten Herrschaftsansprüche schnell und Güter und Dörfer wurden verkauft oder verpfändet.

Matthias interessierte vielmehr, in diesem Gewirr von Seitenarmen der Schwarzen Elster nicht den Einlauf der Dober, der Kleinen Elster zu verpassen.

Er glaubte zunächst auf dem richtigen Flusslauf zu sein. Der Blick zur Sonne verriet ihm, dass es zurück gegen Osten gehen würde. Es blieb nur, einen Bauern oder Hirten zu fragen. Niemand ließ sich blicken. Das Staken wurde zunehmend anstrengender, weil es jetzt stromaufwärts ging. Irgendwann war er so erschöpft, dass er eine Rast vorschlug. Margarete stellte aus drei geraden Ästen ein Dreibein her und hängte den Kessel auf. Während Matthias Funken schlug und ein Feuer entfachte, putzte sie mit einem Dolch das Gemüse. Nicht das ideale Küchengerät, aber es ging. Danach suchte sie nach Kräutern, um die Suppe zu verfeinern. ›Das hat die Kaufmannstochter auch gelernt‹, dachte Matthias.

In das siedende Wasser wurde etwas Salz gegeben und dann das Gemüse. Erst eine halbe Stunde später gab sie die frischen Kräuter dazu. Matthias schwang bereits den Holzlöffel, bekam aber einen Klaps auf die rechte Hand.

»Zuerst muss die Köchin abschmecken, du frecher Topfgucker«, lachte sie. In Matthias Ohren klang es wie das schönste Glockengeläut.

»Schade, dass wir weder Pfeffer noch Muskatnuss haben. Diese Gewürze sind unglaublich teuer. Meine Mutter hat mir erklärt, dass es so etwas gibt. Den Handel beherrschen die Venezianer.« Margarete rührte nochmals um und probierte vorsichtig die heiße Suppe. Dann gab sie noch eine Prise Salz hinzu und füllte den hohen Holzteller ihres Gefährten.

»Mit dem Brot aus Liebenwerda ein leckeres Abendmahl«, lobte Matthias. »Für eine Kaufmannstochter offenbarst du vielerlei Fertigkeiten. Umso mehr wünsche ich mir, dass man uns in Dobrilugk einen Weg weist, deine Ehe für ungültig zu erklären. Wir schlagen gleich hier unser Lager auf.« Es war nicht mehr so heiß wie an den vorangegangenen Tagen, aber immer noch sommerlich warm.

Margarete kuschelte sich an Matthias. »Ich habe beim Gebet ein Gelöbnis abgelegt. Versuch bitte nicht, mir beizuwohnen. Es ist Sünde.«

»Warum hast du so große Angst, Liebste? Ich sehe die Zuneigung in deinen Augen. Du willst es, sagst aber immer wieder, wir dürfen es nicht wieder tun«, flüsterte Matthias. Sein Mund näherte sich ihrer rechten Gesichtshälfte, um einen Kuss auf das Ohrläppchen zu hauchen. Margarete rückte ein Stück weg.

»Ich musste als Kind bei einer Hinrichtung zusehen. Eine junge Frau aus Ruhland war des Ehebruchs angeklagt worden. Man nahm ihr die Kleider. Dann nähte man sie zusammen mit einer Katze in einen Sack ein und übergab ihn den Fluten des Grenzstroms, ein Seitenarm der Schwarzen Elster. Die Katze zerkratzte in ihrer Todesangst die Haut der Frau. Ich hörte das Kreischen des Tieres und die Schreie der Verurteilten, bis diese verstummten. Das vergisst man nicht, Matthias. Ich weiß, aus deiner Sicht haben wir einmal Ehebruch getrieben – da kommt es auf ein zweites und drittes Mal auch nicht mehr an. Verstehe bitte, dass ich es anders sehe! Ich will ein Dokument, in dem steht, dass die Ehe mit Nikolaus von Polenz ungültig ist!«

Margarete ließ sich den Kuss auf die gerötete Wange gefallen, mehr nicht.

Matthias ergriff ihre rechte Hand. Bald darauf hörte sie nur noch gleichmäßige Atemgeräusche. Es war ihr recht. Sie hoffte, ihr Beschützer hatte verstanden.

Am nächsten Morgen sah Matthias nach kurzer Zeit des Stakens vom Flüsschen aus den Turm der Kirche von Lindena, die hier seit zweihundert Jahren stand.

Er vertäute den Kahn und nahm Margarete bei der Hand, die sich freute, endlich ihre Sünden in einem Gotteshaus beichten zu können.

»Nur zum stillen Gebet oder die Beichte?«, fragte der Küster, der ihnen die Tür öffnete. Die Kirche war aus rotem Backstein gebaut und innen angenehm kühl.

»Ich möchte beichten«, sagte Margarete mit glühenden Wangen.

»Dann hole ich den Herrn Pfarrer!« Der Küster im Habit eines Mönches der Zisterzienser trabte davon und kehrte alsbald mit dem Pfarrer zurück.

»Guten Morgen! Die Kirche diente lange Zeit als Schule für die Novizen des Klosters Dobrilugk«, erklärte der Geistliche. »Jetzt wird hier die Sonntagsmesse für die Bauern und Bürger des Dorfes Lindena und der angrenzenden Gemeinden abgehalten. Natürlich bin ich auch für Begräbnisse und Taufen zuständig. Was kann ich für euch tun?«, fragte der Pfarrer freundlich.

»Mein Name ist Matthias Brandt aus Naundorf bei Ruhland. Meine Begleiterin ist … das soll Sie Ihnen unter Wahrung des Beichtgeheimnisses selbst sagen«, entschied Matthias. Er setzte sich in die erste Reihe und legte die Hände flach zusammen. Er bat Jesus Christus um Vergebung, dass er auf Rache sann. Er wünschte sich Beistand bei der Suche nach den Mördern und warum sie dieses unbedeutende Gehöft überfallen hatten. Dann gedachte er den Seelen seiner Mutter, der Schwester und des Knechtes Jakob, die zu früh und unschuldig aus dem Leben gerissen worden waren. Nach einer Viertelstunde kam auch Margarete mit gesenktem Kopf aus dem Beichtstuhl zurück. Eine Träne kullerte über ihre linke Wange. Matthias unterdrückte den Wunsch, diese weg zu küssen. Man befand sich in einem Gotteshaus.

Er verabschiedete sich vom Pfarrer und wagte erst am Ufer der Kleinen Elster Margarete danach zu fragen, wie es gelaufen war.

»Ehebruch ist eine schwere Sünde. Solange der rechtmäßige Ehemann keine Anklage erhebt, wird mich kein weltliches Gericht zum Tode verurteilen! Unter Würdigung der besonderen Umstände wie der unverhältnismäßigen Züchtigung war der Pfarrer geneigt, mir Absolution zu erteilen. Mein Seelenheil wäre auch in den kommenden Tagen und Wochen noch gefährdet. Dies könne nur durch Keuschheit, innere Einkehr und Gebete wiederhergestellt werden.«

Margarete hatte in der Mitte des Kahnes Platz genommen. Matthias löste das Seil und stakte weiter gen Norden.

»Der Herr Pfarrer fand die Idee, im Kloster vorstellig zu werden, gut«, sagte Margarete und hielt, wie es ihre Art war, die rechte Hand ins Wasser.

»Kein Wunder. Den Mönchen gehört der Grund und Boden hier«, murmelte Matthias. In der Ferne sah man bereits den hohen schmalen Turm der Abteikirche.

Kapitel 2

Am Kloster Dobrilugk wurde erst nach langem Klopfen ein Sichtfenster im Tor geöffnet. Ein Mönch lugte zögerlich hindurch.

»Was ist Euer Begehr?

»Ich bin Matthias, Sohn des Karl Brandt aus Naundorf bei Ruhland! Ich möchte Bruder Michael sprechen!«

»Bruder Michael ist unterwegs. Kommt morgen wieder!« Ehe Matthias etwas fragen konnte, wurde das Sichtfenster wieder verschlossen und verriegelt.

»Dann müssen wir hier übernachten, suchen wir uns eine Bleibe.« Matthias zuckte mit den Schultern und nahm Margarete bei der Hand.

Zwischen dem Kloster und der Ortschaft Kirchhain stand neben einer Schänke ein Haus, vor dem junge Frauen auf einer Holzbank saßen. Sie trugen gelbe Bänder in den Haaren und an den Kleidern. Bei zweien war sogar der Rock geschlitzt, sodass man einen Blick bis hinauf zum rechten Oberschenkel erhaschen konnte. Als eine der so herausgeputzten jungen Frauen Matthias ansichtig wurde, huschte sie ums Hauseck herum. Ihr langes schwarzes Haar flatterte im Wind.

Matthias ließ Margarete einfach stehen und rannte hinterher. Er glaubte seinen Augen nicht zu trauen. Sein Herz raste. Die Magd, die ihm die Lösung vieler Fragen beantworten konnte, rannte weg. Die Frauen auf der Bank machten eindeutige Bewegungen mit der Hand oder dem Becken, welcherart Dienstleistungen sie anboten.

Matthias ließ sich davon nicht beirren. Auch nicht, als sich eine ihm in den Weg stellte und den Rock raffte. »Wohin so eilig, junger hübscher Mann?«

Er schob sie einfach beiseite. »Ich suche Hanka!«, schnaufte er.

»Ach, die Neue! Möchtest du nicht lieber mit einer, die etwas erfahrener ist, das Lager teilen?«

Matthias beachtete die Dirne nicht weiter. Im Zaun war ein Durchlass, der in den Garten führte. Offensichtlich waren sich die Damen nicht zu schade, Kräuter und Gemüse selbst anzubauen und Unkraut zu zupfen.

»Hanka, komm raus aus deinem Versteck, ich habe dich erkannt! Niemand verurteilt dich dafür, dass du jetzt hier bist und einem anderen Gewerbe nachgehst! Ich will nur wissen, was vor ein paar Tagen an der Schwarzen Elster geschehen ist!«

Die sorbische Magd, die einst in den Diensten des Karl Brandt stand, kam zögerlich hinter einem Gebüsch hervor. »Ich hätte über den hinteren Zaun springen können und fliehen«, sagte die junge Frau, die offensichtlich das Massaker an der Schwarzen Elster überlebt hatte. »Du hast ein Recht darauf zu erfahren, was geschehen ist, Matthias! Versprich mir, dass ich deine Flöte spielen darf, sobald unsere Herrin den Garten betritt! Sie mag es überhaupt nicht, wenn wir unsere Zeit vergeuden!«

»Das kann ich dir nicht versprechen, meine Liebste wartet draußen auf der Straße«, sagte Matthias.

»Die mit den langen blonden Haaren? Wer ist sie?«, wollte Hanka wissen.

»Tochter des wohlhabenden Fischhändlers Wilhelm Kürschner aus Ruhland.« Matthias verschwieg geflissentlich, dass Margarete noch mit Nikolaus von Polenz verheiratet war und gar nicht seine Verlobte sein konnte.

»Oh, das hätte ich nicht gedacht, Glückwunsch, Matthias!« Die ehemalige Magd zwinkerte ihm zu.

»Lass das! Wie konntest du entkommen? Haben sie meinen Vater verschleppt? Wer waren die?« Matthias kam immer näher. Als er die Arme hob, um Hanka an den Schultern zu rütteln, sprang sie einen Schritt zurück.

Zur gleichen Zeit wurde Margarete auf der Straße von einer Frau mittleren Alters angesprochen.

»Du bist recht ansehnlich, junges Ding! Hast du Lust leichtes Geld zu verdienen?«

Margarete hob das Kinn und rümpfte das Näschen. »Ich bin die Tochter eines angesehenen Händlers in Ruhland, auch wenn ich im Moment die einfache Kleidung einer Magd trage, um Wegelagerer zu täuschen!« Die Dirnen auf der Bank gackerten wie die Hühner.

»Habt ihr nichts zu tun? Wenn keine Kundschaft da ist, dann reinigt eure Kemenaten und macht die Wäsche!«, wurden sie angeherrscht.

Matthias wunderte sich, warum Hanka plötzlich vor ihm kniete und an seinem Gürtel nestelte. Die Herrin des Frauenhauses und Margarete hatten fast gleichzeitig den Garten betreten. Die ehemalige Magd hatte zunächst nur ihre neue Gebieterin bemerkt.

»Der junge Herr wünscht, dass seine Flöte im Freien gespielt wird!«, lachte die Frau in Schwarz.

»Das ist ein Missverständnis! Meine Mutter, die Schwester und ein Knecht wurden ermordet. Mein Vater wird vermisst. Hanka war unsere Magd und weiß etwas darüber«, keuchte Matthias und schloss mit einem entschuldigenden Blick hinüber zu Margarete die Schnalle des Gürtels.

Die Herrin über das Hurenhaus machte eine unmissverständliche Handbewegung, indem sie den Daumen am gekrümmten Zeigefinger rieb. »Meinetwegen. Verdienstausfall?«

Matthias zählte ein paar böhmische Groschen ab.

»Reicht nicht, dreißig mehr!« Die Frau im langen schwarzen Kleid steckte die Münzen in eine Gürteltasche. »In zwei Stunden bist du wieder drüben, Hanka! Und lass dir nicht zu viel Wein spendieren – sonst schläfst du beim nächsten Kunden ein!«

»Ich habe Hunger, ihr auch?«, fragte Matthias in die Runde. Die beiden jungen Frauen nickten und man kehrte ein. Der Wirt kam herbeigewuselt. Er trug eine fleckige Schürze, die den dicken Bauch überspannte. Er bedachte das fremde junge Paar mit einem freundlichen Blick. Hanka ignorierte er. Die Dirnen von nebenan genossen kein hohes Ansehen, obwohl sie manchmal auch Bier und Wein für sich und ihre Kunden kauften.

»Schinken, Schweinerippchen oder Rinderbraten? Was wünschen die Herrschaften? – Mathilde«, rief er nach hinten. »Haben wir auch noch Hähnchen auf dem Rost?«

»Ja, Wilhelm!«, tönte es aus der Küche.

Matthias bestellte Hähnchenschenkel und Wein für die Damen, Rinderbraten und einen Humpen Bier für sich selbst.

»Du erinnerst dich noch an meine drei Fragen? Bevor der Wirt die Getränke bringt, möchte ich die erste beantwortet haben!«, zischte Matthias über den grob gezimmerten Eichentisch.

»Ich sollte Wasser aus dem Fluss holen. Dann das Hundegebell, das plötzlich verstummte«, begann Hanka stockend. »Ich hörte Schreie und das Klirren von Schwertern. Ich warf die Zuber neben der alten Mühle weg und sprang in den Fluss. Die alte Trauerweide hat einen dicken Ast direkt über dem Wasser. Meine Kleider sogen sich voll. Ich schaffte es gerade noch, mich hinter dem dicken Ast zu verstecken. Ich hielt die Luft an, aber zunächst kam niemand. Als ich wieder an Land wollte, stach jemand mit einer Lanze ins Wasser nahe des Astes und verfehlte mein Bein nur knapp. ›Hier ist keiner mehr, Gunther, lass uns verschwinden‹, sagte einer der Angreifer …«

Der Wirt brachte die Getränke und Hanka trank umgehend einen Becher Wein halb aus. Die Erinnerung daran, dass man sie beinahe entdeckt und auch erschlagen hätte, war noch frisch.

Margarete und Matthias warfen sich einen langen Blick zu. Für sie stellte es sich so dar, dass es nur so aussehen sollte, als hätten böhmische Ketzer das abgelegene Gehöft überfallen.

»Hattest du nicht gesagt, das Holz des Kampfwagens, den wir fanden, roch frisch? Vielleicht hat man nur einen nachgebaut, um dich auf eine falsche Fährte zu locken, Matthias?«, fragte Margarete mit hochgezogenen Augenbrauen.

»Habe ich dir schon gesagt, dass du ein kluges Weib bist?«

»Ich höre es immer wieder gern«, lachte Margarete. Hanka ignorierte die Warnung ihrer neuen Gebieterin und füllte Wein aus einer Karaffe nach. Sie hatte keine Ahnung, warum das Paar von einem Kampfwagen der Hussiten schwafelte, es war ihr auch egal.

»Warum hast du den Überfall nicht gemeldet, Hanka?«, fragte Matthias scharf.

»Nach einer gefühlten Ewigkeit wagte ich es, aus dem Fluss zu steigen. Meine Glieder waren klamm. Ich schaute nach, ob ich jemand helfen konnte. Alle waren tot. Ich zog mir trockene Kleider an und lief barfuß los. Ich war verwirrt, wollte nur nach Sallgast, dem Ort, wo ich geboren wurde. Ich hoffte, dir unterwegs zu begegnen. Als ich wieder bei Sinnen war, sagte eine Freundin aus Kindertagen, man erwarte am Kloster Dobrilugk den Erzbischof von Magdeburg. Da könne man gutes Geld verdienen, wenn man sich nicht zu schade sei, den Geistlichen besondere Wünsche zu erfüllen.«

»Warum den Buckel krumm machen, wenn man auf dem Rücken liegend mehr Geld verdienen kann«, bemerkte Margarete schnippisch.

»Du bist die Tochter eines reichen Kaufmanns, hattest nie Geldsorgen«, zischte Hanka über den Tisch. Bevor Matthias die jungen Frauen ermahnen konnte, tafelte der Wirt auf. Es roch köstlich.

»Weil du dich versteckt hast, kannst du nichts Erhellendes zum Verbleib meines Vaters und des Schwertes beitragen«, sagte Matthias und nahm einen kräftigen Schluck aus dem Bierhumpen.

»So ist es und es tut mir leid«, sagte Hanka während sie am Hähnchenschenkel knabberte.

Margarete entschuldigte sich, sie müsse sich mal dringend erleichtern und fragte den Wirt nach dem Weg.

Hanka schob den Teller beiseite und beugte sich über den Tisch: »Wer hat beim Münzwurf gewonnen? Durftest du den vorderen Eingang benutzen oder musstest du …?«

Matthias wollte mit der flachen Hand auf den Tisch schlagen, besann sich dann aber. Der Wirt lauschte und Margarete konnte jeden Augenblick zurückkommen.

»Meine Freundin Marica hat mir gesagt, dass ihr in Sallgast immer wieder zu Gast wart, du und dein Freund Peter! Nicht zum ersten Mal, weshalb ich vorhin auch erwähnte, dich auf dem Weg zu treffen und die schreckliche Nachricht mitzuteilen«, sagte Hanka.

»Weshalb ist Marica nicht hier?«, flüsterte Matthias über den Tisch. Er behielt dabei den Hinterausgang im Auge, durch den Margarete verschwunden war.

»Sie wollte sich in keine neue Abhängigkeit begeben. Ihr Herr duldet das Treiben, verlangt dafür den fünften Teil ihrer Einnahmen, mit der Begründung, sie würde morgens müde und widerwillig ihre Arbeit verrichten.« Hanka beäugte den Knochen und entdeckte etwas, das sie noch abknabbern konnte.

»Lass die Münzen sofort verschwinden! Kein Wort zu Margarete!« Matthias hatte die Stimme immer weiter gesenkt. »Wann wird denn der Erzbischof mit seinem Gefolge erwartet?« Schnell wechselte er auf ein anderes Thema, weil seine Angebetete zurückkam.

»Übermorgen!« Hanka genehmigte sich noch einen halben Becher Wein.

»Dann habe ich ausreichend Zeit, mit Bruder Michael zu sprechen, der uns vielleicht zu einer Audienz beim Abt verhilft«, sagte Matthias. Margaretes blaue Augen leuchteten auf. Sie hoffte inständig auf ein Rechtsgutachten des angesehenen Klosters, das ihre Ehe für unwirksam erklärte. Vielleicht könnte man den Erzbischof von Magdeburg um seine Unterschrift bitten … Soweit wollte sie noch nicht denken. Wenn allerdings der Abt und der Bischof eine Urkunde ausstellten, konnten weder Nikolaus von Polenz, dessen Vetter, der Landvogt, noch ihr Vater daran rütteln und der Weg wäre, frei um Matthias zu ehelichen. Blieb nur das Problem, dass der Bräutigam in den Augen ihres Vaters nicht standesgemäß war.

Hanka verabschiedete sich mit dem Hinweis, sie wolle keine Strafe mit dem Rohrstock riskieren, wenn sie zu spät käme. Matthias fragte den Wirt nach einer Kammer für die Nacht.

»Ihr habt Glück! Wenn erst einmal der Erzbischof mit seinem Gefolge anrückt, ist hier alles belegt. Heute noch nicht. Ihr seid ein Paar?« Beide nickten eifrig.

Margarete hatte den silbernen Ring ihrer Mutter in der Hand, um ihn notfalls als Verlobungsring vorzuzeigen. Wenn sie sich keiner Lüge bediente, musste sie es auch nicht beichten.

Die Liegestatt in der Kammer sah nicht besonders bequem aus. Dafür gab es mit Daunen gefüllte Kopfkissen und eine breite Zudecke. Margarete hauchte Matthias einen Kuss auf die Wange.

Dieser war nach dem mühsamen Staken gegen die Strömung der Kleinen Elster rechtschaffen müde und hatte keine Lust auf ein Liebesspiel. Margarete besann sich auf die Ermahnungen des Pfarrers von Lindena und drehte sich auf die linke Seite.

Am nächsten Morgen schlug man das Angebot des Gastwirtes auf ein Frühstück aus. Es war in Mode gekommen, die nächtliche Fastenzeit um einige Stunden zu verlängern. Ein gottgefälliges Werk. Sie konnten höheren Beistand gebrauchen. Es ging nebst der Vergangenheit von Karl Brandt, der seit dem Überfall vermisst wurde, vor allem um ein juristisches Hintertürchen, um die Ehe von Margarete für ungültig zu erklären.

Es war der gleiche mürrische Mönch wie am Vortag, der die Klappe mit einem scheppernden Geräusch schwungvoll beiseite schob.

»Ach, ihr schon wieder!«, knurrte der Kuttenträger. Offensichtlich hatte er diesmal Anweisung, das Pärchen einzulassen. Das massive Tor, welches auch Angriffen standhalten musste, wurde gerade soweit geöffnet, dass Margarete und Matthias hindurchschlüpfen konnten.

»Damit meine Mitbrüder durch den Anblick eines Weibes nicht von ihrer Andacht abgelenkt werden – bitte rechts den Arkadengang entlang bis ihr zu einem Rundbogen kommt, der in den Garten führt. Hinter einer Pergola steht ein Pavillon, dort erwartet euch Bruder Michael!«

Als Matthias sich bedanken wollte, war der Mönch damit beschäftigt, das große Tor zu schließen.

Man lebte in der ständigen Angst, die böhmischen Ketzer würden irgendwann das reichste Kloster der Niederlausitz heimsuchen. Gegen deren Kanonen würde ein Holztor nicht lange standhalten, auch wenn es mit dicken Bohlen bewehrt war.

Matthias nahm Margarete bei der Hand und sie liefen den Weg entlang, der ihnen gewiesen worden war. Hinter einer mit Rosen berankten Pergola erwartete sie ein weiterer Mönch. Matthias löste sich von seiner Begleiterin und eilte auf den kräftigen Mann zu.

»Eber … Verzeihung, Bruder Michael! Schön, dich wiederzusehen!«, rief er und klopfte dem Mönch so kräftig auf die Schulter, sodass Margarete glaubte, Staub aufsteigen zu sehen. Die beiden Männer lösten sich aus der Umarmung und Bruder Michael lugte seinem alten Freund über die Schulter.

»Ist das dein Weib, Matthias? Vortreffliche Wahl! Der Herr im Himmel vergebe mir meine sündigen Gedanken, aber dieser Liebreiz und die Anmut müssen gewürdigt werden!« Der Mönch deutete eine Verbeugung in Richtung der jungen Frau an, deren Wangen wegen der Komplimente gerötet waren.

»Leider nein, Bruder Michael. Sie ist noch das Weib des Nikolaus von Polenz, Vetter unseres Landvogtes. Sie wurde von ihm misshandelt, und zwar über das Maß hinaus, was einem Herrn und Gebieter zusteht. Da sind wir gleich beim ersten Anliegen. Wir, das heißt vor allem Margarete, Tochter des Kaufmanns Kürschner zu Ruhland, möchten wissen, in welchen Fällen eine Ehe für nichtig erklärt werden kann.«

»Darf ich euch in die Gartenlaube bitten? Wir besprechen das in Ruhe im Pavillon. Ich wurde vom Abt von der zweiten Morgenandacht freigestellt und stehe euch zur Verfügung.« Bruder Michael machte eine einladende Geste und sie nahmen auf hölzernen Gartenbänken Platz.

»Der Abt wird in einer Viertelstunde zu uns kommen. Ich war selbst überrascht, als er eröffnete, ausdrücklich mit dir, Matthias, sprechen zu wollen.«

Margaretes Herz hüpfte schneller. Ihr Plan schien aufzugehen. Sie faltete die Hände und murmelte ein Gebet. Sie bedankte sich für den Beistand von oben.

»Deine Gefährtin ist sehr fromm«, sagte Bruder Michael.

»Um ehrlich zu sein – sie betet täglich mehrfach um Vergebung ihrer Sünden. Wir sind ein Paar, teilen das Lager, aber sie ist, wie erwähnt, mit einem anderen verheiratet«, seufzte Matthias.

»Verstehe. Ich habe nicht Juristerei studiert, kann euch aber sagen, dass es meines Wissens nach fünf Gründe gibt, eine Ehe zu annullieren: Ehebruch der Frau, Unfruchtbarkeit, zu enger Verwandtschaftsgrad bis ins siebte Glied, Trunksucht der Frau und Verschwendung des in die Ehe eingebrachten Vermögens der Frau durch den Ehemann. Der Abt kann euch dies besser auseinandersetzen.« Bruder Michael zuckte mit den Schultern.

Ein Laienbruder brachte eine Karaffe mit Wasser, in der frische Minzblätter schwammen und stellte vier Gläser auf den Tisch. Bruder Michael schenkte ein. Die Sonne meinte es gut in diesem Sommer, der reich an Wetterkapriolen war. Margarete und Matthias, die noch nicht gefrühstückt hatten, nahmen sofort jeder einen Schluck vom belebenden, aromatisierten Nass.

»Ich bin es auch deshalb hier, weil die alte Mühle an der Schwarzen Elster während meiner Abwesenheit überfallen wurde. Meine Mutter, die Schwester und ein Knecht – alle erschlagen! Die Magd Hanka konnte entkommen, ich habe sie gestern gleich nebenan befragt«, sagte Matthias. Bruder Michael schlug die Hand vor den Mund.

»Alle tot? Und dein Vater?«

»Wird vermisst. Es sollte so aussehen, als haben böhmische Ketzer die Mühle überfallen. Ich habe einen kaputten Kriegswagen von denen an der Schwarzen Elster gesehen. Hanka wiederum sagte aus, dass die Angreifer Deutsch sprachen und einer von denen mit ›Gunther‹ angeredet wurde. Die Hussiten waren es nicht. Bruder Michael, du warst Knappe des Hans von Polenz, bevor du dich in den Dienst an Gott gestellt hast. Gibt es eine Begebenheit in der Vergangenheit, dass mein Vater von wem auch immer abgrundtief gehasst wird und sich jetzt, Jahre später, jemand rächen will?« Matthias hob entschuldigend beide Arme.

»Du spielst darauf an, dass sowohl dein Vater, Hans von Polenz und meine Wenigkeit an der Rückeroberung des Schlosses Vischrad zu Prag vor acht Jahren beteiligt waren. Erzählt es bitte nicht dem Abt, der gleich kommt, er ist auf das Geschlecht derer von Polenz nicht gut zu sprechen. Eine geniale List. Hans von Polenz hatte herausgefunden, dass sich der Befehlshaber der Ketzer, Zenko von Wartenberg, auf eine längere Reise begeben würde. Hans verkleidete sich als Zenko, wir alle trugen Gewänder wie die Hussiten. Im Licht der Fackeln ließen sich die Verteidiger täuschen. Wir meuchelten die Wächter, öffneten das Tor und ließen unsere Mitstreiter ein. Ich erinnere mich, dass Karl Brandt für einige Minuten verschwunden war. Ob die geglückte Rückeroberung des Schlosses mit dem Überfall auf das Anwesen zusammenhängt? Ich weiß es nicht.« Bruder Michael hob und senkte die Schultern. Margarete hatte mit offenem Mund zugehört. Der Mönch und der Vater ihres Liebsten schwertschwingende Kämpfer in Böhmen?

Sie konnte nicht länger darüber nachdenken. Eine imposante Gestalt näherte sich dem Pavillon. Der Abt trug ein blütenweißes Gewand und darüber einen schwarzen Überwurf, Skapulier genannt. Ein schwarzes Stoffband um die Hüften, das Zingulum, hielt alles zusammen. Um den Hals trug der Abt eine goldene Kette mit einem Kreuz aus dem gleichen Material.

Das Gold funkelte in der Sonne. Margarete und Matthias gingen auf die Knie, um den Ring des Geistlichen zu küssen.

»Erhebt euch! Ich bin nicht der Vertreter Gottes auf Erden, dies obliegt dem Heiligen Vater in Rom. Ich bin nur Johann von Köckritz, Abt dieses nicht unbedeutenden Klosters. Du wirst dich fragen, Matthias, warum ich mir die Zeit nehme, dich zu sprechen, obwohl ich mit den Vorbereitungen zum Empfang des Erzbischofs Günther von Magdeburg beschäftigt bin. Dieser soll uns im Kampf gegen räuberische Banden aus dem Markgrafentum Meißen beistehen. Es wird Vieh gestohlen, Dörfer werden überfallen, in einigen Fällen wurden Mönche gemeuchelt. Dazu der übergriffige Vogt der Lausitz, der sich nebst anderen Gütern auch unser Kloster unter die Nägel reißen will.« Der Abt machte eine flüchtige Handbewegung mit der linken Hand und Bruder Michael beeilte sich, ein Glas Wasser einzuschenken.

»Wir alle, Hans von Polenz, dein Vater und ich waren im Jahr des Herrn 1415 zugegen, als in Konstanz am Bodensee der böhmische Ketzer Jan Hus brannte«, sagte der Abt und trank das Glas in einem Zug leer.

»Sie meinen Karl Brandt, ehrwürdiger Abt«, meldete sich Matthias zu Wort.

»Ja, dein späterer Ziehvater war auch zugegen. Ich meinte deinen leiblichen Vater, Matthias!«

Allen stockte der Atem. Bruder Michael beugte nach links und flüsterte dem Abt etwas ins Ohr.

»Es tut mir leid, was deiner Familie widerfahren ist. Wie ich hörte, wird dein Ziehvater vermisst. Du bist der Sohn des Konrad von Köckritz, unehelich gezeugt mit deiner Mutter Irmela, die, wie ich erfahren musste, erschlagen wurde. Du bist einer von uns! Nachdem in der verhängnisvollen Schlacht von Aussig vor zwei Jahren sechsundzwanzig Männer aus dem Geschlecht derer von

Köckritz gefallen sind, freut es mich umso mehr, dass du, Matthias, noch am Leben bist!«

Margarete wurde blass um die Nase. Damit hatte sie nicht gerechnet! Würde ein adeliger Matthias von Köckritz immer noch um die Hand einer Kaufmannstochter aus Ruhland anhalten?

Auf einer Wiese am Mittellauf der Schwarzen Elster hatte er gesagt, dass er sie liebt. Er hatte sie wahlweise Nixe oder Prinzessin genannt.

»Wie kam es dazu, dass sich Karl Brandt meiner Mutter und mir annahm?«, stotterte Matthias. Es fiel ihm schwer zu glauben, was ihm der Abt gerade eröffnet hatte.

»Ich kann kaum etwas Erhellendes dazu beitragen, mein Sohn. Ich weiß nur, dass Karl Brandt aus irgendeinem Grund von der Bildfläche verschwinden musste. Hans von Polenz belehnte ihn mit der alten Mühle an der Schwarzen Elster bei Naundorf. Karl nahm sich deiner und Irmela an. Dein leiblicher Vater fiel bei einem Rückzugsgefecht in Böhmen.« Der Abt stand auf, machte das Kreuzzeichen und segnete das Paar, das in Sünde lebte. »Bruder Michael, du sorgst dafür, dass im Skriptorium eine Urkunde aufgesetzt wird, welche die Ehe des Nikolaus von Polenz mit der hier anwesenden Margarete wegen Ehebruch für ungültig erklärt. Ich werde das Dokument morgen unterzeichnen. Du willst aufbegehren, Margarete? Nimm die Schuld auf dich, es ist der einfachste Weg. Zur Buße wirst du täglich zwanzig Vaterunser beten. Suche dazu, soweit möglich, jede Kirche am Wegesrand auf.« Der Abt entfernte sich schnellen Schrittes und ließ drei junge Leute ratlos zurück.

»Egal, ob Karl Brandt oder Konrad von Köckritz mein Vater ist – ich werde den feigen Überfall rächen und zuvor herausfinden, wer dahinter steckt!« Matthias reckte die rechte Faust nach oben. Margarete erschrak. So kannte sie ihren Gefährten bisher nicht.

»Da ich ahnte, was dich umtreibt, alter Freund, habe ich in Kirchhain einen Schmied beauftragt, eine Klinge für dich zu fertigen. Auch wenn der Sohn Gottes, unser Herr Jesus sagt, man solle in Frieden mit seinen Peinigern leben, verstehe ich dein Anliegen!«, sagte Bruder Michael. »Suche dir einen erfahrenen Fechtlehrer! Du wirst ihn in diesen unruhigen Zeiten brauchen. Gott segne euch, Margarete und Matthias!«

Am nächsten Tag wurde das Paar nicht vom Hahnengeschrei, sondern lautem Wiehern und Hufgetrappel geweckt. Nach der Katzenwäsche erkundigten sie sich beim Wirt nach der Ursache des Lärms.

»Eine Vorausabteilung des Erzbischofs von Magdeburg! Er wird schon heute Vormittag erwartet. Ich sage euch dann Bescheid, ob ihr die Kammer behalten könnt oder Gefolgsleute des Erzbischofs diese in Beschlag nehmen.«

Matthias und Margarete als Tochter eines Kaufmanns machten sich keine allzu großen Hoffnungen. Der Kirchenfürst zahlte vermutlich so gut, dass der Wirt sie bitten würde, etwas anderes zu suchen. Sie verlängerten die nächtliche Fastenzeit und tranken jeder nur einen Becher Wasser. Eine Magd hatte versichert, das Brunnenwasser wäre sauber und klar. Zumeist trank man schon zum Frühstück Bier oder Wein, weil der Alkohol Krankheitserreger abtötete.

Das Paar bummelte die Straße entlang. Nicht weit entfernt vom Kloster waren Marktstände aufgebaut. Matthias probierte einen von den gelben Augustäpfeln, die in diesem Jahr ungewöhnlich zeitig gereift waren. »Bruder Michael hat Recht. Um dich zu schützen, Liebste, muss ich lernen das Schwert zu führen.« Er stockte im Redefluss und blickte zum Boden.

»Ich frage nur ungern – aber kann ich das Schwert von dem Silber bezahlen, welches deine Mutter mir überreicht hat, aber dir gehört?«

»Was für eine Frage in diesen unruhigen Zeiten! Wie weit ist es bis zum Schmied? Ich hoffe, das Silber reicht!« Margarete stupste ihn an und zog ihn am Ärmel weiter. Einige Marktfrauen machten sich über die Szene lustig. Für sie sah es so aus, als würde der junge Mann unter der Fuchtel seines Weibes stehen. Die Schmiedewerkstatt konnte man nicht verfehlen. Eine Gasse davor war das laute Schlagen von Hämmern auf Eisen zu hören. Matthias bat seine Begleiterin draußen zu warten. Die wenig schmeichelhaften Rufe der Marktweiber hallten nach.

Hier musste er als Ritter von Köckritz auftreten. Diese Rolle war ungewohnt. Er wartete, bis die beiden Männer mit schweißglänzenden Oberkörpern und Lederschürzen innehielten, um zu Krügen mit Dünnbier zu greifen.

»Ich bin Matthias von Köckritz, Verwandter des Abtes des Klosters Dobrilugk! Bruder Michael hat ein Schwert …« Weiter kam er nicht.

Der Schmied griff nach einem Lappen, um den Schweiß von der Stirn zu wischen.

»Der Herr von Köckritz! Und ich bin Heinrich mit dem sinnigen Nachnamen Schmid. Ja, werter Herr, ich habe bereits vor zwei Tagen damit begonnen, einige Stangen Eisen zu verdrehen und zu verschweißen. Das Schmieden und Schleifen dürfte noch drei Tage dauern, gut Ding will Weile haben. – Siegfried! Bring dem Herrn doch einen Becher Bier!«

Um nicht unhöflich zu wirken, nahm Matthias das Getränk an, obwohl er noch nicht gefrühstückt hatte. Er wagte es auch nicht, den Lederbeutel aus Ruhland vorzuzeigen. Die Gefahr war zu groß, dass sich der Preis der Waffe nach dem Inhalt orientierte.

»In drei Tagen«, sagte Matthias, nachdem er den Becher mit dem schalen Bier geleert hatte.

»Gottes Segen, werter Herr von Köckritz!«, sagte der Schmied und verbeugte sich sogar.

Als er wieder draußen war, seufzte er: »Ich muss mich erst daran gewöhnen, dass ich von Adel bin und so ehrerbietig behandelt werde.« Da sie sich wieder dem Marktplatz näherten, unterließ Margarete alle Handlungen, die missverstanden werden konnten.

Der Wirt mit der fleckigen Schürze empfing sie mit einem Grinsen. »Gute Neuigkeiten! Die Knappen und Pferdeburschen des Erzbischofs schlafen in der Scheune. Alle anderen werden im Kloster untergebracht! Ihr könnt eure Kammer behalten!«

Matthias ließ zum verspäteten Frühstück auftafeln: Brot, Eier, Schinken, Käse und Dünnbier.

Es war ein Wagnis, am nächsten Tag ans Tor des Klosters zu klopfen. Der Abt konferierte vermutlich noch mit dem Erzbischof von Magdeburg. Umso überraschter waren sie, als ein deutlich freundlicher gesinnter Mönch das Sichtfernster öffnete.

»Matthias von Köckritz mein Name, ich möchte ein Pergament abholen, welches die Ehe der Margarete Kürschner mit Nikolaus von Polenz für ungültig erklärt!«

»Ja, ich weiß, Herr von Köckritz«, sagte der Mönch. »Leider ist der ehrwürdige Abt nicht zu sprechen, wie Sie verstehen werden. Ich lasse umgehend Bruder Michael herbeiholen!«

Der Mönch, der das Tor bewachte, schickte einen Laienbruder los, um Matthias alten Freund zu holen. Es dauerte nur wenige Minuten, da erschien Bruder Michael. Er hielt eine Schriftrolle in der Hand.

»Der ehrwürdige Abt hat entschieden, dass wegen der verwandtschaftlichen Beziehung seine Unterschrift nicht ausreiche und hat dem Erzbischof von Magdeburg das Pergament zur Unterzeichnung untergeschoben!«, sagte Bruder Michael lächelnd.

»Das müsste ausreichen, um Nikolaus von Polenz von der Nichtigkeit der Ehe zu überzeugen. Des Weiteren habe ich ein Dokument ausgestellt, in dem der Abt bestätigt, dass du legitimer Sohn des Ritters Konrad von Köckritz bist, deine leiblichen Eltern verstarben und du von Karl Brandt wie ein eigener Sohn großgezogen wurdest. Eine Abschrift aus dem Taufregister der Kirche in Senftenberg müsstest du dir selbst besorgen.«

Margarete und Matthias lagen sich in den Armen, tauschten wegen der Anwesenheit zweier Mönche nur Wangenküsschen aus.

»Vielen Dank, lieber Eber … äh, Bruder Michael!«, rief Matthias und wirbelte seine Angebetete im Kreis herum.

»Ich verstehe deine Euphorie, Matthias, Freund aus Kindertagen. Hütet diese Dokumente – es wird Leute geben, die um jeden Preis verhindern wollen, dass sie nach Senftenberg gelangen! Ich muss jetzt zurück zum Verhandlungstisch. Ich wünsche euch beiden alles Glück der Welt und Gottes Beistand!« Bruder Michael senkte kurz das Haupt und verschwand wieder.

Kapitel 3

Der Kahn, der sie hierhergebracht hatte, lag immer noch in der Kleinen Elster. Ganz in der Nähe kitzelte Margarete Matthias nackte Brust mit einem langen Grashalm.

»Verführerische Eva«, sagte er und ließ es sich gern gefallen.

»Meine Ehe wurde für ungültig erklärt und ich darf mit dir …« Der Grashalm wurde achtlos weggeworfen. Jetzt umkreiste ihre Zunge die Brustwarzen des Mannes unter ihr. Es dauerte nicht lange, da fielen alle Hüllen und sie ergaben sich dem Liebesspiel. Sie fühlten sich sicher. Eine Baumgruppe und Gebüsch verdeckten die Sicht von der Straße.

Margarete wollte gerade vorschlagen, dass man sich in der Kleinen Elster gegenseitig nassspritzte, als Hufgetrappel in atemberaubender Geschwindigkeit näher kam. Sie hatten gerade noch Zeit, ihre Blöße mit einer Decke etwas zu verhüllen.

»Wen haben wir denn da?«, brüllte der Anführer und stieg vom Pferd. An Widerstand oder Flucht war nicht zu denken. Sie wurden von dreißig Reitern eingekreist.

»Runter mit der Decke! Oder soll ich den Stoff mit meinem Schwert zerteilen?«

Der Ritter mit einer Schar Waffenknechte sah nicht so aus, als würde er scherzen. Zögerlich ließen sie die Decke zu Boden gleiten.

»Sehr ansehnlich! Sowohl der junge Mann als auch das Weib!« Der Ritter schlich um das Paar, befühlte die Muskeln von Matthias.

»Wir haben nun drei Möglichkeiten«, sagte der Anführer der Rotte. Seine behandschuhte Hand streifte die Hüfte von Margarete, die einen Aufschrei unterdrückte. »Die Magd schänden und den Jüngling zuschauen lassen, um sie anschließend ...« Er fuhr mit der Handkante über die Gurgel. Aus den Reihen der Kämpfer zu Pferd kam Gelächter und zustimmendes Gemurmel.

»Wir verkaufen sie als Sklaven. Ich kenne einige, die sowohl den Hintern eines Weibes als auch den eines jungen Mannes zu schätzen wissen!« Das Gelächter wurde lauter.

»Oder wir nehmen sie auf unseren Streifzug nach Süden mit. Den Mann als Pferdeknecht und die Magd als Marketenderin.«

Margarete und Matthias verständigten sich mit einem kurzen Händedruck. Sie gingen blitzschnell in die Hocke und griffen nach den beiden Dolchen, die unter der Kleidung versteckt lagen. Dann stellten sie sich Rücken an Rücken. Wenn sich auf dieser Wiese ihr Schicksal besiegeln sollte, dann nicht kampflos.

Der Anführer der Reiterschar trat umgehend einen Schritt zurück. Mittels eines Handzeichens beorderte er zwei Lanzenreiter näher heran, welche die Spitzen ihrer Waffen auf das Paar richteten.

»Euer Mut imponiert mir! Ich bin fast geneigt, euch am Leben zu lassen.«

Um aus dieser misslichen Lage herauszukommen, sah Matthias nur noch eine Möglichkeit. Er musste dem Anführer der Rotte die Wahrheit ins bärtige Gesicht schleudern. Auf die Gefahr hin, dass man ihm nicht glaubte.

»Ich wisst nicht, mit wem ihr es zu tun habt! Ich bin Matthias von Köckritz! An meiner Seite meine Braut, Margarete Kürschner!«

»Und ich bin der wiederauferstandene Kaiser Friedrich Barbarossa, haha!«, höhnte der bärtige Ritter. In das Gelächter stimmten die neunundzwanzig Spießgesellen ein.

»Ich kann es beweisen! Gebt mit einen oder zwei eurer Leute mit und wir holen die Dokumente, unterschrieben vom Abt des Klosters Dobrilugk und keinem Geringeren als dem Erzbischof von Magdeburg, aus dem Versteck in dem Wirtshaus, in dem wir logieren!«

Heinz von Waldow kratzte sich am langsam ergrauenden Bart. Er konnte nicht außer Acht lassen, was der Jüngling da vortrug. Er hatte mit einem Jon von Köckritz in der Schlacht von Tannenberg gekämpft. Sie waren Söldner des Deutschritterordens gewesen und hatten gegen die Heere der Polen und Litauer eine schmachvolle Niederlage erlitten. Er fühlte sich verpflichtet, der Behauptung des jungen Mannes nachzugehen.

»Wulff! Du führst die Männer nach Süden! Für einen Überfall auf eine Stadt in der Oberlausitz reicht es nicht. Konzentriert euch auf Kaufmannszüge! Ich komme später nach! - Gero! Wir beide begleiten das Paar und überprüfen die Dokumente, von denen die Rede ist. Ihr beide …«, Heinz von Waldow musterte das immer noch nackte Paar mit einem Blick, »...kleidet euch umgehend an. Um keine Zeit zu verschwenden, wird ein Packpferd von seiner Last befreit und ihr könnt aufsitzen!«

Margarete und Matthias beeilten sich, der Aufforderung des offensichtlich befehls- und kampferprobten Ritters nachzukommen. Als die junge Frau vorn im Schoß des Mannes saß, trabten sie über die Wiese auf die Straße, die zum Kloster führte.

Da Heinz von Waldow mit einem Fluchtversuch rechnete, blieb der Ritter Gero direkt hinter ihnen. Matthias dachte gar nicht an Flucht. Er saß auf einem Packpferd und nicht auf einem Araberhengst. Vor sich Margarete. Zudem hatte er die Wahrheit gesagt.

»Einen Humpen Bier, Herr von Waldow?«, katzbuckelte der Wirt. Er hatte es sich zur Angewohnheit gemacht, durchziehende Raubritter besonders erlesen zu bewirten. Wenn die schlechte Laune hatten, waren zerbrochene Schemel und Tische das geringste Problem.

»Vielleicht bei meiner Rückkehr, Herr Wirt! Ich bin hier, um die Nämlichkeit des jungen Paares zu prüfen. Wie haben sie sich denn bei Ihnen vorgestellt?«, fragte der Ritter von Waldow listig.

»Als Matthias Brandt, Sohn des Karl Brandt, und dessen Weib Margarete«, sagte der Wirt, der heute ausnahmsweise eine frisch gewaschene Schürze trug.

»Karl Brandt war ein Waffengefährte des Landvogtes Hans von Polenz in Prag«, sagte Heinz von Waldow und wirbelte herum. »Kannst du das erklären?«

»Ja, sicher«, sagte Matthias fest und umklammerte das linke Handgelenk von Margarete. »Ich habe erst vom Abt des Klosters erfahren, dass ich ein von Köckritz bin. Ich habe meinen Ziehvater für meinen leiblichen Vater gehalten. Und die Flunkerei, dass die Tochter des angesehenen Kaufmanns Kürschner meine …«

»Schon gut. Ihr wolltet eine gemeinsame Schlafstatt.« Von Waldow winkte ab. »Dann mal die Treppe rauf! Weist mir den Weg! – Gero! Du bleibst unten und sorgst dafür, dass keine neugierigen Gäste heraufkommen. Wer nur ein Bier trinken will, darf in die Gaststube.«

Der Angesprochene nickte zur Bestätigung.

In der Kammer angekommen holte Matthias die Schriftrolle aus einem Versteck unter dem Bett. Das war zwar nicht besonders sicher, aber sie waren auch nicht lange unterwegs gewesen. Und hier herein kamen üblicherweise nur die Frau des Wirtes und eine Magd, welche die Betten aufschüttelte und sauber machte.

Matthias löste die Schleife, entrollte die beiden Blätter und übergab sie an den Ritter von Waldow. Er begann zu lesen, streckte dann die Arme, um die geschwungenen Buchstaben besser erkennen zu können. »Mehr Licht«, murmelte er. Margarete riss die Tür wieder auf und Matthias beeilte sich, den Vorhang vor dem kleinen Fenster beiseite zu schieben.

»Im Alter lässt das Augenlicht nach«, grummelte der Ritter. »Warum sollten ein Abt und ein Erzbischof lügen? Was bringt es denen, dich für jemand auszugeben, der du nicht bist?«

Heinz von Waldow schlug Matthias so kräftig auf die rechte Schulter, dass er fast in die Knie ging. »Willkommen bei den Rittern, Matthias von Köckritz! Ein Verwandter von dir, Jon von Köckritz, war mein Waffengefährte in der Schlacht von Tannenberg, welche die siegreichen Polen und Litauer Schlacht von Grunwald nennen. Wir konnten leicht verwundet die Marienburg in Ostpreußen erreichen und uns dort verteidigen.«

»Darf ich anfügen, dass das Anwesen meines Ziehvaters vor einigen Tagen von Unbekannten überfallen wurde? Meine Mutter, die Schwester und ein Knecht wurden erschlagen, mein Ziehvater wird vermisst. Nur deshalb bin ich hier. Ich will wissen, wer es war! Margarete Kürschner habe ich zufällig am Ufer der Schwarzen Elster entdeckt«, sagte Matthias.

»Moment! Im ersten Dokument steht Margarete von Polenz, Weib des Nikolaus von Polenz! Solange der Herr nicht Kenntnis von der Annullierung der Ehe hat, bleibt sie seine Ehefrau!«

Margarete erschrak. War das nur eine Interpretation des Ritters von Waldow oder gültiges Recht?

»Aber das Dokument hat doch Rechtskraft? Immerhin haben zwei hohe Geistliche unterschrieben«, begehrte Matthias auf.

»Das wage ich nicht zu beurteilen, ich bin kein Rechtsgelehrter.« Heinz von Waldow fuhr sich mit der Hand durch den ergrauenden Bart.

»Wie dem auch sei – ihr steht unter meinem Schutz! Gero wird euch zu einem meiner Anwesen geleiten. Ich muss zur Schar zurück!«

Unten im Gastraum nahm der Ritter seinen Vertrauten Gero von Rothstein beiseite und flüsterte ihm ins Ohr: »Matthias von Köckritz wird in Sallgast zum Ritter ausgebildet. Ich stehe in der Schuld des Jon von Köckritz, der mir einst das Leben rettete. Das erste Dokument, das er bei sich führt, darf unter keinen Umständen in die Hände des Nikolaus von Polenz fallen! Wenn der erfährt, dass wir sein abtrünniges Weib beherbergen, haben wir eine Fehde am Hals, die ich nicht wünsche! Wenn wir Pech haben, schließt sich dem Kriegszug sein Vetter Hans von Polenz an. Der ist ohnehin als Landvogt angehalten, gegen Ritter, die Streifzüge in die Oberlausitz unternehmen, vorzugehen. Du weißt, was zu tun ist, Gero!« Heinz von Waldow klopfte seinem langjährigen Vertrauten auf die Schulter.

Margarete und Matthias hatten ihre wenigen Habseligkeiten schnell gepackt und verschnürt und waren bereit für ein neues Abenteuer.

»Wir haben ein kleines Problem«, sagte Matthias zu ihrem Begleiter für die nächsten Tage. »Mein Schwert ist noch nicht fertig. Der Schmied in Kirchhain behauptete, drei Tage.«

»Lassen wir später abholen! Ihr habt zum Teil gehört, was der Ritter von Waldow angewiesen hat. Ich soll dich, Matthias von Köckritz, und deine Begleiterin zum Waffenmeister Bertram nach Sallgast bringen«, sagte Gero von Rothstein. »Unverzüglich!« Das Auftreten des Ritters und engsten Vertrauten des Heinz von Waldow duldete keinen Widerspruch. Matthias nahm wieder Margarete vorn auf den Sattel des Packpferdes und im Schritttempo ging es nach Finsterwalde.

Dort machte man nur Rast, um das Packpferd gegen zwei Reitpferde zu tauschen. Matthias bekam einen Hengst mit einem normalen Sattel und Steigbügeln. Gero von Rothstein fragte Margarete, ob sie als Kaufmannstochter schon geritten sei, was sie bejahte. Wegen des langen Kleides musste sie mit einem Sambue genannten Seitsitzsattel vorlieb nehmen. Margarete stellte einen Fuß auf die links angebrachte Fußstütze. Eine Lehne gab etwas Halt. Sie hielt die Zügel, konnte aber nur durch Zurufe Einfluss auf die Gangart des Tieres nehmen. So kam man nur langsam voran.

Kapitel 4

Ungeachtet dessen erreichte man die Wasserburg Sallgast noch am späten Nachmittag desselben Tages. Gero von Rothstein schaute sich aufmerksam nach allen Seiten um. Es war niemand in der Nähe zu sehen.

Wenn er den Ritter von Waldow richtig verstanden hatte, sollte der Aufenthalt des Paares geheim bleiben und Kontakte zur Außenwelt unterbleiben. Auf seinen Zuruf hin wurde eine Zugbrücke heruntergelassen und sie ritten auf den Innenhof.

Matthias bestaunte die dreistöckigen Wehrtürme links und rechts des Haupttores. Die ursprünglich hölzernen Palisaden hatte man durch gemauerte Zinnen ersetzt.

Ein Pferdebursche kam sofort hinzugeeilt, um das Pferd von Margarete am Zügel zu halten. Die junge Frau ließ sich nach unten gleiten. Matthias und Gero übergaben ihre Pferde zur weiteren Versorgung an einen zweiten Stallburschen.

Im hinteren linken Teil des Hofes war eine drehbare Holzpuppe aufgebaut, sowie weitere Gerätschaften, von denen Matthias keine Ahnung hatte, wozu sie dienten.

Auf der Freitreppe vor dem Hauptgebäude stemmte eine ältere Frau die Fäuste an die ausladenden Hüften. Sie nahm sofort Margarete in Beschlag, drückte sie sogar an die üppige Brust. »Willkommen auf der Burg Sallgast, mein Mädchen! Ich bin Mathilde – und wer bist du?«

»Margarete, Tochter des Kaufmanns Wilhelm Kürschner aus Ruhland«, keuchte sie und atmete tief durch.

»Kein Bauerntrampel, sondern eine Bürgerliche. Darf ich fragen, welchem Gewerbe dein Vater nachgeht, Margarete?«, fragte die Matrone lauernd.

»Fischhandel! Wir liefern bis Berlin, Cölln und Dresden«, sagte Margarete stolz. Sie verschwieg geflissentlich, dass sie in den letzten Wochen nichts mehr damit zu tun hatte.

Mathilde, die hier offensichtlich nicht nur den Kochlöffel schwang, sondern auch dem Gesinde vorstand, würde dies früh genug erfahren.

»Dann mal rein in die Küche! Du schmales Ding kannst ein Brot mit Spiegeleiern und Schinken vertragen!«

Gero von Rothstein und Matthias trabten hinterher.

An einem grob gezimmerten Tisch aus Eichenbohlen saß ein kräftiger, älterer Mann mit grauem Bart, der die letzten Krümel Brot mit angefeuchtetem Zeigefinger vom Holzteller wischte und in den Mund schob. Dann nahm er einen kräftigen Schluck aus dem Humpen mit Dünnbier, um das Ganze herunter zu spülen.

»Wen schleppst du da an, Gero?«, fragte der Mann gelangweilt und ließ einen Rülpser folgen.

»Lass dich nicht täuschen, Matthias von Köckritz, das ist der beste Ausbilder den du dir wünschen kannst – Bertram von Eschwege! Frage nicht, wie es ihn in dieses Nest in der Lausitz verschlagen hat! Vielleicht erzählt er es dir, wenn ihr euch nähergekommen seid, vielleicht auch nicht.« Gero von Rothstein schob Matthias näher an den Tisch heran.

»Ziehvater Karl Brandt. Nach einem Überfall auf die alte Mühle bei Naundorf wird er vermisst. Matthias weiß selbst erst seit zwei Tagen, dass er ein von Köckritz ist«, fügte Gero von Rothstein erklärend hinzu.

Inzwischen hatte Margarete an einem kleineren Tisch Platz genommen und verspeiste die ihr vorgesetzte Portion Spiegelei mit Brot mit gutem Appetit.

»Brandt? Von Köckritz?« Bertram von Eschwege trank die Neige aus seinem Humpen aus und kratzte sich am Bart. »Karl Brandt war bei der Rückeroberung des Prager Schlosses dabei. Heinz ist dem Clan derer von Köckritz etwas schuldig. Ostpreußen Anno 1410 – da war ich nicht dabei, beginne aber, zu verstehen. Lass mich raten, Gero! Ich soll aus dem schmalen Hemd einen Ritter machen, wenn's geht, bis übermorgen?«

»Richtig! Genau das will Heinz. – Mathilde, eine Kanne Bier für mich, danke!«, rief Gero.

Auf einen Wink hin durfte sich Matthias zu der imposanten Gestalt am großen Tisch setzen. Es dauerte nicht lange, da hatte er wie seine Begleiterin eine ordentliche Portion vor sich stehen, dazu einen Humpen Bier.

»Nachdem du dich gestärkt hast, gehen wir raus zur ersten Lektion. Ich rede nicht gerne um den heißen Brei herum. Zehn Jahre Ausbildung in wenigen Wochen sind ein Unding. Wenn du mitziehst, kann ich bis zur Heiligen Christmesse einen brauchbaren Knappen aus dir machen!«

»Danke«, sagte Matthias zwischen zwei Bissen. Ihm ging es nur darum, seine Margarete vor Nikolaus von Polenz zu schützen. Da war eine Ausbildung zum Schwertkämpfer hilfreich. Der Vetter des Landvogtes würde vielleicht angesichts des Gutachtens der hohen Geistlichen einlenken, wahrscheinlicher war, dass er zu den Waffen griff. Das Problem war nur, der Noch-Ehemann von Margarete hatte gar keine Kenntnis davon, dass die Ehe für ungültig erklärt worden war. Man müsste einen Boten nach Senftenberg senden …

»Du bist nicht bei der Sache, Matthias von Köckritz!«, schnauzte Bertram von Eschwege und baute sich vor dem jungen Mann auf. »Wenn du in einer Schlacht an deine Holde denkst bist du tot! Aufgegessen? Dann raus!«

Matthias blieb nichts anderes übrig als dem Hünen auf den Hof zu folgen. Bertram pfiff mit zwei Fingern im Mund und ein Knecht brachte ein gesatteltes Pferd.

»Ist noch eine Schweinehälfte da? Am Galgenbaum aufhängen!« Bertram schwang sich auf das Pferd, ließ sich ein Langschwert reichen. Es dauerte noch einige Minuten, bis zwei Knechte mittels einer Leiter eine Schweinehälfte in der entsprechenden Höhe angebracht hatten.

Der Ausbilder versetzte das Pferd in langsamen Galopp, das immer schneller wurde. Beim Passieren des Galgenbaums schlug er beidhändig zu. Die Schweinehälfte hatte einen tiefen Riss, der untere Teil fiel aber nicht. Noch nicht. Beim nächsten Anritt segelte die untere Hälfte nach unten auf den gepflasterten Burghof.

»Schafft das weg und macht sauber!«, brüllte Bertram von Eschwege. Die Knechte beeilten sich, den Befehlen nachzukommen.

»Wenn du das bis Weihnachten schaffst, schlage ich Heinz von Waldow vor, dir ein Schwert auf die Schulter zu legen!«, brummte der Ausbilder und stieg vom Pferd.

»Soll ich jetzt gleich das Ganze wiederholen?«, fragte Matthias mit staunenden Augen.

»Natürlich nicht, war nur eine Aufführung für dich, was ich in Zukunft erwarte«, schnaufte Bertram. »Zur Ausbildung zum Ritter, zunächst mal Knappe, gehört viel mehr. Unter anderem Keuschheit, Minne und Bildung! Du wirst heute Abend nicht der hübschen Blondine beiwohnen, sondern Hanteln stemmen.« Bertram zeigte auf herumliegende Kugeln aus Eisen, an denen ein Schmied Griffe befestigt hatte. »Nach dem Abendbrot meldest du dich bei mir zum Schachspiel!«

Matthias hatte sich notgedrungen unter den Schutz des Ritters von Waldow gestellt. Da musste er jetzt durch. Gleichzeitig musste ein Weg gefunden werden, Nikolaus von Polenz von der Auflösung der Ehe in Kenntnis zu setzen. Matthias ahnte, dass er keine Zeit haben würde, um als Bote nach Senftenberg zu reiten. Er brauchte jemanden, der das für ihn erledigte. Eine Vertrauensperson, die nicht verriet, wo sich Margarete aufhielt. Da fiel ihm nur einer ein … Ihn traf ein kräftiger Schlag in den Nacken. Matthias sackte in den Knien ein.

»Soll ich Heinz von Waldow berichten, dass du eine Lusche bist? Nein? Dann mach, was ich dir gesagt habe!«, zischte Bertram ihm ins Ohr.

Matthias schlich zu einer der Eisenkugeln mit Griff und versuchte, diese zum Oberarm hin zu bewegen. Das war schwerer als gedacht. Vermutlich hatte dieser Ritter von irgendwo zwischen den Markgrafentümern Thüringen und Hessen recht.

Um ein Schwert zu führen, brauchte man Muskelkraft. Matthias wiederholte die Übung dreißig Mal auf jeder Seite. Dann setzte er sich ermattet auf einen Holzklotz. »Für Margarete!«, murmelte er und griff erneut zur Hantel.

In der Küche wurde das Abendessen vorbereitet. Die Herrscherin über dieses Reich wusste immer noch nicht, woran sie bei der Neuen war. »Zwei Karpfen und drei Forellen wurden gerade angeliefert! Margarete – würdest du sie ausnehmen?«

Margarete hatte in dieser Burgküche eine größere Auswahl an Messern als unterwegs. In atemberaubender Geschwindigkeit entfernte sie die Innereien, schnitt Köpfe und Schwänze ab und filetierte die fünf Fische. »Ist es so recht, Mathilde?«

Nachdem es der Matrone gelungen war, den Mund wieder zu schließen, sagte sie: »Wir haben so viele Fastentage im Kirchenkalender, an denen Fisch serviert werden muss, ich kann dich hier gut gebrauchen!«

Das Abendessen wurde nicht in der Küche, sondern einem angrenzenden größeren Raum serviert, den Wandteppiche zierten.

Gero von Rothstein, Herr über die Wasserburg während der Abwesenheit des Heinz von Waldow, hatte nur Bertram und Matthias geladen. Margarete durfte als Tochter eines Kaufmanns servieren. Da alles gleichzeitig aufgetafelt wurde, half ihr eine Magd. Gero beschnüffelte die Platte mit dem Fisch.

»Beinahe vergessen, es ist Freitag, da gibt es Fisch! Forelle?«

»Ja, Herr von Rothstein, in Essig-Sud gegart.« Margarete deutete sogar einen Knicks an.

Eine Magd wuselte mit einer Schüssel um den Tisch und die drei Herren durften ihre Finger ins parfümierte Wasser tauchen und anschließend abtrocknen.

Matthias bestrich eine Brotscheibe mit Schmalz und legte eine sauer eingelegte Gurke darauf.

»Kein Fischfreund, der junge Herr von Köckritz?«, lachte Bertram und griff ebenfalls nach dem frischen Brot.

Matthias ließ die belegte Schnitte, die er gerade zum Mund führen wollte, wieder sinken.

»Doch, schon. Wir haben an der Schwarzen Elster Fische gefangen und gebraten.« Plötzlich hatte er wieder das Bild vor sich mit den drei Leichen und dem Hund, dem Blut aus der Schnauze quoll.

»Ich dachte nur, nach dem Hantelstemmen könne eine Schmalzstulle nicht schaden«, stotterte er.

»Dein trüber Blick verrät mir etwas anderes«, sagte Gero von Rothstein, während er Weißwein in drei Becher goss. »Du sinnst auf Rache und du willst Aufklärung. Das kann ich verstehen. Wir werden dich dabei unterstützen, dessen kannst du gewiss sein. Ich spiele gern mit offenen Karten. Die speziellen Anweisungen von Heinz von Waldow, dich und die junge Frau betreffend, sollten geheim bleiben. Ich schere mich nicht darum! Du und Margarete – ihr werdet die Burg nicht verlassen. Auch nicht, um die Kirche in Sallgast zu besuchen. Wie dem Nikolaus von Polenz der Inhalt des Dokumentes aus Dobrilugk übermittelt wird, entscheiden wir erst, wenn Heinz zurück ist. Du, Bertram, alle Knechte und Wächter, sind angewiesen, die Einhaltung dieser Bestimmungen zu kontrollieren. Habe ich mich klar ausgedrückt? Dann lasst uns schmausen!«

Matthias stocherte nur in seinem Essen. Lieber eine klare Ansage, als im Dunkeln tappen. Er müsste diesem Gero von Rothstein dankbar sein, dass er es so offen gesagt hatte. Blieb nur der Weg, seinem besten Freund eine Nachricht zukommen zu lassen und ihn hier einzuschleusen.

Nach dem üppigen Abendessen, bei dem der Fisch mit viel Weißwein heruntergespült worden war, wollte Matthias nur noch die Halsbeuge seiner Angebeteten küssen, um dann in einen hoffentlich traumlosen Schlaf zu fallen. Er erinnerte sich daran, dass Bertram ihn zum Schachspiel herausgefordert hatte. Matthias trottete zur Kemenate seines Ausbilders.

»Ich dachte schon, du bist weinselig an die Brust deiner Angebeteten gesunken«, knurrte der ergraute Ritter. Bertram hatte vor sich ein Schachbrett aus edlem Holz stehen, darauf Figuren, die Matthias so noch nicht gesehen hatte. Er nahm einen Bauern zur Hand.

»Was ist das für ein Material?«, fragte er staunend.

»Elfenbein. Heinz hat dieses Spiel irgendwo in der Oberlausitz erbeutet. Du hast Weiß und damit den ersten Zug«, sagte Bertram.

»Anstelle eines Turmes ein Fabelwesen mit zwei Schwänzen?« Matthias schüttelte den Kopf. Er hatte mit seinem Ziehvater Schach gespielt, aber da sahen die Figuren anders aus.

»Das ist ein Kriegselefant, du Döskopp! Noch nie was von Hannibal oder Alexander dem Großen gehört?«, murrte Bertram. Matthias schüttelte den Kopf.

»Mehr Arbeit als ich dachte. Nebst der Schwertführung muss ich dir auch noch Geschichte beibringen! Nun mach schon den ersten Zug«, meckerte Bertram.

Matthias setzte einen seiner Bauern mittig zwei Felder nach vorn. Nach und nach fiel Matthias wieder ein, was ihm sein Ziehvater Karl beigebracht hatte. Er konterte die Angriffe des aggressiv zu Werke gehenden Bertram. Nach einer Stunde lief es auf ein Remis hinaus. Keiner der beiden konnte den gegnerischen König matt setzen.

»Alle Achtung, Junge, das Strategiespiel beherrschst du schon mal, da kann ich dir nicht mehr viel beibringen! Noch einen Becher Wein?«, fragte Bertram von Eschwege.

»Nein, danke. Ich bin müde. Darf ich gehen?« Matthias unterdrückte ein Gähnen.

»Verschieben wir die nächste Partie auf morgen. Wenn du unter die Bettdecke zu deiner Holden schlüpfst – lass sie schlafen. Du brauchst deine Kraft morgen auf dem Übungsplatz!« Bertram winkte ab und goss sich noch einen Becher Wein ein.

Margarete blinzelte mit einem Auge, als Matthias so leise wie möglich unter die Bettdecke kroch. Er bekam es nur mir, weil noch eine Kerze in einer Tonschale brannte.

»Wie lief es mit Bertram?«, flüsterte sie.

»Unentschieden«, gähnte Matthias. »Ich habe eine Idee, wie das Gutachten zu deiner Ehe nach Senftenberg gelangen kann. Welche Magd geht regelmäßig ins Dorf, um Eier und Gemüse zu kaufen?«

»Bertha – warum fragst du?«, wollte Margarete wissen.

Matthias zögerte. Sollte er ihr die ganze Wahrheit offenbaren? Dass Peter und er …

»Es ist unauffälliger, wenn du Bertha einen Beutel böhmische Groschen zusteckst. Sie soll zur Magd Marica laufen und sobald Peter, Sohn von Claus dem Töpfer, dort auftaucht, uns benachrichtigen. Am besten, sie hinterlässt, dass er gleich zur Wasserburg kommen soll.«

Margarete war jetzt hellwach. »Ich beginne zu verstehen. Als ich in Dobrilugk auf dem Abort war, hat Hanka etwas gesagt, das ich nicht hören sollte! Sie kennt Marica, stammt wohl auch von hier. Du und dein Freund Peter – ihr habt sie gemeinsam …?«

Matthias legte einen Finger auf die geschwungenen Lippen. »Junge Männer haben nun mal das Bedürfnis … Es war lange vor deiner Zeit, jetzt habe ich mein Glück mit dir gefunden. Ich liebe dich!« Matthias nahm den Zeigefinger weg und hauchte einen Kuss auf die zarten Lippen.

»Lass uns schlafen. Ich fürchte, Bertram wird mich morgen hart rannehmen!«

Nach dem kargen Frühstück, bei dem es nur eine Schüssel Haferbrei mit einem Klecks Honig gab, drückte Bertram dem angehenden Knappen ein stumpfes Übungsschwert in die Hand.

»Das ist ein Kurzschwert. Du wirst auch noch lernen, ein Langschwert mit beiden Händen zu führen«, knurrte der Ausbilder anstelle einer Begrüßung.

Nachdem Matthias in der ersten Stunde die vier Grundstellungen, Hut genannt, Alber, vom Tag, Ochs und Pflug gelernt hatte, stand ihm bereits der Schweiß auf der Stirn. Im Schatten der Mauer stand ein irdener Krug mit Dünnbier, aus dem er einen kräftigen Schluck nahm.

»Es gibt auch noch die Nebenhut, den Schrankhut, den Schlüssel, das Einhorn, den Hangetort, den Langort und die Wechselhut«, lachte Bertram.

»Aber ich will dich nicht gleich am ersten Tag überfordern! Komm, gieß mir was aus dem Krug in meinen Becher, es ist ein warmer Tag!«

In der Burgküche hatte sich Margarete mit dem Gedanken angefreundet, als Kaufmannstochter auch niedere Arbeiten verrichten zu müssen. Das Herbeischaffen von trockenem Holz, das Schüren des Feuers und das Putzen von Gemüse gehörten dazu. In Ruhland hatte man dazu dienstbare Geister gehabt.

Bei der Herrin über dieses Reich, der resoluten Mathilde, hatte sie seit gestern einen Stein im Brett, als sie binnen kürzester Zeit fünf Fische ausgenommen und filetiert hatte. In einer der kurzen Pausen nahm sie die Magd Bertha beiseite und steckte ihr einen Beutel böhmischer Groschen zu.

»Frag nicht«, zischte Margarete und schaute sich nach allen Richtungen um, »Wenn du in den Ort gehst, um Eier zu kaufen, mach bitte einen Umweg zur Magd Marica beim Bauern Lehmann! Sobald ein Peter Töpfer dort auftaucht, soll sie ihn zur Burg schicken!«

Die Wangen der jungen Frau wurden Rot überflammt. »Du weißt, welchen Ruf Marica in Sallgast hat?«, flüsterte Bertha.

»Ich kann es mir denken, ist aber nicht wichtig. Peter Töpfer wird als Freund von Matthias hier gebraucht! Gehst du heute noch raus?«, fragte Margarete.

»Ja«, hauchte Bertha. Hinter den beiden jungen Frauen ertönte die Stimme von Mathilde.

»Ein kleines Schwätzchen, die Damen? Weiter geht's – die Arbeit macht sich nicht von alleine!«

Kapitel 5

Vier Reiter näherten sich im Galopp der geschlossenen Zugbrücke der Kaupenburg vor Ruhland. »Seht das Wappen derer von Polenz! Wir sind im Auftrag des Landvogtes unterwegs!«, rief der Anführer des kleinen Trupps zum Wehrgang oberhalb des Tores. »Lasst uns ein, wir wollen nur ein paar Fragen stellen, dann sind wir wieder weg!«

Die Wächter waren auf der Hut. Es kam nicht selten vor, dass Feinde eine Fahne oder ein Schild einer befreundeten Partei mit sich führten, um die Verteidiger zu täuschen.

»Was ist euer Begehr?«, schrie der Wachhabende nach unten.

»Das Weib des Vetters unseres Landvogtes, die aus Ruhland stammt, wird vermisst! Wir sollen deren Verbleib erkunden und sie unversehrt nach Senftenberg bringen!«

»Wen darf ich dem Herren Hentzke melden?«, schallte es vom Wehrgang.

»Gunther von Bentheim, Beauftragter von Nikolaus und Hans von Polenz, wie ich schon sagte! Nun lasst endlich die Zugbrücke herunter und öffnet das Tor!« Das war maßlos übertrieben, denn der Landvogt war ständig unterwegs und wusste nichts von dieser Mission. Die Wachleute schienen überzeugt, denn man hörte das Rasseln von Ketten. Augenblicke später konnte die kleine Reiterschar die Pferde an herbeieilende Knechte abgeben.

»Gott zum Gruße, Herr Hentzke«, sagte Gunther von Bentheim. Er verzichtete auf eine Verbeugung, denn sein Gegenüber hatte nicht einmal einen Adelstitel. »Darf ich mich nach dem Wohlergehen Ihres Herrn Bruders erkundigen?«, schmeichelte er.

»Danke der Nachfrage, er erholt sich gerade vom Sumpffieber, ist auf dem Wege der Besserung«, sagte Johann Hentzke.

»Um es kurz zu machen: Uns wurde berichtet, dass das abtrünnige Weib des Nikolaus von Polenz sich möglicherweise hier in ihrer Geburtsstadt aufgehalten haben soll. Haben Sie davon Kenntnis?«, fragte Gunther von Bentheim scharf.

»Ein Knabe berichtete vor ein paar Tagen, er habe Margarete Kürschner in einem Kahn gesehen. Als ich zwei Männer losschickte, um dies zu überprüfen, war das Gefährt verschwunden. Matthias, Sohn des Karl Brandt, war hier, um den Fund eines Kriegswagens der Hussiten zu melden. Diesen haben wir gefunden und geborgen. Der Verdacht liegt nahe, dass Matthias Brandt den Kahn stakte, den der Knabe Friedrich gesehen haben will!« Johann Hentzke zuckte entschuldigend mit den Schultern. »Mehr weiß ich wirklich nicht!«

»Danke, Sie haben uns sehr geholfen, Herr Hentzke«, sagte Gunther von Bentheim und winkte seinen Begleitern, ihm zu folgen. Auf dem Markt fragte er nach dem Anwesen des Fischhändlers Wilhelm Kürschner. Nach dem Klopfen wurde die Magd unsanft beiseite geschoben.

»Sind die Herrschaften zuhause?«

»Nur die gnädige Frau«, stotterte die Magd.

Maria Kürschner zitterten die Hände, als urplötzlich vier schwer bewaffnete Männer in ihrer Stube standen.

»Gunther von Bentheim mein Name! Nikolaus von Polenz will sein Weib, eure Tochter zurück! Sie war hier, zumindest am Flussufer. Was können Sie Erhellendes dazu beitragen?«

Angesichts der bewaffneten Männer blieb Maria Kürschner nichts anderes übrig, als ansatzweise die Wahrheit zu sagen.

»Sie wurde in Senftenberg misshandelt und gedemütigt, sah keinen anderen Ausweg als die Flucht! Ich weiß nur, dass sie ein Rechtsgutachten in einem angesehenen Kloster einholen will, um die Ungültigkeit ihrer Ehe zu erwirken!«, sagte Maria Kürschner unter Tränen.

Gunther von Bentheim musste nicht lange nachdenken, um zu einem Ergebnis zu kommen. Der Kahn in der Schwarzen Elster, die gesuchte Margarete darin. Der Mann, der die Gondel stakte, war der Ziehsohn von Karl Brandt, in Wirklichkeit aber der Sohn des Konrad von Köckritz.

Beide waren ihm gleichermaßen verhasst. Der Auftrag, Margarete zu finden, würde ihn unweigerlich zu einem von Köckritz führen. Von Bentheim hatte geschworen, dieses Geschlecht bis ins siebte Glied auszurotten. Der Abt des Klosters Dobrilugk hatte behauptet, dass er mit den Ketzern unter einer Decke steckte und deshalb der rechte Flügel in der Schlacht bei Aussig von den Hussiten zusammengeschossen worden war.

»Wohin kann man mit einem Kahn gelangen? Zum bedeutendsten und reichsten Kloster der Niederlausitz in Dobrilugk!« Gunther von Bentheim hatte einen Dolch aus der Scheide an seinem Gürtel gezogen. Maria Kürschner wurde noch blasser. »Es liegt mir fern, Sie zu bedrohen, gnädige Frau! Ich will von Ihnen nur die Bestätigung, dass ich mit meiner Annahme richtig liege!«

»Ich weiß es nicht!« Die Frau des Fischhändlers versuchte das Zittern ihrer Hände zu unterdrücken. In diesen Zeiten war man nicht einmal mehr in seinen eigenen vier Wänden sicher.

Gunther von Bentheim steckte den Dolch wieder in die Scheide. Das Erschrecken in den Augen der Frau hatte ihm als Antwort genügt.

»Ach, und noch etwas. Der Galan ihrer Tochter ist in Wahrheit Matthias von Köckritz. Ich vermute, inzwischen hat ihm das der Abt des Klosters auch mitgeteilt. Ändert nichts an der Tatsache, dass Margarete das Weib von Nikolaus von Polenz ist, in dessen Auftrag ich handle. Wünsche noch einen schönen Tag, Frau Kürschner!« Von Bentheim winkte seinen Schergen, das Haus des Händlers zu verlassen. Die Magd, die ihnen geöffnet hatte, drückte sich an die Wand. Dann eilte sie zu ihrer Herrin, um nachzusehen, ob alles in Ordnung war.

»Dieser Grobian will beide haben, Margarete und Matthias«, sagte Maria Kürschner mit tränenerstickter Stimme. »Gerda, soll ich meinen Mann zu Rate ziehen oder heimlich einen Boten losschicken, um sie zu warnen?«

»Selbst wenn Ihre Tochter und meine einstige liebste Spielgefährtin Margarete das Kloster Dobrilugk aufgesucht haben, ist nicht gewiss, wo sie sich in diesem Moment aufhalten. Sie können überall sein. Ein Bote, den Sie entsenden, müsste hellseherische Fähigkeiten haben …«

»Was hast du gerade gesagt? Hellseherische Fähigkeiten? Hol den blinden Bettler vom Markt hierher!«, rief Maria Kürschner.

Roland saß wie immer in der Südwestecke des Marktes von Ruhland, wo er von den Sonnenstrahlen gewärmt wurde. Es war ein günstiger Platz. Die Bürgerfrauen gaben immer ein paar Münzen. Die Mägde, die man losgeschickt hatte, weniger. Eine schmale Gestalt beschattete ihn. »Ein paar Münzen für einen blinden Mann, holde Maid!« Roland hatte gelernt, anhand der Schritte und der Stimmen Bürgerfrauen von jungen Mägden zu unterscheiden.

»Du bekommst deinen Lohn, wenn du meiner Herrin gesagt hast, wo sich ihre Tochter befindet. Sie ist in Gefahr und muss gewarnt werden!«, sagte Gerda. »Steh auf, ich geleite dich zu unserem Anwesen!«

»Gerda, Magd bei den Kürschners.« Roland hatte die Stimme wiedererkannt. Er erhob sich mit knirschenden Gelenken aus seiner Sitzposition. Die Magd hakte ihn unter.

»Halt! Der Teller mit den Münzen! Leere ihn in einen Beutel, es wird sonst gestohlen«, keuchte der blinde Roland. Gerda sammelte das Geld ein und steckte es in ein Ledertäschchen.

Weil der Seher immer nur im Schneidersitz saß, waren seine Muskeln erschlafft und sie kamen nur langsam vorwärts. Nach zwanzig Minuten hatten sie endlich das Fachwerkhaus erreicht, wo sie Maria Kürschner ungeduldig erwartete.

»Es wird dir nachgesagt, dass du Dinge sehen kannst, die anderen verborgen bleiben, Roland. Möchtest du ein Glas Wein oder einen Becher Dünnbier?«

»Nein, danke. Meine Sinne müssen klar bleiben«, flüsterte Roland. »Einen Becher Kräutertee und ein belegtes Brot mit Schinken bitte!«

Gerda hatte einen Schemel herbeigeschafft, auf dem der Seher Platz nahm. Er trank einen Schluck vom lauwarmen Tee. Roland versuchte, sich an die Stimme von Margarete zu erinnern. Ihr Lachen, ihre Schritte. Dann hatte er ein Bild vor sich.

Eine lebenslustige junge Frau mit glockenklarer Stimme. Sie war immer freundlich zu ihm gewesen, hatte nicht nur Münzen auf den Teller geworfen, sondern auch einige Worte mit ihm gewechselt.

Roland sah einen dunklen Wald, Wasserläufe, ein Dorf. Am Rande der Siedlung eine Wasserburg. Auf dem Burghof parierte ein junger Mann die Schwerthiebe eines älteren Ritters. Eine junge Frau kam heraus und rief etwas mit einer hellen Stimme, die er im Kopf hatte.

»Margarete ist in einer Wasserburg nördlich von hier, nicht weit entfernt. Es geht ihr gut. Kann ich jetzt das Schinkenbrot haben?«

Maria Kürschner und ihre Magd lagen sich in den Armen. »Denkst du das gleiche wie ich, Gerda?«

»Ich glaube, Sallgast!« Gerda hob den Teller mit dem belegten Brot, damit der blinde Seher danach greifen konnte.

»Jetzt wissen wir, wohin wir einen Boten schicken müssen!«, rief Maria Kürschner erleichtert aus. Ein Beutel Silber wechselte den Besitzer. »Vielen lieben Dank, Roland! Ich hatte gehofft, dass es stimmt, was man über dich erzählt.«

»Meine Fähigkeiten sind beschränkt. Ich kann nicht weit genug in die Zukunft schauen. Wenn ich sagte, ihrer Tochter ginge es gut, kann es in ein paar Wochen schon wieder anders aussehen. Vielen Dank für Brot und Tee. Ich möchte Sie bitten, dass Gerda mich zum Markt zurück geleitet!« Der Bettler erhob sich ächzend. Er war nicht immer blind gewesen. In einer der vielen Fehden zwischen den Adelsgeschlechtern der Lausitz war er mit einer stumpfen Waffe am Kopf verletzt worden. Die Platzwunde war schnell verheilt, aber die Sehkraft schwand. Er konnte nur noch Hell und Dunkel unterscheiden.

»Was wollte der blinde Bettler hier?« Der Herr des Hauses, Wilhelm Kürschner, war unbemerkt eingetreten und polterte sofort los. »Wollte er Geld oder hast du auf seine angeblichen hellseherischen Fähigkeiten spekuliert?«

Maria Kürschner zögerte mit der Antwort einige Sekunden zu lange.

»Weib! Mir wurde zugetragen, dass vor ein paar Tagen der Sohn des Karl Brandt aus der Nähe von Naundorf hier ein- und ausging. Was geht hier vor? Welche Geheimnisse verbirgst du noch?«

Wilhelm Kürschner war bedrohlich nähergetreten. Maria hatte keine Angst. Ihr Gatte hatte sie noch nie geschlagen, immer nur die Stimme erhoben und sich aufgeplustert wie ein Gockel.

»Wo warst du, als ich vorhin mit einem Dolch bedroht wurde? Man sollte in diesen unruhigen Zeiten bewaffnete Knechte vor die Tür stellen!«, entgegnete Maria selbstbewusst. Sie war aufgestanden und stemmte die Fäuste an die Hüften.

»Wer war der Kerl? Das wird ja immer besser!« Wilhelm Kürschner ließ sich auf einen Stuhl sinken. »Ich brauche einen Schluck Bier, oder besser noch, einen Becher Branntwein! Gerda!«

»Sie bringt Roland zurück zum Markt. Er hat zwar einen Stock, aber …«

»Lenk nicht ab! Wo waren wir stehengeblieben? Wo willst du hin?« Der Fischhändler schaute seiner davoneilenden Ehefrau entgeistert nach.

»Die Magd ist unterwegs und die Küchenmamsell einkaufen. Ich hole dir eine Kanne Bier, verehrter Gatte!«

Maria Kürschner kam umgehend zurück und goss das schäumende Getränk in einen Becher.

»Jetzt will ich aber Antworten, Weib! Wer war zuletzt hier und fuchtelte mit einem Dolch herum?« Wilhelm Kürschner wischte sich den Schaum von der Oberlippe.

»Gunther von Bentheim und drei seiner Spießgesellen. Sie gaben in der Kaupenburg vor, im Auftrag von Nikolaus und Hans von Polenz unterwegs zu sein. Deshalb konnten sie auch das Stadttor passieren. Unsere Tochter Margarete hielt die Misshandlungen und Demütigungen in Senftenberg nicht mehr aus und ist geflohen. Weil sie fürchtete, von dir zurückgeschickt zu werden, blieb sie versteckt an der Schwarzen Elster und Matthias kam zu mir. Der ist übrigens nur der Ziehsohn von Karl Brandt, in Wirklichkeit stammt er aus dem Geschlecht derer von Köckritz! Der Abt des Klosters von Dobrilugk ist ein von Köckritz. An ihn wollte sie sich wenden, um die Ehe für ungültig erklären zu lassen …« Weiter kam Maria nicht.

Wilhelm Kürschner war aufgesprungen und hätte beinahe den Becher und den Bierkrug umgerissen. »Und das erfahre ich erst heute? Mein Gott, Weib, was machen wir jetzt?«

»Der von dir verachtete Bettler hat geweissagt, unsere Tochter ist in Sallgast! Wir schicken einen zuverlässigen Boten zur Wasserburg, um sie vor Gunther von Bentheim zu warnen«, sagte Maria und setzte sich wieder.

»Wenigstens hat sie sich nicht verschlechtert – Matthias von Köckritz! Ich nehme an, sie teilen das Lager? Es ändert aber nichts daran, dass wir eine Menge Silber gezahlt haben, um die Ehe mit Nikolaus von Polenz zu arrangieren«, seufzte Wilhelm Kürschner, setzte sich wieder und nahm einen Schluck Bier. »Wegen einer Züchtigung hat unsere Margarete den Ehemann verlassen?« Der Fischhändler schüttelte den Kopf.

»Wenn ich Matthias von Köckritz richtig verstanden habe, wurde unsere Tochter nicht nur einmal misshandelt und gedemütigt! Gott stehe ihr bei!« Maria legte die Hände zusammen und murmelte ein Gebet.

»Wir schicken morgen einen zuverlässigen Boten nach Sallgast. Der kann bis Mittag dort sein. Die Wasserburg gehört Heinz von Waldow, ein Ritter mit zweifelhaftem Ruf. Margarete sollte sich wieder in unsere Obhut begeben. Dann verhandeln wir mit Nikolaus von Polenz. Mit Geld lässt sich vieles regeln«, entschied Wilhelm Kürschner.

Kapitel 6

»Man reiche mir ein halbes Dutzend faule Eier, um dem Lärm an der Zugbrücke ein Ende zu bereiten!«, brüllte Bertram von Eschwege, der gerade dabei war, Matthias Ober-, Mittel- und Unterhau mit einem Schwert beizubringen.

»Das Geklimper ist kaum auszuhalten! Friedrich! Vertreibe den Mann, der noch nicht begriffen hat, dass die Zeit der Minnesänger lange vorbei ist!«

Margarete kam aus der Küche, um Gemüseabfälle auf dem Misthaufen zu entsorgen. Sie fand es amüsant, dass es noch Mannsbilder gab, die schmachtende Liebeslieder in Begleitung einer Laute vortrugen. Der sangesfreudige Bursche vor der Zugbrücke hätte vor langer Zeit nicht den Sängerwettstreit auf der Wartburg in Thüringen gewonnen, aber der gute Wille zählte. Sie fand es romantisch. Sie stieg die Stufen zur Brustwehr empor und schaute nach unten.

Sie hatte sich in Matthias verliebt, aber der Sänger da unten … Lockiges, blondes Haar, ein hübsches ovales Gesicht und strahlende blaue Augen. Der Traum eines jeden Burgfräuleins. An seinen Sangeskünsten müsste der Troubadour noch feilen, aber so schlimm, wie Bertram es darstellte, war es nicht.

Peter sah die schöne junge Frau oben auf den Zinnen und winkte ihr zu. Margarete unterließ es, zurück zu winken. Man hätte es missdeuten können.

Matthias senkte das Übungsschwert und trat einen Schritt zurück. »Verzeiht, werter Bertram, aber ich habe den Sänger an der Stimme erkannt! Es ist mein bester Freund Peter, der mich besuchen will!«

»Sänger? Ich hoffe, der junge Mann hat noch andere Fertigkeiten«, seufzte der Fechtmeister. »Friedrich! Hol Gero von Rothstein herbei! Möge er entscheiden, ob wir den Tunichtgut einlassen.«

»Nicht nötig, Herr von Eschwege, Herr von Rothstein ist schon unterwegs zum Tor!«, antwortete der Waffenknecht. Der Vertreter des Burgherrn wies die Wachen an, die Zugbrücke zu senken und das Tor zu öffnen. Es handelte sich offensichtlich nicht um einen Hinterhalt.

Der Mann, der oben auf dem Bergfried Ausschau hielt, hätte mittels eines Hornsignals davor gewarnt, wenn etwas im Busche war. Um herauszufinden, ob der junge Mann mit der Laute der Spion einer gegnerischen Partei war, musste man ihn aushorchen. Genau das hatte Gero vor.

»Tretet ein, Herr …?« Gero von Rothstein machte eine einladende Geste.

»Peter, Sohn des Töpfers Claus aus Zschipkau«, sagte der verhinderte Sänger. »Ich bin ein guter Freund des hier weilenden Matthias und möchte mich gern verdingen, wenn es recht ist.«

»Als Gaukler oder ernsthaft?« Gero von Rothstein musste schmunzeln. Es lag auf der Hand, dass Matthias von Köckritz einen Vertrauten einschleusen würde, um das Dokument über die Ungültigkeit der Ehe der Margarete Kürschner mit Nikolaus von Polenz nach Senftenberg zu bringen. Sowohl Heinz von Waldow als auch er selbst hatten den jungen Mann unterschätzt. Blieb nur die Frage, auf welchem Wege Peter so schnell erfahren hatte, dass sein Freund in der Wasserburg Sallgast weilte.

»Weshalb hilfst du dann nicht in der Werkstatt deines Vaters an Töpferscheibe und Brennofen, sondern ziehst durch die Lande?« Gero von Rothstein war zum ›Du‹ gewechselt, weil der junge Mann nicht zum Adel zählte, was er anfänglich nicht wissen konnte.

»Mein Vater und mein älterer Bruder haben mich ziehen lassen, weil meine Talente woanders liegen, als im Formen von Ton«, sagte Peter.

Gero von Rothstein schlug sich auf die Schenkel und krümmte sich vor Lachen, vor allem deshalb, weil der junge Bursche es mit ernster Miene vorgetragen hatte.

»Und da dachtest du, versuche ich es mal als fahrender Sänger, haha!«

»Damit will ich nur das Interesse der holden Weiblichkeit wecken, was auch geklappt hat. Eine schöne Maid winkte mir von den Zinnen zu!«, übertrieb Peter. »Darf ich fragen, wer …?«

Der Befehlshaber der kleinen Burg hatte sich von seinem Lachanfall erholt.

»Jetzt mal ernsthaft, Peter. Der Burgherr Heinz von Waldow ist mit einer Schar Ritter nach Süden unterwegs. Ich habe nicht genug bewaffnete Knechte für die Bewachung der Zinnen. Du bekommst eine kurze Einweisung von mir, etwas Waffenkunde durch Bertram von Eschwege vermittelt, der auch der Ausbilder deines Freundes ist. Ab morgen verstärkst du die Reihen der Wachen, was auch Nachtwache bedeutet! Keine Widerrede! Entweder du akzeptierst oder du kannst woanders weiterklimpern!«

»Danke, Herr von Rothstein, angenommen!« Peter wollte unbedingt wissen, warum sein Freund ausgerechnet hier Zuflucht gesucht hatte. Warum hatte Matthias die alte Mühle an der Schwarzen Elster verlassen? Wer war die junge schöne Frau auf den Zinnen, die sein Winken nicht erwidert hatte, obwohl sie es vielleicht gern getan hätte?

»Geh und lass dir in der Küche eine Mahlzeit servieren! Danach erscheinst du wieder auf dem Burghof, schaust den Übungen deines Freundes zu und folgst den Anweisungen von Bertram von Eschwege!«, befahl Gero und stapfte zurück in den Thronsaal des Hauptgebäudes.

Peter traf das schöne Burgfräulein schneller wieder als erhofft. Sie entpuppte sich als Küchenmagd in schlichter Kleidung. Entscheidend war, dass sie aus der Nähe betrachtet noch hübscher war als aus der Entfernung. Margarete servierte dem Neuankömmling zunächst einen Becher Dünnbier und einen Teller Suppe. Als Hauptspeise gab es Brot mit Schinken und Spiegelei.

»Ist die Frage nach eurem Namen gestattet, schöne Frau?«, fragte Peter kess.

»Margarete, Tochter des angesehenen Kaufmanns Wilhelm Kürschner aus Ruhland«, zischte sie ihm zu. »Die Sache ist schwieriger, als du glaubst, Peter! Ich habe dafür gesorgt, dass du hier bist. Alles weitere besprechen wir heute Abend zu dritt!« Margarete schaute sich nach allen Seiten um. Mathilde war mit anderen Dingen beschäftigt und zum Glück weitab.

Als Peter aufgegessen hatte, erinnerte er sich an den Befehl des Gero von Rothstein, bei der Ausbildung von Matthias zugegen zu sein. Er kam gerade zur rechten Zeit, als ein Ritter seinem Freund das Drehgestell erläuterte.

»Wir nennen es drehender Roland, die Italiener Quintana«, sagte Bertram.

»Italiener?«, fragte Matthias verwirrt.

»Ein Land weit im Süden, von dort starteten vor langer Zeit die Kreuzfahrerheere, um die heilige Stadt Jerusalem zu erobern! Friedrich, leg dem drehenden Roland einen Harnisch an! Und du Nichtsnutz«, er wandte sich an Peter, »hilfst zwei anderen Knechten das Gefährt zu ziehen, welches ein Pferd ersetzt! Aufsitzen, Matthias!«

Der drehende Roland war inzwischen nicht nur in einen Brustharnisch gekleidet, er trug auch ein Schild. Die drei jungen Männer legten sich in die Seile und waren bald so schnell wie ein Pferd im Trab. Matthias hielt die fast vier Meter lange Lanze fest umklammert. Es handelte sich um eine stumpfe Waffe, wie sie auch bei Ritterturnieren im Tjost eingesetzt wurde.

Er traf das Schild des drehenden Roland an der äußersten linken Kante und das Gestell rotierte in atemberaubender Geschwindigkeit.

»Ich kann dir ein gewisses Talent nicht absprechen, Matthias. Das Ziel, dich bis Weihnachten zum Ritter auszubilden, scheint nicht unerreichbar!«

»Danke, Herr von Eschwege«, sagte Matthias und deutete eine Verbeugung an.

»Bertram reicht, so genau nehmen wir es hier nicht. Wer ist der Kerl, der schon vom einmaligen Ziehen des hölzernen Pferdes nassgeschwitzt ist?«

»Mein bester Freund Peter aus Zschipkau«, antwortete Matthias.

»So, dein Intimus! Zum Glück hat er die Laute abgelegt«, seufzte Bertram. »Komm näher, Peter, ich beiße nicht – zumindest nicht heute! Ritter Gero wird mich noch in Kenntnis setzen, was mit dir anzustellen ist. Ich kann ja schon mal anfangen.«

»Ich soll ab morgen die Wachmannschaft verstärken. Herr von Rothstein meinte, etwas Waffenkunde könne nicht schaden«, sagte Peter bescheiden.

»Schon mal mit einem Bogen oder Armbrust geschossen? Die Frage geht an beide!«

Matthias und Peter nickten zögerlich. Bertram wies die Waffenknechte an, ein Gestell mit einer Zielscheibe aufzustellen und zwei Bögen zu bringen. Dabei zwinkerte er mit einem Auge. Der Knecht Friedrich verstand. Die Bögen, die er brachte, waren fast mannshoch. Sowohl Peter als auch Matthias schafften es nicht, die Sehne weit genug zu spannen.

»Wir haben einen englischen Langbogen aus Eschenholz nachgebaut. Erfordert viel Übung, Kraft und Geschick. Stellt euch vor, tausend Bogenschützen schießen jeder pro Minute zehn Pfeile ab. Was passiert dann?«

Matthias hatte beim Privatunterricht seines Ziehvaters Karl aufgepasst. »Zehntausend Pfeile regnen auf den Gegner herab?«

»Richtig! Es gibt immer ein paar Schwachstellen an der Panzerung von Rittern und Pferden. Die Engländer haben mehr als einmal französische Ritterheere mittels dieser Taktik am Vormarsch gehindert. Inzwischen gibt es Kanonen und Langrohre. Aber das ist nicht unser Thema. Friedrich übergibt euch jetzt kürzere Jagdbögen und jeweils fünf Pfeile. Ihr schießt abwechselnd!«

Peter hatte Mühe, seine Pfeile auf der Zielscheibe zu landen, während Matthias sowohl den roten Kreis als auch das schwarze Zentrum traf. Sein Ziehvater hatte ihn öfter auf die illegale Jagd mitgenommen. Da Karl Brandt nicht von Adel war, hätte er gar kein Wildbret erbeuten dürfen. Wo kein Kläger, da kein Richter …

»Der Rest ist schnell erklärt«, sagte Bertram und schaute der untergehenden Sonne hinterher. »Du bekommst als Wachmann eine Hellebarde, Wurfspieße und eine Armbrust. Wie damit umzugehen ist, erkläre ich morgen. Feierabend – ich habe Hunger!« Bertram von Eschwege erhob sich von dem Holzklotz auf dem er gesessen hatte und stapfte von dannen. Matthias zuckte mit den Schultern.

»Waschen wir uns am Brunnen den Schweiß von der Stirn. Danke, dass du so schnell gekommen bist, Peter! Aus dem Plan, dich mit einem wichtigen Dokument nach Senftenberg zu schicken, wird vorerst nichts. Du musst Wache schieben, um dir dein Essen zu verdienen«, seufzte Matthias.

»Das musst du mir näher erklären und auch, in welcher Beziehung du zur schönsten Küchenmagd stehst, die ich je gesehen habe«, raunte Peter ihm zu.

Die Ritter Gero und Bertram hatten Matthias als Spross derer von Köckritz gestattet, mit Peter und Margarete separat zu speisen.

»Wie machen sich die beiden?«, fragte Gero von Rothstein kauend.

»Matthias hat das hitzige Blut seines Vaters Konrad von Köckritz in sich und ist hoch talentiert! Von seinem Ziehvater hat er weitere Fertigkeiten, wie das Bogenschießen erlernt. Wenn es so weitergeht, kann ihn Heinz am Weihnachtsabend zum Ritter schlagen.«

Bertram nahm einen Schluck des süffigen Weißweins aus dem Markgrafentum Meißen. Zum Wildbret oder Schweinebraten trank man am Abend stets Wein anstelle des Tagesgetränks Dünnbier.

»Peter mag mit seinem Aussehen die holde Weiblichkeit beeindrucken. Ansonsten ist er zu nichts zu gebrauchen, wenn ich es so deutlich sagen darf, Gero!«

»Natürlich, wir sind hier unter uns und ich hoffe, wir haben keine Lauscher! Meine Entscheidung steht. Er wird die Wachmannschaft verstärken. Damit verhindern wir, dass er unter einem Vorwand die Burg verlässt und nach Senftenberg läuft oder reitet! Wenn ich dich richtig verstanden habe, Bertram, ist er der Erste, der sich bei einer Belagerung wegduckt. Hoffen wir nicht, dass es in nächster Zeit dazu kommt! Zum Wohl!« Gero von Rothstein erhob den Pokal mit Weißwein und prostete seinem Gegenüber zu.

Nach dem Abendessen trafen sich die drei jungen Leute in der Kammer, die Matthias bewohnte. Auf der Wasserburg wurde es toleriert, dass er mit Margarete das Lager teilte, obwohl sie strenggenommen noch das Eheweib des Nikolaus von Polenz war.

»Was hat es mit dem Dokument auf sich, welches ich nach Senftenberg bringen sollte?« Peter war erst seit ein paar Stunden hier und kannte nicht alle Zusammenhänge.

»Eine Urkunde, unterschrieben vom Abt des Klosters Dobrilugk und dem Erzbischof von Magdeburg, die besagt, dass die Ehe von Margarete mit dem Vetter des Langvogts ungültig ist. Das

Problem ist nur, dass Nikolaus von Polenz davon Kenntnis erhalten und zustimmen muss«, erklärte Matthias seinem Freund.

»Oha, ich beginne zu verstehen!«, sagte Peter und nippte an dem Becher mit Wein, den man aus der Küche mitgenommen hatte. »Hier in Sallgast ist man in Sorge, dass Nikolaus von Polenz es auf anderem Wege erfährt, sein Weib wiederhaben will und angreift. Um diese kleine Burg zu berennen, braucht man keine große Streitmacht. Die Wachen sollen verstärkt werden, weshalb ich umgehend rekrutiert wurde! Ich wünschte, ich wäre in Zschipkau geblieben«, seufzte Peter.

»Für den Sohn eines Töpfers beweist du viel Scharfsinn«, sagte Margarete und lächelte ihn an. Schon beim Blick von den Zinnen hatte ihr Herz höher geschlagen, als sie diesen jungen Mann das erste Mal sah. Es durfte nicht sein. Sie hatte sich in ihren Beschützer Matthias verliebt, der sie am Ufer der Schwarzen Elster aufgelesen hatte. Zudem hatte sie in einer Kirche in Senftenberg einem anderen Mann das Ja-Wort gegeben. Margaretes Blick flackerte hin und her. Sie griff nach einer Karaffe und goss Wein in einen Becher. Sie versuchte, das Zittern ihrer Hände vor den beiden jungen Männern zu verbergen. Es gelang ihr nicht ganz. Sie verschüttete etwas Wein auf dem kleinen Tisch. Margarete sprang sofort auf, um ein Leinentuch zu holen.

»Traumfrau«, zischte Peter über den Tisch. »Du bist ein Glückspilz, Matthias!«

»Das muss sich erst noch erweisen. Ja, ich liebe sie, seitdem ich sie das erste Mal sah!«

Kapitel 7

Gunther von Bentheim hatte mit seinen drei Spießgesellen den direkten Weg von Ruhland nach Dobrilugk über Mückenberg genommen. Da man sich abseits der großen Handelsrouten befand, kamen sie auf manchen Wegen nur im Schritttempo voran.

Den hohen schmalen Turm der Abteikirche sah man schon aus weiter Ferne. Sie hatten die Wald- und Heidelandschaft hinter sich gelassen und ließen die Pferde traben.

»Sieh an, ein Haus der Freuden und gleich daneben eine Wirtsstube – wie praktisch«, lachte Gunther von Bentheim und stieg vom Pferd.

»Können wir uns erst stärken, bevor wir die Fahndung nach dem jungen Paar fortsetzen?«, fragte einer der Waffenknechte.

»Aber sicher doch, Hartmut! Übergebt die Pferde an die Knechte des Wirtes und dann genehmigen wir uns ein Brathähnchen und eine Kanne Bier – für jeden, versteht sich!«

Gunther von Bentheim hatte nicht damit gerechnet, so schnell ein Ergebnis zu bekommen. Er beschrieb dem heranwuselnden Wirt das junge Paar, welches hier gewesen sein musste, es sei denn, es gab in Kirchhain noch weitere Wirtshäuser mit Gästezimmern.

»Oh, ja, die haben hier übernachtet! Ein Ritter Heinz von Waldow ging mit denen hoch aufs Zimmer und ließ sich meines Wissens nach ein Dokument zeigen. Dann wies er einen anderen Ritter an, der, wenn ich mich recht erinnere, Gero hieß, die beiden zu einer seiner Burgen zu bringen. Leider habe ich nicht verstanden, wohin genau!«

›Es kann sich auch als Vorteil erweisen, einen geschwätzigen Wirt zu befragen‹, dachte Gunther von Bentheim. »Vielen Dank, Herr Wirt! Wir sind im offiziellen Auftrag von Hans und Nikolaus von Polenz unterwegs – deshalb die Fragerei! Was können Sie uns anbieten? Meine Männer sind hungrig!«

»Bei so hohem Besuch wie einem Vertreter des Landvogtes empfehle ich natürlich Schweinelende oder Kotelett«, schmeichelte der Wirt. Als er das Bier brachte, flüsterte er Gunther ins Ohr: »Es gibt eine Frau, die mit dem Paar hier tafelte und womöglich mehr weiß. Eine Hübschlerin vom Frauenhaus nebenan. Sie heißt Hanka und hat lange schwarze Haare und dunkle Augen!«

Nachdem alle das Mahl ihrer Wahl verspeist und mit reichlich Bier heruntergespült hatten, fragte Gunther von Bentheim in die Runde: »Habt ihr Ferkel euch am Brunnen gewaschen? Falls nicht, wäre es jetzt der richtige Zeitpunkt!«

»Wozu das denn?«, fragte Hartmut entgeistert und die anderen beiden stimmten ihm mittels Kopfnicken zu.

»Weil wir dem Frauenhaus nebenan einen Besuch abstatten! Ich zahle – Belohnung für treue Dienste!« Im Nu leerte sich die Gaststube und die drei Waffenknechte drängten sich darum, den Eimer im Brunnen nach oben hieven zu dürfen.

Die Dame in Schwarz war begeistert, als sich gleich vier stattliche Männer näherten. Das Geschäft konnte nach der Abreise des Erzbischofs von Magdeburg und dessen Gefolge dringend eine Belebung gebrauchen.

»Ich habe für jeden Geschmack eine Dirne anzubieten! Die Mädchen freuen sich darauf, Ihnen den Abend zu versüßen! –

Mädels, kommt raus, vier Herren wünschen eure Bekanntschaft zu machen!«, rief sie nach oben.

»Ich hätte gerne die Hanka als Gespielin«, sagte Gunther von Bentheim. »Sie wurde mir vom Wirt nebenan als wendische Schönheit empfohlen.«

Hanka kam die Treppe herunter und bekam eine Gänsehaut. Der Mann war ihr nicht geheuer. Da musste sie jetzt durch. Sie würde den Herrn abreiten und in einer halben Stunde war alles vorbei. Hanka zwang sich zu einem Lächeln. »Darf ich Sie in meine Kammer geleiten, Herr Ritter?«

Gunther legte den Gürtel mit dem Waffengehänge ab und entledigte sich des Wamses. Dabei überlegte er, ob er der Dirne den Dolch an den Hals halten sollte. Er entschied, dass sie wohl auch ohne Androhung von Gewalt plaudern würde. Bisher war alles nach Plan gelaufen. Er war dem Bastard von Köckritz und dem entlaufenen Weib von Nikolaus dicht auf der Spur. Sie konnten sich nur in Sallgast verkrochen haben.

Hanka hatte sich des Obergewandes entledigt. »Wünschen Sie, dass ich Sie abreite oder möchten Sie oben …?«

»Wenn du meine Fragen zufriedenstellend beantwortest, Metze, darfst du gegen ein Entgelt meine Flöte spielen! Du hast mit Matthias von Köckritz und Margarete Kürschner, verheiratete von Polenz gespeist! In welchem Verhältnis stehst du zu den beiden, sprich!« Gunther schielte hinüber zu dem Waffengehänge mit Dolch und Schwert.

Das Unbehagen, welches Hanka auf der Treppe beschlichen hatte, kehrte zurück.

»Margarete kannte ich nicht. Matthias war mir nur als Sohn des Karl Brandt bekannt«, stotterte sie. »Soweit ich weiß, hat er erst vom Abt des Klosters erfahren, dass er ein von Köckritz ist.«

Hanka brach der kalte Schweiß aus, da sie ahnte, was der Ritter als nächstes fragen würde.

»Woher kanntest du Karl Brandt?« Von Bentheim war mit zwei schnellen Schritten am Schemel, über dem der Gürtel hing und kehrte mit einem Dolch in der Hand zurück.

»Ich war Magd auf dem Gehöft in der Nähe von Naundorf«, flüsterte sie. »Ich habe mich in der Schwarzen Elster hinter einem Baum versteckt und konnte entkommen.« Der Anführer der Männer, die das Massaker verübt hatten, war mit ›Gunther‹ angesprochen worden. Hanka wurde blass wie die gekalkte Wand hinter ihr.

»Du weißt zu viel. Ich müsste dich umbringen, Metze, aber ich wünsche keine Mordanklage in der Nähe eines heiligen Ortes wie dem Kloster Dobrilugk! Du wirst dein Maul halten. Anderenfalls komme ich zurück und vollende es!« Von Bentheim hielt ihr die Klinge an die Gurgel, sodass Hanka den kalten Stahl spüren konnte. Von Bentheim nahm den Dolch wieder weg, ohne sie verletzt zu haben. Dann durchtrennte er die Nähte des Unterkleides an den Schultern, das daraufhin zu Hankas Füßen segelte. Sie unterdrückte einen Aufschrei.

»Weil du so ein ansehnliches junges Mädchen bist, habe ich eine noch bessere Idee!« Gunther von Bentheim griff nach einem Beutel und überreichte ihn Hanka, die das Geschenk mit zitternden Händen entgegennahm. Sie konnte der Versuchung nicht widerstehen, den Lederbeutel zu schütteln. Es klang nach Silbertalern.

»Weißt du, was hier noch fehlt?«, fragte von Bentheim, der plötzlich ein fast freundlich zu nennendes Lächeln in sein bärtiges Gesicht zauberte. Hanka begann, nackt wie sie war, zu frieren. Sie schüttelte den Kopf.

»Ein Badehaus zwischen Schänke und Frauenhaus! Käme allen zugute, auch den Gästen des Klosters! Mit einem Boten schicke ich dir noch einen Beutel Silber und du kannst den Bau in Auftrag geben. Mit der Vorsteherin des Frauenhauses musst du dich natürlich einigen.«

»Darf ich fragen, welche Gunst Sie erwarten, da Sie mich eben noch mit dem Tod bedrohten?« Hanka wünschte sich nichts sehnlicher, als unter die wärmende Bettdecke zu kriechen.

»Du wirst mir umgehend Bescheid geben, falls Matthias von Köckritz oder Margarete von Polenz, gebürtige Kürschner, hier vorbeikommen. Ein weiterer Bote wird dir einen Schlag Brieftauben aus Senftenberg überbringen, die du pflegen und füttern wirst! Ich hoffe, du kannst schreiben?«, fragte Gunther von Bentheim.

»Na, ja, geht so«, antwortete Hanka mit gesenktem Kopf. Sie verstand immer noch nicht, warum der unheimliche Ritter sie in einem Moment töten wollte und im nächsten ihr ein neues Geschäft eröffnete. »Darf ich Ihnen nun die Flöte blasen?«, fragte sie verwirrt.

»Nein, leg dich auf den Tisch und spreiz die Beine!«, sagte von Bentheim und öffnete die Hose.

Hanka überlegte nicht lange. Bei diesem Mann war es besser, sie gehorchte. Wenn der Ritter sie auf dem Tisch haben wollte, dann war es eben so. Sie schloss die Augen, als sie die harten Stöße spürte. Sie hatte dieses Schicksal selbst gewählt. Als Hure sollte sie wenigstens so tun, als ob es ihr gefiele. »Ja, edler Ritter! Weiter so, oh!« Als der unheimliche Mann den Gürtel wieder geschlossen hatte, der Bruche und Beinlinge hielt und nach unten stapfte, atmete Hanka erleichtert auf.

Sie wartete, bis die vier Ritter die Becher mit Wein geleert hatten und gutgelaunt ins nahegelegene Wirtshaus stolperten.

Sie hüpfte mit einem Lied auf den Lippen die Treppe hinunter und fiel der Vorsteherin des Frauenhauses direkt in die Arme.

»Der vierschrötige Ritter machte gar nicht den Eindruck, eine junge Frau in den siebten Himmel entführen zu wollen. Ein besonders galanter Freier?«

»Das auch, Frau Wiesel! Aber nicht nur das. Auch besonders großzügig! Ich mache mich selbstständig und werde eine Badestube errichten lassen!« Hanka hatte den Beutel mit den Silbertalern bisher hinter dem Rücken versteckt und schwenkte ihn jetzt vor der langen Nase der Dame in Schwarz, die wie gebannt den Bewegungen folgte, um dann blitzschnell wie ein Greifvogel zuzuschnappen.

»He, das ist mein Geld! Geben Sie es mir umgehend zurück! Der Herr von Bentheim wünscht bei seiner erneuten Durchreise eine Badestube vorzufinden und ich soll sie errichten lassen und leiten!«, maulte Hanka. Frau Wiesel hatte umgehend kalkuliert. Das funktionierte nur, wenn daraus keine Konkurrenz entstand. In einigen Städten waren Badestuben berüchtigt dafür, Liebesdienste anzubieten und die Mägde reichten nicht nur Handtücher.

»Es überfordert deine Fähigkeiten und Erfahrung, Hanka! Ich nehme das Geld nicht an mich, ich verwahre es nur, um später die Rechnungen der Zimmerleute und anderen Handwerker zu begleichen. Ich schlage vor, Elisabeth übernimmt die Leitung, sie hat schon einmal in einer Badestube gearbeitet«, sagte Frau Wiesel und legte eine Hand auf die rechte Schulter von Hanka, um die ehemalige Magd zu beruhigen.

»Aber ich …«, begehrte sie auf.

»Vertrau mir, es ist zu unserem beiderseitigen Vorteil, wenn wir zusammenarbeiten. Du wirst von Elisabeth viel lernen und später die Leitung übernehmen. Ich verspreche es dir!«, sagte Frau Wiesel.

»Ein Bote wird noch einen Beutel mit Silber bringen, damit es mit dem Bau rascher vorangeht«, schluchzte Hanka. Sie war sich nicht sicher, ob Frau Wiesel Wort halten würde. Vielleicht wäre es besser gewesen, den zweiten Geldregen zu verschweigen. Sie biss sich auf die Lippen.

»Oha, der Herr Ritter hat es eilig. Welche Gegenleistung erwartet er von dir, besser gesagt, von uns?«, fragte Frau Wiesel lauernd.

»Ich bekomme einen Schlag Brieftauben und soll umgehend eine Nachricht senden, wenn hier Personen durchreisen, von denen der Herr von Bentheim wissen möchte, wo sie sich aufhalten. Darunter auch Matthias von Köckritz und Margarete Kürschner«, sagte sie und biss sich zum zweiten Mal auf die Lippen. Welcher Teufel ritt sie, dass sie das alles der Frau Wiesel auf die lange Nase band?

»Elisabeth!«, rief die Vorsteherin des Frauenhauses nach oben. »Wir haben etwas zu besprechen!«

Einer Küchenmagd wurde befohlen, einen Krug Wein und drei Becher zu bringen.

Kapitel 8

Peter hatte Wachdienst auf den Zinnen der Wasserburg Sallgast. In der Hand eine Hellebarde, neben sich zwei Wurfspieße und eine Armbrust mit zehn Bolzen, falls es wider Erwarten zu einem Angriff auf die kleine Burg kommen sollte.

Plötzlich tauchten zwischen den Bäumen vier Reiter auf, die ein Banner schwenkten.

Peter war nicht geübt darin, sofort zu erkennen, welches Wappen eines Adelsgeschlechtes auf der Fahne und den Schilden abgebildet war.

Er suchte am Waldrand sofort nach Anzeichen, ob hinter den vier Männern eine größere Streitmacht lauerte. Es gab keine verräterischen Anzeichen – weder das Schnauben von Pferden noch das Klirren von Waffen.

»Gunther von Bentheim mein Name! Ich handle im Auftrag von Nikolaus und Hans von Polenz und fordere die Herausgabe des Bastards von Köckritz und des Eheweibes von Nikolaus von Polenz! Waffenknecht da oben – hol mir den Vertreter des Burgherrn herbei, falls Heinz von Waldow wieder einmal auf einem Raubzug unterwegs ist!«

Da der Name des Landvogtes gefallen war, unterließ Peter jede spöttische Bemerkung, die ihm auf der Zunge lag und rannte nach unten. Nach der letzten Stufe fiel er Bertram von Eschwege in die Arme.

»Ein Ritter von Bentheim will, dass wir Matthias und Margarete ausliefern!«, keuchte er.

»Ganz ruhig, Grünschnabel! Das sind nur vier Mann, die können die Burg nicht berennen. Was sagtest du? Von Bentheim? Der durchtriebenste Bursche, den ich kenne. In einer Schlacht eine Reiterattacke anführen, um dann rechts in ein Waldstück abzubiegen.«

Bertram von Eschwege stiefelte die Treppen empor und brüllte nach unten: »Ich bin zwar nur der Stellvertreter des Vertreters – aber nennt mir erstens eure Gründe, weshalb Ihr annehmt, die genannten Personen würden hier weilen. Zweitens würde ich gern wissen, welcher Missetaten sich die gesuchten Personen schuldig gemacht haben, da Ihr die Auslieferung verlangt! Bei gefälliger Auskunft bin ich geneigt, den Ritter Gero von Rothstein herbeizuholen!«

»Ah, der Herr von Eschwege!«, rief Gunther von Bentheim nach oben.

»Unter eurer Anleitung kann der Bastard von Köckritz bereits ein Schwert halten. Dessen bin ich sicher. Kann er es auch führen?« Die drei Spießgesellen stimmten in das höhnische Gelächter ein.

»Um eure Frage zu beantworten – es gibt in Dobrilugk ein Vögelchen, das gerne zwitschert! Margarete von Polenz, gebürtige Kürschner, wird beschuldigt, ihren Ehemann mutwillig verlassen und Ehebruch begangen zu haben. Dem Clan derer von Köckritz habe ich ewige Fehde geschworen und wünsche einen Zweikampf mit Matthias!« Gunther von Bentheim wusste, dass die Ritter von Eschwege und Rothstein das Paar nicht ohne Rücksprache ausliefern würden. Heinz von Waldow war weit weg in der Oberlausitz. Es ging ihm nur um die Drohkulisse, dass man mit einer Belagerungsstreitmacht zurückkehren würde, falls die beiden Gesuchten weiter beherbergt würden.

Inzwischen hatte auch der amtierende Kommandant, Gero von Rothstein, die Zinnen über dem Haupttor erklommen.

»Trollt euch, Gunther von Bentheim! Ich lasse gerade ein Handrohr laden und bin geneigt, es so abfeuern zu lassen, dass eure Rösser scheuen! Gehabt euch wohl!«

»Ihr wisst, was das bedeutet, Gero von Rothstein? Wir kommen wieder und zwar mit vierhundert statt vier Rittern. Mit Kanonieren und Fußsoldaten eine Streitmacht von tausend Mann!«

Gunther von Bentheim nahm sogar den Helm ab und schwenkte ihn, bevor er mit seinen Männern in Richtung Senftenberg davonritt.

Zum Abendessen wurde wieder in zwei getrennten Räumen aufgetafelt.

»Leere Drohung oder kommt er wieder?«, fragte Gero von Rothstein sein Gegenüber und nippte am Weißwein.

»Er hat von Nikolaus von Polenz den Auftrag, dessen abtrünniges Weib nach Senftenberg zurück zu schleifen. Bei Matthias von Köckritz muss ich nachdenken. Ich habe eine vage Ahnung, worum es gehen könnte …«, sagte Bertram von Eschwege mit gerunzelter Stirn.

»Spuck es aus, Bertram! Wir müssen wissen, worum es geht! Ich will nicht, dass Heinz bei seiner Rückkehr erst einen Belagerungsring durchbrechen muss und dabei in Gefahr gerät!«

Die beiden Ritter wurden unterbrochen, weil eine Magd das Abendessen servierte.

»Wildschweinbraten«, freute sich Gero. »Mathilde macht dazu eine hervorragende Pflaumensoße. Wir sollten Roten bringen lassen!«

Bertram von Eschwege kaute nachdenklich auf einem Stück Fleisch, tunkte etwas Brot in die köstliche Soße.

»Die Schlacht bei Aussig vor zwei Jahren. Der rechte Flügel wurde in einen Hinterhalt gelockt, sechsundzwanzig Männer mit dem Namen von Köckritz starben allein bei dieser Aktion. Ein Überlebender sagte, Gunther von Bentheim wäre schuld gewesen. Der Abt des Klosters Dobrilugk, Johann von Köckritz, verstieg sich sogar zu der Behauptung, von Bentheim steckte mit den böhmischen Ketzern unter einer Decke! Das Kloster kann Gunther nicht berennen, da er unter der Fahne des Landvogtes reitet. Jetzt spinn den Faden weiter, Gero!«

»Weil unser Heinz so treuherzig war, das gesuchte Pärchen aufzunehmen, sind wir das Ziel?«

»Ich würde es drastischer formulieren: Weil Heinz so blöd war, die beiden aufzunehmen!« Bertram ließ den leeren Pokal auf den Tisch sausen.

»Da unser lieber Gunther vordergründig nach dem Weib sucht, bleibt uns nur, dieses in ein Nonnenkloster abzuschieben.

Matthias ist talentiert, ich bilde ihn weiter aus. Wenn jemand auftaucht, verstecken wir ihn im Weinkeller und sagen, der ist nicht hier!«

»Bravo, Bertram, genauso stellen wir es Heinz bei seiner Rückkehr dar! Noch etwas stimmt mich zuversichtlich. Hans von Polenz ist ständig unterwegs. Er muss persönlich dem Feldzug zustimmen. Gunther und Nikolaus bekommen höchstens fünfzig Ritter zusammen, niemals vierhundert! Vor Oktober tauchen die hier nicht auf und bis dahin ist auch Heinz mit seinen Männern zurück! Zum Wohl!«

Margarete war in der Küche beschäftigt. Mathilde hatte sie zum Abwasch verdonnert.

Peter beugte sich über den Tisch. »Matthias, alter Freund! Bisher haben wir uns die Weiber immer geteilt. Was spricht dagegen, wenn wir Margarete gemeinsam …«

Matthias sprang auf und warf beinahe den Weinbecher um. »Bist du irre? Du hast mit deinem kurzen Verstand nicht den Unterschied zwischen einer Hure und einem Weib, das man liebt und ehelichen will, begriffen! Du enttäuschst mich, Peter!« Matthias setzte sich wieder und schenkte aus einem Krug Wein nach.

»Ich habe bereits vorgefühlt und deine tugendhafte Margarete, die noch das Weib des Nikolaus von Polenz ist, hat nicht so poltrig reagiert«, log Peter. »Zumindest hat sie nicht sofort nein gesagt.«

Matthias stierte in den Weinbecher. Sollte es wirklich sein, dass seine Nixe von der Schwarzen Elster ein lasterhaftes Weib war? Stand nicht schon in der Bibel, dass Weiber von Natur aus die Verführerinnen sind? Er wollte es nicht glauben und würde sie noch heute Abend zur Rede stellen.

Margarete witterte sofort die Falle, als sie in den Armen von Matthias lag.

Wenn sie jetzt einen Atemzug zögerte oder herumdruckste, würde ihr Liebster jeden Grund zur Eifersucht haben.

»Peter hat durch Blicke, Gesten und einige wenige Worte zu verstehen gegeben, dass er mich gern verführen würde. Ich habe ihm gesagt, dass ich bis zur endgültigen Trennung das Eheweib eines anderen bin und zudem nur dich liebe!« Margarete hauchte Matthias einen Kuss auf die Lippen.

»Ich fürchte, es hat ihn nicht entmutigt«, seufzte er.

Kapitel 9

Am nächsten Vormittag schnaubten wieder Pferde vor dem Burggraben. Der Wachhabende hinter den Zinnen über dem Tor schielte nach unten. »Morgen mache ich eine Schankwirtschaft da unten auf, lohnt sich inzwischen«, murmelte er. »Was ist euer Begehr? Einer nach dem anderen!«

»Ein Bote des Kaufmanns Wilhelm Kürschner aus Ruhland mit einer Warnung für seine Tochter!«, rief der Erste nach oben.

»Wenn Sie vor Gunther von Bentheim warnen wollen – der war schon hier!«

»Mein Pferd verlor ein Hufeisen. Ich musste in Klettwitz einen Schmied aufsuchen«, entschuldigte sich der Bote.

Der zweite Reiter reckte ein Bündel nach oben, aus dem der Griff eines Schwertes ragte.

»Ein Bote des Waffenschmiedes aus Kirchhain! Ich bringe die bestellte Klinge für Herrn Matthias von Köckritz!«

»Dann reitet ein, meine Herren!«, rief der Wachhabende der Morgenwache.

Zwei Knechte ließen die Zugbrücke herab und öffneten das Tor. Das wurde umgehend wieder geschlossen, da man ständig in der Furcht vor einem Hinterhalt lebte.

»Ich werde das Schwert verwahren, bis Matthias von Köckritz zum Ritter geschlagen wird«, sagte Gero von Rothstein und entlohnte den Boten. Dann wandte er sich an den zweiten: »Wie der Waffenknecht bereits sagte, kommen Sie zu spät. Gunther von Bentheim hat mit einer Belagerung gedroht, falls wir die Tochter ihres Auftraggebers weiter beherbergen. Zudem wünscht er die Auslieferung des Matthias von Köckritz, weil er dem Clan ewige Fehde geschworen hat! Ihr bekommt in der Burgküche ein reichhaltiges Frühstück und je nach Wahl Kräutertee oder Bier. Wenn die Pferde versorgt sind, könnt ihr wieder zurückreiten. Besten Dank!« Gero von Rothstein stiefelte zurück in den Palas.

Matthias fand sich nach dem kargen Frühstück aus Haferbrei mit Honig im hinteren Teil des Hofes ein, wo Bertram von Eschwege auf einem Holzklotz thronte. »Der frühe Vogel fängt den Wurm! Wohlan, Herr von Köckritz, wo waren wir gestern stehengeblieben?«

»Unter-, Mittel- und Oberhau?«, gähnte Matthias.

»Dein Schwert ist überbracht worden. Erweise dich dessen würdig. Wir nutzen weiter die Trainingswaffen mit stumpfer Klinge. Ich habe schon genug Narben, die Kleidung und Vollbart verdecken.« Der Waffenmeister erhob sich ächzend und griff nach einer Hiebwaffe.

Peter hatte dienstfrei und lauerte darauf, Margarete allein zu treffen. Sie wollte sich nach der morgendlichen Arbeit in der Küche umkleiden, um mit der Magd Lena im Wald Pilze zu suchen. Unversehens stellte sich ihr Peter in den Weg.

»Du bist die schönste Frau auf dieser Burg, was sage ich, der Lausitz. Ich bin in Liebe entflammt, seit ich dich auf den Zinnen sah! Ich weiß, du bist …«

»Was soll das, Peter? Ich lebe in Sünde mit deinem Freund, da ich bis zur amtlichen Auflösung der Ehe mit Nikolaus von Polenz noch dessen Weib bin! Deine Avancen, sosehr sie mir auch schmeicheln, sind fehl am Platze! Geh runter, schau deinem Freund zu und lerne etwas!«

Peter bedrängte sie, schob sie an die Wand und öffnete gar die Schleife ihres Kleides am Halsausschnitt, um es über die Schultern nach unten schieben zu können.

»Du gehst zu weit, Peter! Lass das!«, schniefte Margarete. Noch schrie sie nicht, was einen Skandal ausgelöst hätte. Peter drückte sie an den Schultern nach unten in Nähe seines Hosenlatzes.

Mathilde benötigte die Hilfe von Margarete beim Ausnehmen eines Fisches, bevor diese in den Wald zum Pilze sammeln entschwand. Sie war auf der Suche und wurde eine Etage höher fündig. Für sie sah es so aus, dass die Tochter des Fischhändlers freiwillig in die Hocke gegangen war, um die Flöte des Neuankömmlings zu spielen.

»Sodom und Gomorrha!«, rief sie und stemmte die Fäuste an die ausladenden Hüften.

»Ihr wisst schon, dass ich das melden muss! Man wird dich, lasterhafte Margarete, in ein Kloster schicken, wo du über deine Sünden nachdenken kannst.«

»Wartet, Mathilde! Ich kann es erklären! Mir ist etwas heruntergefallen und Margarete war beim Bücken schneller als ich!«, rief Peter.

»Habe schon bessere Ausreden gehört!« Mathilde drehte sich auf dem Absatz um und stapfte die Treppen hinunter in den Thronsaal, wo sie Gero von Rothstein Bericht erstattete. Der Stellvertreter des Burgherrn schickte sofort einen Boten zum Pfarramt des Dorfes Sallgast.

Die Nachricht breitete sich auf der Burg schneller aus als ein Brand in der Futterkammer.

»Pause«, rief Bertram von Eschwege seinem Schützling zu, der nach zwei Stunden Schwerttraining schweißüberströmt war. Matthias schlich zum Brunnen, um sich kaltes Wasser ins Gesicht zu schütten. Der Waffenknecht Friedrich wollte einen Eimer voll holen, um ein Pferd zu tränken. »Schon gehört, Matthias, Verzeihung, Herr von Köckritz? Der Herr von Rothstein ruft ein Tribunal zusammen, betreffend Margarete und euren Freund Peter! Nun, ja, die Mathilde soll die beiden wohl erwischt haben, wie sie …«

»Soll ich dir das Grinsen aus dem ungewaschenen Gesicht prügeln?«, brauste Matthias auf.

»Es ist die Wahrheit, Herr von Köckritz! Ich will tot umfallen, wenn nicht bald ein Bote erscheint, der den Herrn von Eschwege dazu bittet!«

Friedrich brachte schnell einige Ellen Abstand zwischen sich und dem aufgebrachten Matthias von Köckritz, bevor dieser in seinem Jähzorn zuschlug. Ein Page kam auf Bertram zugelaufen, verbeugte sich und sagte etwas, das die beiden am Brunnen nicht verstanden.

Bertram erhob sich ächzend von dem Holzklotz, auf dem er wie immer gesessen hatte.

»Schluss für heute, Matthias! Geh dich waschen und umkleiden! Du willst doch sicher nicht die Gerichtsverhandlung verpassen, bei der Peter und Margarete der Unzucht angeklagt werden?«

Der Knecht Friedrich schickte einen triumphierenden Blick hinüber zu Matthias und trollte sich.

Der angehende Ritter schüttelte den Kopf. Es hatte genug Hinweise gegeben, aber er wollte nicht glauben, dass seine Nixe von der Schwarzen Elster ihn hintergangen hatte.

Es dauerte noch eine Stunde, bis der Pfarrer eingetroffen war und das Tribunal die Zeugin Mathilde befragt hatte. Erst dann wurden die Angeklagten in den Saal geführt. Man hatte scharlachrotes Tuch über zwei zusammengerückte Tische gespannt. Dahinter thronten auf Stühlen mit hohen Lehnen Gero von Rothstein, Bertram von Eschwege und der Pfarrer Heinrich Albrecht.

»In Abwesenheit des Ritters Heinz von Waldow übe ich hier die Gerichtsbarkeit aus«, eröffnete Gero das Verfahren. »Die Angeklagten werden der öffentlichen Unzucht beschuldigt, sowie Peter Töpfer der Disziplinlosigkeit!«

Peter wollte mit seinem vorlauten Mundwerk sofort etwas entgegnen, wurde aber von Gero gestoppt. »Du antwortest, wenn du gefragt wirst! Ich befrage zuerst Margarete von Polenz, gebürtige Kürschner. Wie kam es zu der Situation, bei der ihr von der ersten Küchenmamsell ertappt wurdet?«

»Peter machte keinen Hehl daraus, dass er mich begehrt. Ich machte ihn darauf aufmerksam, dass ich auf dem Papier noch das Weib des Nikolaus von Polenz bin, obwohl es ein Rechtsgutachten gibt, welches die Ehe für unwirksam erklärt. Ich bin in tiefer Zuneigung Matthias von Köckritz verbunden. Peter bedrängte mich weiter und so kam es zu dem missverständlichen Zwischenfall auf dem Gang zu den Kemenaten. Es fiel etwas herunter, ich weiß nicht mehr, ob es mir oder Peter gehörte. Ich ging in die Hocke und für die unvermutet auftauchende Frau Mathilde musste es so aussehen, als wäre ich bereit gewesen, Peter …«

»Danke, das reicht«, sagte Gero von Rothstein. Wenn Peter Töpfer die Aussage bestätigte, würde sich die Anklage in Luft auflösen.

Die Entscheidung stand bereits fest. Man musste nur noch eine Begründung finden. Gero erteilte dem Pfarrer das Wort.

»Denn die Lippen der fremden Frau sind süß wie Honigseim, und ihre Kehle ist glatter als Öl, hernach aber ist sie bitter wie Wermut und scharf wie ein zweischneidiges Schwert«, zitierte Pfarrer Albrecht aus dem Alten Testament.

»Was soll uns dieses Zitat aus der Heiligen Schrift sagen?«, fragte Gero von Rothstein.

»Wer war für die Vertreibung aus dem Paradies verantwortlich? Richtig, die Eva! So schätze ich es auch hier ein. Margarete Kürschner, streng genommen noch das Eheweib des Nikolaus von Polenz, hat womöglich unwissentlich Signale ausgesendet, die den Angeklagten ermutigten. Ich plädiere dafür, den Waffenknecht Peter freizusprechen!«

»Sollten wir nicht den anderen Beteiligten befragen?«, mischte sich Bertram von Eschwege ein.

»Schreiber, haltet fest: Das Tribunal befragt Peter Töpfer«, sagte Gero von Rothstein. »Wohlan, wie stellte sich für dich die Situation im Gang zu den Kemenaten dar?«

»Ich gebe zu, ich begehre das Weib eines anderen. Das ist Sünde und ich werde nach der Beichte die gerechte Buße auf mich nehmen. Wie bereits gesagt wurde, handelt es sich hier um ein Missverständnis! Wenn ich tatsächlich Margarete zu etwas nötigen wollte, dann hätte ich sie doch in eine Kammer gezogen, um ihr auf einer Strohschütte oder einem Teppich beizuwohnen! Es ist etwas Kleingeld nach unten gefallen, weil sich eine Naht gelöst hatte. Für Außenstehende musste es so aussehen, als nähere sich Margarete meinem Hosenlatz.«

»Das Tribunal zieht sich zur Beratung zurück!«, sagte Gero von Rothstein und erhob sich.

Die Lauscher im Saal, darunter Matthias von Köckritz, mussten nicht lange auf die Rückkehr des Gerichts warten.

»Wir sind nach kurzer Beratung zu folgendem Urteil gelangt: Margarete von Polenz, gebürtige Kürschner, wird ins Kloster Mühlberg verbracht, um Einkehr zu halten. Peter Töpfer wird dazu verurteilt, zwei Wochen lang alle Harnische und Waffen vom Rost zu befreien und zu polieren. In seiner Freiwache hätte er genau dies tun müssen. Die Vernachlässigung seiner Aufgaben zieht diese Strafe nach sich. Wenn mir noch ein persönliches Wort gestattet ist: Du hast unwahrscheinliches Glück, dass Nötigung und Schändung nicht zur Anklage standen. In diesem Falle hätten wir dich aufgespannt und ausgepeitscht. Bei einem Fräulein von Adel – Todesstrafe!«

»Wir können hier kaum jemand entbehren. Wer soll Margarete auf ihrem Weg nach Mühlberg begleiten?«, zischte Bertram Gero zu.

»Lass uns das nebenan im Kaminzimmer besprechen.«

Matthias packte seinen alten Freund am Kragen. »Ich hätte mir denken können, dass du jedem Weib nachstellst und auch vor Margarete, der ich in Liebe verbunden bin, nicht halt machst! Am liebsten würde ich dir eine reinhauen!«

Margarete fiel ihm in den Arm. »Schon vergessen? Wir haben Peter eine Nachricht zukommen lassen, er soll sich hier melden!«, zischte sie.

»Vielleicht habe ich einmal zu oft zurückgelächelt und ihn unwissentlich ermutigt. Der Pfarrer hält mich für schuldig. Ich werde im Kloster ausreichend Zeit haben, darüber nachzusinnen. Es ist Sünde, mit dir das Lager zu teilen und Peter anzulächeln, während ich mit einem dritten verheiratet bin. Du kennst meine Zweifel seit unserer gemeinsamen Kahnfahrt auf der Schwarzen Elster.«

Matthias und Peter ließen voneinander ab. »Es tut mir leid. Ich hätte sie nicht bedrängen dürfen! Ich gehe dann mal Rost von den Rüstungen der Herren Ritter bürsten«, verabschiedete sich Peter.

Im Kaminzimmer saßen die beiden Ritter von Rothstein und von Eschwege jeweils bei einem Humpen Bier.

»Matthias ist in Liebe zu Margarete entflammt. Er wird sein Leben einsetzen, um sie zu beschützen. Für mich kann es nur diesen Begleiter geben!«, sagte Gero.

Bertram nippte am Bier. »Ich gebe zu bedenken, der ist noch nicht soweit. Er beherrscht gerade einmal Grundelemente des Kämpfens mit einem Schwert. Andererseits hat er das Talent von seinem leiblichen Vater Konrad von Köckritz geerbt und sein Ziehvater Karl Brandt hat ihm auch einiges beigebracht. Du willst wirklich das Risiko eingehen?«

»Zur Aufsicht geben wir ihnen den erfahrenen Waffenknecht Friedrich mit«, schlug Gero vor. Er hatte über Alternativen, wie das Kloster Heilig Kreuz bei Meißen nachgedacht. Das Zisterzienser-Nonnen-Kloster an der Elbe hatte auch den Vorteil, dass Gunther von Bentheim die gesuchte Person dort nicht vermuten würde.

»Du fällst die Entscheidungen, solange Heinz nicht da ist. Ich hoffe nur, der junge Bursche trifft nach drei Tagen hier wieder unbeschadet ein. Dann setze ich meine Ausbildung fort.« Bertram griff erneut zum Humpen mit dem Bier.

Kapitel 10

»Warum wolltest du unbedingt, dass ich Sallgast verlasse? Habe ich irgendetwas getan oder gesagt, was dir übel aufgestoßen ist?«, beklagte sich Margarete. Eine Träne lief über die linke Wange. »Wir hätten es auch oben auf dem Gang klären können!«

»Ganz im Gegenteil«, erwiderte Mathilde. »Gerade weil du mir ans Herz gewachsen bist, habe ich es getan!« Sie erntete einen verständnislosen Blick aus verschleierten blauen Augen.

»Peter hätte dir weiter nachgestellt, irgendwann wärst du schwach geworden. Stell dir vor, jemand hinterträgt Nikolaus von Polenz, dass du nicht nur mit Matthias von Köckritz das Lager geteilt hast, sondern auch noch mit dem Sohn eines Töpfers. Musstest du schon einmal der Hinrichtung einer Frau zusehen, die des Ehebruches angeklagt worden war?«

»Ja, leider. Jetzt verstehe ich.« Margarete lief auf die erste Küchenmamsell zu und warf sich an die ausladende Brust. »Danke! Als ich das erste Mal mit Matthias … Ich habe jeden Abend um Vergebung meiner Sünden gebetet. Und du glaubst, im Kloster an der Elbe bin ich sicher?«

»Zumindest glauben das die Herren Ritter. Solange niemand es herausfindet, bist du dort auf jeden Fall sicher. Jetzt muss ich die Fische wieder selber ausnehmen! Lebe wohl, Margarete!«

Bis zur letzten Minute übte Matthias mit Bertram die Abwehr eines Angriffs von Fußsoldaten hoch zu Ross. Wichtig war nicht nur die Schwertführung, hämmerte ihm der Waffenmeister ein, sondern das Pferd mittels Schenkeldruck Drehungen vollführen zu lassen, um zu sehen, ob noch ein weiterer Angreifer ihm nach dem Leben trachtete. Matthias stieg ab und übergab das Pferd an einen Stallknecht, der es trockenrieb und fütterte. Dann wusch er sich am Brunnen den Schweiß von der Stirn.

»Ich hätte mir gewünscht, dich nicht so bald auf eine gefährliche Mission schicken zu müssen«, brummte Bertram.

»Ich habe Margarete unbeschadet von Naundorf nach Dobrilugk gebracht. Da hatte ich nur einen Dolch, Pfeile und einen Bogen.

Diesmal sind wir beritten, schwer bewaffnet und ich habe einen weiteren kampferprobten Mann dabei. Wobei, hat Friedrich bereits an Schlachten teilgenommen?«, fragte Matthias seinen Lehrmeister.

»Das will ich meinen. Er wurde mal in der Nähe von Bautzen von einem Armbrustschützen vom Pferd geholt. Danach hat er sich, obwohl am Bein verletzt, gegen zwei Landsknechte behauptet, einen getötet und den anderen in die Flucht geschlagen«, sagte Bertram. »Jetzt geh und lass dir von Gero die Route erklären! Wir sehen uns wieder und dann wird noch mehr Schweiß fließen!«

Gero von Rothstein hatte zwei weitere Pferde satteln lassen. Mathilde hatte Proviant in die Satteltaschen gestopft. Der Vertreter des Burgherrn empfing Matthias vor dem Haupthaus.

»Der Ritt durch die Heidelandschaft erscheint mir zu gefahrvoll. Es gibt zu viele Möglichkeiten für einen Hinterhalt. Die Strecke über Finsterwalde und Dobrilugk, die du bereits kennst, hat den Nachteil, dass jeder euch sehen kann. Erzählt niemandem, auch nicht Personen, denen ihr vertraut, wohin die Reise geht. Ich wünsche euch viel Glück! - Friedrich, auf ein Wort!«, rief Gero von Rothstein.

Matthias holte das frisch gestriegelte Pferd wieder ab. Dann half er seiner Angebeteten auf den Seitsitzsattel. Sie mussten einige Augenblicke warten, da Friedrich, der sie begleiten sollte, noch vergattert wurde. Peter kam nicht zum Abschied. Er war weiterhin damit beschäftigt, Rüstungsteile zu polieren.

Mathilde, Gero, Bertram, einige Mägde und Waffenknechte winkten ihnen zu. Die kleine Reisegesellschaft nahm den bekannten Weg unter die Hufe wie vor zwei Wochen. Kurz vor Finsterwalde nahm Matthias Friedrich beiseite.

»Worum ging es in dem Wortwechsel zwischen Gero und dir, der die Abreise verzögerte?«, fragte Matthias scharf.

Von Bertram hatte er nicht nur Schwertführung gelernt, sondern auch, wie man sich gegenüber Männern niederen Standes durchsetzt.

»Der Ritter von Rothstein war der Meinung, ich wäre manchmal nicht respektvoll genug gegenüber Ihnen gewesen, Herr von Köckritz.«

»Und jetzt bist du sauer auf mich?«, fragte Matthias. »Das wäre bei unerwarteten Ereignissen nicht hilfreich.«

»Keineswegs, Herr von Köckritz, Ihr habt euch nicht beschwert. Ich werde mich so verhalten, wie Sie und der Ritter von Rothstein es wünschen!«

»In Ordnung. Da ich noch nicht zum Ritter geschlagen worden bin, genügt die Anrede Matthias. Wenn es darauf ankommt, müssen wir das Leben von Margarete beschützen, als wäre sie eine leibhaftige Prinzessin und nicht die Tochter eines Kaufmanns!«

Die Angesprochene hatte ihr Pferd neben die beiden anderen gelenkt.

»Männer! Müsst ihr so viel Aufhebens machen um eine Reise an die Elbe, die wir morgen hinter uns gebracht haben? Ich sitze jetzt ab, ich muss mal für kleine Prinzessinnen«, kicherte Margarete. »Ich wäre euch dankbar, wenn ihr den Weg sichert, damit mich niemand stört!«

Matthias war froh, dass Friedrich in das befreiende Gelächter einstimmte. Sie würden zwar keine unzertrennlichen Freunde werden, aber der Mann würde ihm auch nicht in den Rücken fallen.

Hanka hielt einen Becher in der Hand und nippte vom Wein. Sie ignorierte die anzüglichen Zurufe der Bauhandwerker, die mit dem Errichten des Badehauses beschäftigt waren.

Es ging überraschend schnell. Sie, Elisabeth und Frau Wiesel hatten die Einweihung für das Ende der Woche geplant. Noch gab es das Abkommen mit der Herrin des Frauenhauses. Irgendwann würde das Badehaus ihr gehören.

Ein Bote hatte aus Senftenberg keinen Taubenschlag gebracht, sondern zwei Käfige aus Weidenholz, in denen sich jeweils eine Brieftaube nichts sehnlicher wünschte, als die Flügel gen Himmel ausbreiten zu dürfen. Die erste war ihr sofort entwischt, als sie den Vogel füttern wollte. Bei der zweiten war Hanka weitaus vorsichtiger. Sie hoffte, sie würde das gefangene Tier bald freilassen können.

Sie traute ihren Augen nicht. Der Herrgott erfüllte ihren Wunsch ohne ein Gebet! Matthias und Margarete hoch zu Ross, dahinter ein Waffenknecht, den sie nicht kannte.

»So bald sieht man sich wieder!« Hanka stemmte die Fäuste an die schmale Taille. »Ihr kommt zu früh, das Badehaus ist noch nicht fertig!«, lachte sie. »Wohin des Wegs? Wollt ihr hier wieder übernachten? Der Wirt freut sich!«

»Wenn du so fragst, Hanka, ja, wir übernachten hier!« Matthias stieg vom Pferd und reichte Margarete die Hand, damit sie elegant vom Seitsitzsattel gleiten konnte. Um keinen Preis durfte die ehemalige Magd erfahren, wohin sie reisten. Matthias hoffte, dass sich Margarete und Friedrich nicht verplauderten. Hatte nicht Gero von Rothstein eine Bemerkung fallen lassen, dass auch das Kloster Heilig Kreuz bei Meißen in Erwägung gezogen worden war? Matthias sann über eine List nach, mit der man Gunther von Bentheim oder dessen Spione täuschen könnte.

Der Wirt tafelte auf. Rehrücken, Hirschragout, geschmortes Gemüse und Brot. Dazu wurde Bier gereicht. Die Weinlieferung aus Meißen wäre ausgeblieben, entschuldigte sich Herr Krüger.

Am nächsten Tag ging es durch offene Landschaften mit Feldern und Wiesen Richtung Westen nach Mühlberg.

Man ließ die Stadt zunächst rechts liegen und lenkte die Pferde direkt zum Ufer der Elbe, die hier majestätisch vorbeiströmte.

»Ich möchte gern Abschied von Margarete nehmen. Friedrich! Sichere bitte die Straße, damit wir keine unangenehme Überraschung erleben!« Matthias erinnerte sich an das überfallartige Erscheinen von Heinz von Waldow und seinen Reitern an der Kleinen Elster. Friedrich verstand und nickte. Der junge Herr von Köckritz wollte noch einmal seiner Liebsten beiwohnen, bevor dies für lange Zeit nicht mehr möglich war.

Margarete und Matthias rissen sich die Kleider vom Leib und rannten in die Elbe, bespritzten sich wie einst bei ihrer Kahnfahrt auf der Schwarzen Elster. Friedrich war abgestiegen und ließ das Pferd grasen. Er wollte sich später nicht vorwerfen lassen, er habe von erhöhter Position aus zugeschaut, wie die beiden …

Es kam der Moment des Abschieds. Margarete und Matthias hofften, es wäre nur für einige Wochen.

Nach einem letzten Kuss nickten sie Friedrich zu, er möge an das Tor des Klosters klopfen. Matthias übergab der Nonne, die das Sichtfenster geöffnet hatte, zwei versiegelte Briefe von Gero von Rothstein, die er selbst nicht gelesen hatte. Er konnte sich denken, was darin stand. Margarete sollte auf den Pfad der Tugend zurückgeführt werden. Man würde sie als Novizin, aber nicht in den Orden aufnehmen.

Beim Ritt zurück nach Dobrilugk kamen Matthias Zweifel. »Was ist, wenn Margarete Geschmack am Klosterleben findet und eine Braut Jesu wird?«

»Sie ist dem Leben so zugewandt, dass ich mir kaum vorstellen kann, dass sie den Rest ihrer Tage mit Gebet und Arbeit zubringen möchte«, sagte Friedrich.

»Dein Wort in Gottes Ohr!«, rief Matthias und gab seinem Pferd die Sporen.

Hanka saß vor dem Käfig mit der einen ihr verbliebenen Brieftaube. Als sie vorsichtig das kleine Türchen öffnete, um Futter und Wasser bereit zu stellen, hielt sie umgehend die Hand davor.

»Ich weiß, kleine Taube, du willst deine Flügel ausbreiten. Nur noch einige Stunden Geduld, bald darfst du zurück zu deinem Schlag nach Senftenberg!«

Nebenan wurde letzte Hand am Badehaus angelegt. Zwei große Zuber, weiße Laken und Handtücher waren bereits angeliefert worden. Für den kommenden Winter würde man einen überdachten Gang zum Frauenhaus der Frau Wiesel errichten lassen.

Matthias und Friedrich machten ihre Pferde am benachbarten Wirtshaus fest. Hanka hörte das Schnauben der Reittiere und eilte nach draußen. »Ihr habt unwahrscheinliches Glück, meine Herren! Euch zu Ehren eröffnen wir das Badehaus! Gehe ich recht in der Annahme, dass ihr euch den Staub der Reise von den wohlgestalteten Körpern abwaschen wollt?«, gurrte sie.

Sie hatte es sorgfältig geplant. Die erfahrene, aber immer noch sehr ansehnliche Hure Elisabeth würde sich Friedrich vorknöpfen, während sie selbst Matthias bedienen wollte. Sie hatten das Badewasser in einem Wäschekessel erhitzt und befüllten Eimer für Eimer die beiden Zuber, die durch einen Vorhang voneinander getrennt waren.

Der Wirt Krüger, der zwei Jahre lang die Nase wegen des Frauenhauses gerümpft hatte, witterte ein Geschäft. Im warmen Wasser wurde man durstig. Und er würde bereitstehen, das Gewünschte zu liefern. Zu diesem Zweck hatte er eine neue Schankmagd eingestellt, die nur wenige Schritte laufen musste.

Matthias und Friedrich entledigten sich der Waffengehänge und der Kleidung, behielten nur die Bruche an. Die Badezuber dampften und Hanka und Elisabeth streuten jeweils duftende Kräuter ins Wasser und fragten nach den Wünschen der Kunden.

»Einen Humpen Bier nach dem langen Ritt?«, fragten beide unisono, aber getrennt voneinander.

Die Schankmagd von nebenan war instruiert, sofort zu servieren.

»Darf ich zu Ihnen in den Zuber steigen, edler Ritter?«, hauchte Elisabeth und raffte das weiße Unterkleid aus Leinen.

»Eure Ansprache schmeichelt mir. Ich bin nur ein Waffenknecht – aber steigt hinein!«, sagte Friedrich. Elisabeth nestelte sofort an der Bruche, die bald darauf über Bord segelte.

»Eine entspannende Massage gefällig, der Herr?« Bevor Friedrich antworten konnten, spürte er eine Hand an seiner Körpermitte.

»Darf ich auch fragen, wohin Euch euer Weg führte?«, flüsterte Elisabeth.

»Das darf ich nicht sagen, wertes Fräulein«, gähnte Friedrich, der ungeachtet der Stimulation unter Wasser schläfrig wurde. Dazu beigetragen hatten auch mehrere Schlucke Bier aus dem Humpen, der auf einem querliegenden Holzbrett vor ihm stand.

»Ihr kamt von Westen, von den Ufern des Stromes Elbe. Die Maid Margarete ist nicht mehr bei euch«, sagte Elisabeth und wurde nicht müde, unter Wasser weiter zu arbeiten. Hanka hatte ihr eingeschärft, dass es nicht ihr Schaden sei, wenn sie dem Waffenknecht Informationen entlockte. Gehörte dazu auch voller Körpereinsatz?

Sollte sie mit dem Gesicht unter Wasser gehen, um mit dem Mund …? Sie entschied sich dafür, um das Badewasser nicht zu verunreinigen. Als Elisabeth wieder auftauchte, musste sie erst schlucken, bevor sie wieder Luft holen konnte.

Friedrich grunzte wohlig. Bevor sich die Schläfrigkeit erneut breitmachte, erinnerte er sich an die Absprache mit Matthias während des Rittes.

»Weil Ihr nach Margarete fragtet – sie weilt auf einem Kahn, der die Elbe flussauf getreidelt wird. Sie wird an Land gehen und von Heinz von Waldow und seinen Männern zum Kloster Heilig Kreuz bei Meißen geleitet. Ganz unter uns, die Anklage lautete auf Unzucht. Sie hat als verheiratete Frau nicht nur mit Matthias das Lager geteilt, sondern wohl auch mit dem Sohn eines Töpfers, der auf der Burg Sallgast jetzt Rüstungen putzen muss«, kicherte Friedrich und griff nach dem vor ihm stehenden Bierkrug.

Ganz ähnlich lief das im Flüsterton gehaltene Gespräch nebenan ab. Es gab nur den Unterschied, dass Matthias alle Annäherungsversuche von Hanka abwies. Liebesspiele mit jungen Frauen wie Marica oder Hanka gehörten zu einem früheren Leben, das mit dem Entdecken der Leichen an der Schwarzen Elster zu Ende gegangen war.

Die einzige Intimität, die er der ehemaligen Magd gestattete, war das Abtrocknen seines Körpers, als er aus dem Zuber stieg.

Als die beiden Herren hinüber ins Wirtshaus gegangen waren, um eine weitere Kanne Bier zu leeren, stieg Hanka hinauf zum Dachboden des Frauenhauses, wo sie die Taube ein vorletztes Mal füttern wollte. »Jetzt ist es schon dunkel, morgen früh darfst du fliegen!«

Ihr fiel ein, dass sie ja an einem der Füße der Taube einen Zettel mit der Nachricht ›Heilig Kreuz Meißen‹ befestigen musste. Mit ihren Schreibkünsten stand es nicht zum Besten. Sie sah keinen anderen Ausweg, als Frau Wiesel darum zu bitten, die ohnehin eingeweiht war.

»Kloster Heilig Kreuz? Kann es sich nicht um eine gezielt geäußerte Falschinformation handeln und Margarete ist ganz woanders? Marienstern in Mühlberg an der Elbe ist das nächstgelegene Zisterzienserinnen-Kloster. Schneide dort den Bogen mit einer Schere durch und reiche mir Tintenfass und Feder! Zünde bitte eine zweite Kerze an!«

Hanka hielt kurz inne. Seit wann bat die Vorsteherin eine Hure um etwas? Es lag womöglich doch an dem Silber, das der Ritter von Bentheim gestiftet hatte.

»Ich schreibe, dass der Waffenknecht Heilig Kreuz bei Meißen preisgab, ich aber der Meinung bin, er wolle uns in die Irre führen und der Aufenthaltsort der Gesuchten das Kloster Marienstern in Mühlberg sein kann. Gezeichnet Irmtraut Wiesel im Auftrag von Hanka Wessela.«

Die Vorsteherin ließ die Tinte antrocknen und streute vorsichtig feinen Sand über den Zettel. Nach dem Wegblasen des Trockensandes faltete sie das Papier mehrfach.

»Binde es morgen früh fest an den rechten Fuß der Taube, nachdem du ihr Körner und Wasser gegeben hast! Im Bett ist so mancher Herr gesprächig. Wir könnten auch anderen Rittern oder Vertretern der Kirche unsere erweiterten Dienste anbieten!«

Hanka machte einen Knicks und verschwand schnell treppauf in ihrer Kemenate. In ihrer Hand hielt sie die mehrfach gefaltete Botschaft.

Kapitel 11

Margarete betrachtete die alten Backsteinmauern des Klosters Marienstern und fühlte eine wachsende Beklemmung. ›Ist ja nur für eine gewisse Zeit‹, machte sie sich Mut. Sie spürte eine Berührung am rechten Handgelenk und erschrak. Einer Nonne, kaum älter als sie selbst, lugte eine goldbraune Locke aus dem Schleier. Margarete blickte in Augen, die so blau wie ihre waren.

»Ich bin Schwester Katharina, ich bringe dich jetzt zur Äbtissin! Und du bist?«

»Margarete, Tochter des Fischhändlers Kürschner aus Ruhland. Streng genommen bin ich noch das Eheweib des Nikolaus von Polenz in Senftenberg, aber es gibt ein Rechtsgutachten, welches die Ehe ...« Sie wurde von Katharina mit einer energischen Handbewegung unterbrochen.

»Das können wir alles in Ruhe besprechen, Margarete! Die Äbtissin erwartet uns!«

Die Herrin über das Kloster saß in ihrem Refugium auf einem hohen Lehnstuhl. Die beiden jungen Frauen machten einen Knicks.

»Willkommen im Kloster Marienstern. Ich bin Dorothea«, sagte die Äbtissin und brach das Siegel des ersten Briefes, den sie bereits vor sich liegen hatte.

Margarete atmete tief durch. Die Nonnen, denen sie bisher begegnet war, waren ihr sympathisch. Sie konnte sich mit dem Gedanken anfreunden, hier ein paar Wochen unterzutauchen. So lange Gunther von Bentheim und ihr Noch-Ehemann nicht wussten, wo sie war, ein guter Ort, um Einkehr zu halten.

Die Äbtissin runzelte die Stirn. »Dem rechtmäßigen Ehemann davongelaufen, in Zuneigung verbunden Matthias von Köckritz und dem dahergelaufenen Peter Töpfer schöne Augen gemacht. Ich fürchte, da kommt eine Menge Arbeit auf uns zu!«, sagte Dorothea von Ileburg und warf das erste Schreiben auf den Tisch vor ihr. Dann brach sie das zweite Siegel. Margarete wusste nur, dass beide Briefe von Gero von Rothstein verfasst worden waren. Warum hatte der Ritter nicht alles in einem Schreiben zusammengefasst?

Die Äbtissin legte das zweite Schreiben neben das erste auf den Tisch und runzelte erneut die Stirn. Sie blickte in zwei fragende Gesichter, sagte aber nichts zu dem Inhalt.

»Katharina! Du übernimmst wie abgesprochen die Betreuung von Margarete, aber nicht sogleich, ich bin hier noch nicht fertig!«

»Jawohl, Frau Äbtissin, sagte Katharina und knickste. »Ich warte solange draußen und zeige der Neuen dann alles!«

»Darf ich fragen, werte Frau Äbtissin, was in dem zweiten Brief des Ritters von Rothstein steht?«, wollte Margarete wissen.

»Nein, es wurde vom Verfasser als vertraulich gekennzeichnet! Gerade deshalb macht es mir Sorgen. Ich möchte es so formulieren – du wurdest nicht nur wegen deiner Lüsternheit hierher geschickt, sondern auch, weil man auf der Burg Sallgast eine Belagerung fürchtet. Mit deiner Anwesenheit werden wir zur Zielscheibe!« Dorothea von Ileburg schüttelte den Kopf. »Entkleide dich! Lege deine Kleider auf diesen Stuhl dort ab!«

Margarete glaubte, sich verhört zu haben. Sie blickte in kalte graublaue Augen und sah die unwirsche Handbewegung, weil sie zögerte. Umgehend schlüpfte sie aus Kleid, Unterkleid und Schuhen.

»Schwester Katharina!«, rief die Äbtissin, weil die junge Nonne erklärt hatte, sie würde vor der Tür warten. »Ein Büßergewand für die sündige Margarete!«

Es dauerte nicht lange, da kehrte Katharina mit einem Hemd aus grober Wolle zurück. Margarete zitterte ungeachtet der spätsommerlichen Temperaturen, die draußen herrschten. Hier drinnen war es empfindlich kühl. Das Büßergewand, das sie sich hastig überstreifte, kratzte auf der Haut.

»Ich ordne Fasten und Gebete in der Kapelle an. Du, Katharina, wirst sie zweistündlich aufsuchen, um nach ihr zu sehen – auch des nachts«, wies Dorothea an.

»Ja, Äbtissin«, entgegnete Katharina und nahm Margarete bei der Hand. Die hatte sich das vor einer Stunde noch ganz anders vorgestellt. Gebete und innere Einkehr in einer Zelle mit Bett, Schemel und Tisch. Jetzt würde sie die nächsten Stunden knieend auf kaltem Steinfußboden verbringen, nur bekleidet mit einem kratzigen Hemd. Sie betraten die eindrucksvolle Abteikirche durch einen Seiteneingang. Katharina ging in die Hocke und bekreuzigte sich, sprach dabei ein Gebet. Margarete machte es ihr nach.

»Wir, die Nonnen, sitzen hinten«, flüsterte sie und zeigte nach rechts. »Oben auf der Empore nimmt die Äbtissin Dorothea Platz. Ich geleite dich jetzt nach vorn bis vor den Altar. Wir bitten darum, dass sich unser Herr deiner annimmt.«

Nach dem letzten gemeinsamen Gebet huschte die junge Nonne lautlos aus dem Gotteshaus. Margarete war jetzt mit ihren Gedanken allein. Sie füllte die innere Leere, indem sie Zwiesprache mit Maria, der Mutter von Gottes Sohn, hielt.

Maria war vor langer Zeit viel jünger als sie selbst gewesen als sie erfuhr, dass sie schwanger war und ihr Vormund und Gefährte, der viel ältere Josef, Fragen stellte. War es rechtens gewesen, ihren angetrauten Ehemann zu verlassen? Wäre eine Beschwerde beim Vertreter des Landvogtes, Gottschalk Wedemar zu Senftenberg, erfolgversprechend gewesen? Wahrscheinlich nicht, denn der hatte ja das Amt, weil er ein getreuer Gefolgsmann von Hans und Nikolaus von Polenz war. Maria, die auf einem geschnitzten Relief das Jesuskind hielt, schwieg.

Als ihre Knie zu schmerzen begannen, legte sich Margarete auf den kalten Steinfußboden. Die Antwort auf die erste Frage musste ›Ja‹ lauten. Nikolaus von Polenz hatte Freude daran, andere leiden zu sehen.

Sie wusste nicht, ob diese Neigung immer da war, sich nur auf Frauen oder auch andere Personen und Tiere erstreckte. Sie hatte damals Krücken benötigt, weil nach der Bastonade ihre Fußsohlen brannten, als habe sie die Beine zu nahe an das Höllenfeuer gehalten.

Gottschalk Wedemar zu Senftenberg und Nikolaus von Polenz saßen nicht in der Burg, die ringsum durch aufgestautes Wasser aus der Schwarzen Elster vor Angriffen geschützt war, sondern in einem Fachwerkhaus nahe der Kirche, als ihre Weingläser aneinander klirrten.

In diesem Moment stürmte Gunther von Bentheim ohne anzuklopfen in die Stube. In der Hand hielt er einen gefalteten Zettel, den er triumphierend schwenkte.

»Einen schönen guten Abend, Gunther«, knurrte der Vetter des Landvogtes. »Ich hoffe, du hast Gründe, unsere gesellige kleine Runde zu stören! Sprich und setz dich zu uns. Eine Magd wird gleich ein Glas für dich bringen!«

»Ich setzte Tauben ein, um dein Täubchen zu fangen, Nickel!« Freunde und Kampfgefährten durften es sich erlauben, Nikolaus so zu nennen.

»Eine Brieftaube flatterte heute Nachmittag in den Schlag. Der für das Federvieh zuständige Knecht überbrachte mir diese Botschaft«, sagte Gunther und setzte sich an den Tisch.

»Frieda! Wo steckt das Weib nur wieder? Frieda – ein kristallenes Weinglas aus Böhmen für den Ritter von Bentheim!« Anstelle der gerufenen Frieda erschien ein Page, der sich eine Karriere als Knappe und später als Ritter erträumte.

»Wolfram, wo steckt Frieda?«, wollte Nikolaus von Polenz wissen.

»Entschuldigt, sie ist unpässlich, muss sich übergeben«, stotterte der Page verlegen.

»Falls sie in guter Hoffnung ist, stellt sich die Frage, von wem«, lachte Nikolaus. »Schenk nach, Wolfram, Gunther ist durstig!«

Nachdem der Page mit rotem Kopf verschwunden war, erinnerte sich Nikolaus wieder an den Zettel mit der Botschaft. »Nun spann uns nicht auf die Folter, lies vor!«

Gunther von Bentheim wiederholte, was Frau Wiesel zu Papier gebracht hatte und nahm dann einen kräftigen Schluck Rotwein.

»Heilig Kreuz bei Meißen würde ich nicht ausschließen. Heinz von Waldow war und ist ein Gefolgsmann des Markgrafen von Meißen und dem Bischof. Die Vorsteherin eines Frauenhauses behauptet, das wäre eine falsche Fährte und mein abtrünniges Weib befinde sich hinter den Klostermauern von Marienstern in Mühlberg. Du wirst dich dorthin begeben und der Sache nachgehen! Ich will das widerspenstige Weib zurückhaben und bestrafen!«, rief Nikolaus von Polenz und warf den Zettel auf den Tisch.

»Möchtest du diesmal nicht selbst dabei sein, Nickel?«, wagte Gunther von Bentheim einzuwenden.

»Nein, ich erwarte morgen meinen Vetter Hans hier in Senftenberg, der seit einer Woche in Bautzen weilt. Er will mit dem Landvogt der Oberlausitz ein gemeinsames Heer gegen die böhmischen Ketzer aufstellen, da der König Sigismund leider untätig bleibt. Ich hoffe und wünsche, er hatte Erfolg. Wir müssen uns auch beraten, was wir meinem Vetter erzählen und was wir verschweigen«, seufzte Nikolaus von Polenz und nippte am Wein. »Wie ist es in Sallgast gelaufen, Gunther?«

»Heinz von Waldow ist wieder einmal auf Beutezug in der Oberlausitz. Seinem Vertreter Gero von Rothstein habe ich angedroht, eine Fehde zu erklären, falls sie dein Weib und den

Bastard von Köckritz weiter beherbergen«, sagte Gunther und schenkte sich nach.

»Wie du selbst gesagt hast, ist mein Weib entweder in der Nähe von Meißen oder viel wahrscheinlicher in Mühlberg«, sagte Nikolaus. »Nur weil Matthias von Köckritz dort weilt, den ich hasse, weil er meinem Weib beigewohnt hat, bekommen wir von Hans keine Zustimmung zur Belagerung. Wir werden sie im Glauben lassen, dass wir dort mit einer Streitmacht auftauchen. Im Falle Mühlberg wird dir schon eine List einfallen, wie man eine Novizin entführt. Ich wünsche keine Gewaltanwendung gegen Einrichtungen unseres heiligen Glaubens. Ansonsten hast du freie Hand, Gunther. Noch ein Gläschen Wein gefällig?«

»Hans von Polenz ist angehalten, gegen Raubritter vorzugehen. Vielleicht können wir ihn auf diesem Weg überzeugen, einer Fehde und Belagerung von Sallgast zuzustimmen«, mischte sich Gottschalk Wedemar zu Senftenberg ein.

»Dein Vorschlag in Ehren, Gottschalk, aber es bleibt dabei, was ich gesagt habe. Gunther wird zunächst herausfinden, ob mein Weib tatsächlich in Mühlberg ist. Wenn sie wieder in Senftenberg weilt, taucht der Bastard von Köckritz früher oder später hier auf. Darauf noch einen guten Schluck!« Um nicht wieder den Pagen rufen zu müssen, schenkte Nikolaus von Polenz selbst nach.

»Ich lasse mir etwas einfallen«, sagte Gunther von Bentheim und ließ das Glas, an dem er nur genippt hatte, langsam sinken. »Was hast du mit ihr vor? Prügel, Kerker, Folter?«

»Nein, viel besser! Sie wird die reumütig zurückgekehrte Gattin spielen und mir jeden Wunsch erfüllen!«, lachte Nikolaus. »Ich sehe in euren Gesichtern, dass ihr Zweifel hegt, wie ich es bewerkstellige? Es gibt unendlich viele Möglichkeiten, aus ihr eine Schmusekatze zu machen. Angedrohte Überfälle auf Fuhrwerke des Fischhändlers Kürschner, Tod ihrer Mutter, Inhaftierung einer Freundin, die man solange foltert, bis sie zugibt, mit dem Teufel im Bunde zu sein. Sicher fällt mir noch mehr ein! Zum Wohl, meine Herren!«

Kapitel 12

Margarete erschrak, als sie durch eine sanfte Berührung an der Schulter aus ihrer Starre erwachte. Hunger, Durst und die durch ihre Knochen kriechende Kälte hatten dazu geführt, dass sie glaubte, die Stimme von Maria gehört zu haben. »Aufrichtige Liebe ist keine Sünde. Die Blicke, die einem anderen galten, sehr wohl! Stehe zu dem, was dir heilig ist, und ich werde dir beistehen!«

»Danke, Maria«, hustete Margarete und richtete sich mühsam auf. Ihr war immer noch schwindlig. Sie hatte eine sanfte Stimme gehört, dessen war sie sicher.

»Ich bin es, Katharina! Ich sollte auf Geheiß der Äbtissin zweistündlich nach dir sehen. Du warst so tief in Andacht versunken, dass ich mich lautlos wieder entfernte. Jetzt geht bald die Sonne auf. Trink einen Schluck Wasser, dann bringe ich dich in deine Zelle. Wir sind beide von der Laudes, der Morgenandacht, befreit.« Sie reichte der reuigen Sünderin einen Becher Wasser, den Margarete in einem Zug austrank. Dabei liefen ihr Rinnsale von den Mundwinkeln über das Kinn.

»Du bietest einen erbarmungswürdigen Anblick. Komm, ich stütze dich!«, sagte Katharina und hakte die junge Frau unter. Margarete konnte kaum einen Fuß vor den anderen setzen. Als sie endlich in der Zelle ankamen, warf sie sich bäuchlings auf den Strohsack und wünschte nur noch, in einen traumlosen Schlaf zu fallen. Katharina zerrte am Büßergewand.

»Du musst es ausziehen, bitte!« Margarete richtete sich etwas auf, um das Tuch über Kopf zu streifen.

Plötzlich spürte sie, wie etwas über ihr Rückgrat glitt. Es fühlte sich an wie Streifen aus dünnem Leder. Sie konnte nicht sehen, was die Nonne in der Hand hielt. Es verursachte eine Gänsehaut.

»Die Frau Äbtissin will deine Reue sehen. Nur drei Schläge mit der siebenschwänzigen Katze, damit Striemen zu sehen sind! Ich sage Dorothea, dass du dich selbst gezüchtigt hast!«

Margarete hatte in ihrer einst heilen Welt in Ruhland keine Kunde von Flagellanten, die sich selbst geißelten, um den Leiden Christi nahe zu sein. Inzwischen war ihr alles egal.

»Wenn ich danach schlafen darf, schlag zu«, murmelte sie. Als Katharina das erste Mal die Lederriemen niedersausen ließ, biss sie in ihren rechten Daumen, da der Schmerz den ganzen Körper überflutete. Sie flehte ihre Schutzpatronin Maria an, dies auch noch zu überstehen. Nach dem dritten Schlag stand ihr Rücken in Flammen. Margarete hatte die Bastonade, das Schlagen auf die Fußsohlen, überstanden. Im Vergleich dazu war es diesmal ein kurzer, aber heftiger Schmerz. Als die Nonne die Striemen mit einer Heilsalbe bestrich, sank Margarete bereits in den Schlaf. Sie spürte auch nicht mehr, wie ihr Küsse auf den Nacken und die Schulterblätter gehaucht wurden.

Als Margarete wieder erwachte, trat der Schmerz in den Gelenken und auf dem Rücken in den Hintergrund. Sie wurde von einem hartnäckigen Husten geschüttelt, der erst nach einigen Minuten nachließ. Katharina trat besorgt zu ihr ans Bett. Auf dem Tisch stellte die Nonne eine dampfende Schüssel Suppe ab. Auf einem Teller lagen zwei Scheiben frisch duftendes Brot. Margarete schielte zum Tisch, musste sich noch gedulden. Zunächst wurde ihr Rücken gesalbt. Erst dann durfte sie die Mahlzeit zu sich nehmen, immer wieder durch Hustenanfälle unterbrochen. Katharina schärfte ihr ein, langsam zu essen, sonst müsse sie sich übergeben. Dann huschte die junge Nonne aus der Zelle, kehrte bald darauf mit weißen Gewändern zurück.

Margarete stand mit Mühe auf. Obwohl sie gegessen hatte, spürte sie Schwindel, als stünde der Boden schief. Bei jedem Atemzug rasselte es in ihrer Brust. Katharina half ihr beim Umkleiden. Das sackartige Büßergewand segelte zu Boden und sie schlüpfte in das weiße Habit und den Überwurf in der gleichen Farbe.

»Du bist krank. In diesem Zustand kann ich dich unmöglich der Äbtissin präsentieren«, sagte Katharina mit besorgter Miene.

»Ich muss dahin!«, keuchte Margarete. »Ich hatte eine Marienerscheinung!«

»Du hattest eine …?« Katharina hielt in der Bewegung inne. Sie wollte der Novizin gerade die Schuhe reichen.

»Aufrichtige Liebe ist keine Sünde, sagte sie. »Ich habe Maria nicht gesehen, aber sehr wohl gehört!« Margarete sank auf die Bettstatt zurück. Sie wurde von einem erneuten Hustenanfall gepeinigt. »Was mein Ehemann getan hat ist Sünde.«

Katharina legte eine Hand auf die Stirn der Kranken und spürte das Fieber. »Ich hole Schwester Agnes. Sie macht dir Wadenwickel. Ich werde die Äbtissin bitten, dich an deinem Krankenlager aufzusuchen. Falls du wirklich die Stimme der Mutter von Jesus Christus gehört hast, wird sie die Zeit finden!« Die junge Nonne huschte wie ein Windhauch durch die Tür und verschloss diese leise.

»Bleib bei mir, barmherzige Samariterin«, flüsterte Margarete vergeblich. Sie wurde von Fieberfantasien heimgesucht, immer wieder unterbrochen durch die beruhigende Stimme von Maria.

War das Fieber die Strafe Gottes, weil sie nicht nur mit Matthias das Lager geteilt, sondern auch Peter Töpfer durch ihr Lächeln ermutigt hatte? Margarete fiel in einen unruhigen Schlaf und wälzte sich auf der Lagerstatt.

Katharina hatte die Äbtissin davon überzeugt, noch vor der Vesper die Kranke aufzusuchen. Die heilkundige Schwester Agnes hatte Wadenwickel angelegt. Der bereitgestellte Kräutertee kühlte ab. Margarete hatte nicht einmal daran genippt.

»Ist es so schlimm? Ich hoffe nicht, dass ich das Commendatio Animae sprechen muss«, seufzte Dorothea von Ileburg. Die Äbtissin und Katharina eilten an der Kirche vorbei um den Innenhof zu den Zellen der Nonnen.

Margarete warf den Kopf auf dem durchnässten Kissen hin und her und rief nach Maria. Katharina tupfte ihr mit einem Leinentuch den Schweiß von der Stirn. Die Äbtissin blieb stehen und legte die Hände zusammen. »Du hast recht daran getan, mich an ihr Krankenbett zu bitten. Ich werde verweilen und um Genesung bitten! Du sagst den anderen Schwestern, dass das Vesper-Gebet etwas später beginnt!«

»Wie Sie wünschen, Frau Äbtissin!«

Dorothea von Ileburg rief ebenfalls Maria an und flehte darum, die junge Frau genesen zu lassen. Heinz von Waldow, Matthias von Köckritz, der mit diesem verwandte Abt des mächtigen Klosters Dobrilugk – alle würden Fragen stellen, warum Margarete in der jungen Blüte ihrer Jahre plötzlich verstorben war. Falls sie das Fieber überwand, würde man den reichen Kaufmann Kürschner in Ruhland in Kenntnis setzen, dass dank der Gebete seine Tochter wieder genesen war und ihn um eine Spende bitten. Die Äbtissin bat um Vergebung für ihren letzten Gedankengang. Als Vorsteherin dieses Klosters musste sie alles bedenken.

Kapitel 13

Kuno hatte an diesem Tag nicht viele Fische im Netz. Er hoffte auf die Reusen stromab der Elbe und ließ sich treiben.

Es war ein schöner Spätsommertag. Der Fischer genoss die wärmende Sonne auf seinem bärtigen Gesicht. Bald würden die Herbststürme kommen und seine Arbeit erschweren. Noch war es nicht soweit. Plötzlich hörte er laute Rufe.

Etwas stromauf hatte ein Ruderboot Schlagseite. »Wir sinken, Hilfe!«, schrie ein Mann. Die anderen drei schöpften Wasser aus dem offensichtlich leckgeschlagenen Boot. Kuno fragte sich, wie das möglich sein konnte. Hier gab es keine Riffe unter Wasser, höchstens Sandbänke. Neugierig ruderte er näher. Vielleicht waren es Not geratene Fischer? Als er näher kam, war er sicher, die Männer noch nie gesehen zu haben. Er ging längsseits, um die in Bedrängnis geratenen aufzunehmen. Sein Fischerboot war groß genug. Als er dem Ersten die Hand reichte, sauste ein Ruderblatt auf seinen Schädel. Kuno verlor sofort das Bewusstsein.

»Werft ihn ins Wasser«, knurrte Gunther von Bentheim. Hartmut und die zwei anderen kamen dem Befehl umgehend nach. »Gut, dass wir die Brustharnische und Helme an Land gelassen haben. Der Mann wäre sonst misstrauisch geworden. Wir liefern ab sofort frischen Fisch an das Kloster Marienstern!«

Auf dem Ritt von Senftenberg nach Mühlberg war Gunther von Bentheim klargeworden, dass man nur mit einer List an die Novizin Margarete von Polenz herankommen würde. Sein durchtriebener Plan sah vor, zunächst den Mann auszuschalten, der wegen der vielen Fastentage regelmäßig Fisch an das Kloster lieferte. Zuvor hatte er in Liebenwerda zwei Männer angeheuert, welche in die Rolle des Lieferanten schlüpfen sollten. In Mühlberg würde man das Gerücht verbreiten, Kuno der Fischer wäre ertrunken.

Margarete, die Tochter eines Fischhändlers, würde man zu Rate ziehen, wenn Wassergetier angeliefert wird.

Die beiden Neuen, Berthold und Kilian, hatte man an Land gelassen. Man wollte sie nicht mit einem Mord belasten.

Die Gauner aus Elsterwerda, die behauptet hatten, sich auch im Fischfang und der Wilderei auszukennen, wussten Bescheid, dass sie die Rolle des plötzlich verschwundenen Kuno einnehmen sollten.

Gunther von Bentheim war sich nicht sicher, ob diese List funktionierte. Falls man die Novizin Margarete mit anderen Aufgaben betraute, musste eben ein anderer Plan her. Notfalls müsste man in der Nacht über die Mauer steigen, um das Weib des Nikolaus von Polenz zu entführen. Zuvor sollten Berthold und Kilian bei Gesprächen am Tor herausfinden, wo genau Margarete schlief. Marienstern war nicht so gut bewacht wie das Kloster Dobrilugk, wo man Waffenknechte beschäftigte.

»Herr Ritter von Bentheim, Ihr hättet den Mann befragen sollen, wo seine Reusen sind und erst dann erschlagen«, meckerte Berthold. »Wir müssen den Fisch bergen und dann zum Markt bringen. Das Standrecht haben wir bereits erworben.«

»Sehr gut«, lobte Gunther die angeheuerten Gauner. »Wir reiten am Ufer entlang und geben euch Zeichen, wo wir eine Reuse entdecken. Wohlan, steigt ins Boot!« Später konnte man immer noch entscheiden, ob man den Fischfang den beiden Halunken überließ oder die frische Ware irgendwo anders kaufte und auf schnellstem Wege nach Mühlberg transportierte.

»Dein Gefolgsmann hat was gemacht?«, brauste Hans von Polenz auf. Es war eine der seltenen Gelegenheiten, dass der Landvogt und Großgrundbesitzer in Senftenberg weilte. Zumeist saß er auf einem Pferd, um nach Breslau, Bautzen oder Dresden zu reiten.

»Es war nur eine Drohung, Vetter, keine Ankündigung einer Fehde«, verteidigte sich Nikolaus von Polenz. Er spekulierte darauf, einmal die Nachfolge als Landvogt antreten zu dürfen.

Die Söhne von Hans waren viel zu klein, um das Amt zu erben, es sei denn, der Landvogt wurde sehr alt. Deshalb musste er im Hintergrund bleiben und Gunther von Bentheim vorschicken.

»Bist du nicht von König Sigismund angehalten, gegen das Raubritterunwesen vorzugehen? Unter diesem Vorwand könnte man Sallgast belagern«, versuchte Nikolaus einen letzten Einwand.

Hans von Polenz schlug mit der Faust auf den Tisch, sodass es schepperte. Ein Zinnkrug schlug auf dem Steinfußboden auf. Es lag daran, dass der Landvogt noch Teile seiner Rüstung trug, auch die fein gearbeiteten Handschuhe aus Eisen. Sein Vetter wunderte sich, dass keine Holzsplitter durch die Luft flogen. Es traute sich keine Magd in den Raum, um den Krug aufzuheben.

Es kam nicht oft vor, dass der besonnene Ritter Hans von Polenz aufbrauste. Im gleichen Moment wurde Nikolaus klar, dass er einen entscheidenden Fehler gemacht hatte.

Sowohl Heinz von Waldow als auch sein Vetter standen einst in Diensten von Friedrich dem Streitbaren, dem Markgrafen von Meißen. Eine Krähe aus dem gleichen Nest hackt der anderen kein Auge aus!

Hans von Polenz streifte die eisernen Handschuhe ab und betrachtete die Kratzspur auf der Platte des Eichentisches. »Mir sind die Gerüchte bekannt, mein lieber Vetter! Ich musste mir in Bautzen auch anhören, dass es dort unten immer wieder Überfälle von Raubrittern gibt, die aus Drebkau und anderen Orten stammen sollen! Ich kann nicht gegen alle vorgehen, welche die unruhigen Zeiten nutzen, um sich zu bereichern«, seufzte der Landvogt.

»Ruf die Magd, sie soll Bier bringen! Ich habe seit meiner Ankunft nichts zu trinken bekommen. Da wird ja mein Pferd besser versorgt!«

Nikolaus hob eigenhändig den Zinnkrug auf, der wie durch ein Wunder unbeschädigt geblieben war und rief nach der Magd. Nachdem Hans etwas getrunken und sich gesetzt hatte, wurde er zusehends ruhiger. Sein Vetter beeilte sich, in der Küche etwas zu essen zu bestellen. Der Hinweis mit dem besser versorgten Pferd war mehr als deutlich gewesen.

»Verzeih meinen Übereifer, Hans«, sagte Nikolaus. »Du hast der Hochzeit mit der Kaufmannstochter Kürschner zugestimmt, sie ist getürmt, nur weil ich sie einmal gezüchtigt habe! Das undankbare ehebrüchige Weib teilt jetzt das Lager mit Matthias von Köckritz. Heinz von Waldow hat die beiden aufgenommen, weshalb ich Sallgast ins Visier nahm und Gunther aussandte.«

»Du hast Gunther von Bentheim darauf angesetzt? Ich hoffe, dass alles gut geht«, seufzte Hans von Polenz und freute sich auf den Braten, der ihm nun endlich vorgesetzt wurde.

Kapitel 14

Nach drei Tagen war Margarete soweit wiederhergestellt, dass sie an den Ritualen der Nonnen im Kloster Marienstern teilnehmen konnte. Der Tag war streng eingeteilt und begann um halb fünf Uhr morgens mit Vigil, es folgten Laudes, die Feier der Eucharistie und die Terz, Sext und Non, Vesper und endete am Abend mit dem Komplet. Die längsten Zeiten ohne Gebete und Singen war zwischen Terz und Sext und Non, sowie der Vesper in der fünften Nachmittagsstunde.

Margarete wurde von der Äbtissin für Schreibarbeiten eingeteilt, weil sie lesen und schreiben konnte. Sie bat die Äbtissin höflich um eine Arbeit an der frischen Luft.

Dorothea von Ileburg zögerte einen Moment. Auf keinen Fall durfte die Novizin zu einer Tätigkeit eingeteilt werden, bei der sie das Kloster verlassen musste.

»Kräutergarten und Küche – ist das in deinem Sinne?«, seufzte die Äbtissin. Das Schreiben, in dem sie von dem Wunder der Genesung der Todkranken berichtete und welches nach Ruhland gesendet worden war, hatte Dorothea eigenhändig verfasst.

»Ja, vielen Dank, gnädige Frau Äbtissin!« Margarete machte einen Knicks und begab sich unter die Obhut der kräuterkundigen Schwester Agnes. Auf dem Weg dorthin traf sie ihre Pflegerin Katharina, der sie zulächelte. Gespräche zwischen den Nonnen waren nicht erwünscht.

Der Vogt von Belgern kratzte sich am Bart. Man machte nicht viel Aufhebens um Wasserleichen in einfacher Kleidung. Es musste nur geklärt werden, ob der Mann in selbstmörderischer Absicht gehandelt, sich ein Unfall ereignet hatte oder ein Mord begangen worden war. Danach richtete sich, ob man weitere Untersuchungen anstellte und dem Verstorbenen ein christliches Begräbnis zuteil wurde. Vor Belgern beschrieb die Elbe einen Bogen, sodass es schon mal vorkam, dass Leichen, Tierkadaver oder Baumstämme an Land gespült wurden.

Der Sohn des Bürgermeisters, zum Leidwesen von Vogt Ludger als dessen Gehilfe eingeteilt, drehte die Leiche und zeigte auf den Hinterkopf. »Die vom Elbwasser ausgewaschene Wunde deutet auf Einwirkung von stumpfer Gewalt hin, Herr von Brennecke!«

»Ach, was, du Naseweis!« Der Vogt hätte sich am liebsten jedes Barthaar einzeln ausgerissen. Der Bursche machte die Sache komplizierter als sie war. »Vermutlich rammte ein Baumstamm den Hinterkopf der armen Seele«, brummte er.

»Falls nicht, handelt es sich um Mord!«, sagte der Sohn des Bürgermeisters und richtete sich auf. Wäre Ludger allein gewesen, hätte er die Leiche zum Unfallopfer erklärt und zum Pfarramt schaffen lassen. Den Bürgermeister und dessen Sohn konnte er nicht übergehen.

»Wir müssen zunächst feststellen, um wen es sich handelt. Irgendjemand wird den Mann vermissen. Ich reite morgen früh nach Mühlberg – vielleicht wissen die etwas.« Der Vogt hätte den übereifrigen Justus am liebsten sonst wohin gewünscht. Nun musste er dem Verdacht nachgehen.

Gunther von Bentheim zog den wollenen Umhang fester um die Schultern. Sie hatten in der Nähe der Elbe ein Feldlager errichtet und schliefen in drei Zelten. Bevor der Oktober mit seinen Winden und fallenden Blättern kam, musste das Weib des Nikolaus von Polenz entführt worden sein oder sie suchten sich ein warmes Plätzchen in einem der Wirtshäuser von Mühlberg. Gunther wollte gerade nach draußen treten, um sich am Feuer zu erwärmen, als sein Adlatus Hartmut die Plane des Eingangs zurückschlug.

»Ich hoffe auf gute Nachrichten, ich habe noch nichts gegessen«, knurrte der Ritter von Bentheim.

»Leider nein, Gunther! Kilian kam gerade mit einer Botschaft von Berthold, der die Stellung in Mühlberg hält. Der Vogt von Belgern ist eingeritten und ins Rathaus geeilt.«

»Lass mich raten! Der einfältige Kilian wusste es nicht zu deuten, Berthold schien es bedeutend genug, uns das zu melden. Was hälst du davon, Hartmut?«

»Belgern liegt stromab nach einer Biegung der Elbe. Gut möglich, dass dort eine Leiche an Land gespült wurde und der Vogt Nachforschungen anstellt. Bei der Nachfrage nach Vermissten wird umgehend der Name von Kuno fallen!«

»Wir hätten dem Fischer einen Stein ans Bein binden sollen!«, schnauzte Gunther, streckte die steifen Glieder und marschierte nach draußen ans Feuer.

»Eine Kanne Bier, Gunther?«, fragte Lieberecht, einer der Waffenknechte, die ihn begleiteten.

»Ja, das auch. Aber zunächst etwas Brot, Käse und Zwiebeln – was ihr dahabt!«

»Etwas Stockfisch können wir auch anbieten, Herr von Bentheim«, katzbuckelte Kilian. »Wir haben Fisch auf einem Gestell getrocknet. In den letzten Tagen schien ja die Sonne!«

»Immer her damit, Hauptsache, ich werde satt und meine Laune bessert sich, was auch in eurem Interesse ist!« Gunther nahm zunächst einen Schluck Bier und rülpste.

»Wir müssen die Sache vorantreiben, sonst sitzen wir im Advent noch hier. Hartmut! Du wirst dich nach Mühlberg begeben und die beiden Tunichtgute unterstützen!«

Kilian wollte protestieren, aber der Ritter winkte ab. »Trollt euch nach Mühlberg! Morgen komme ich nach und mache euch Feuer unter dem Hintern!«

Hartmut hatte in seiner Jugend selbst geangelt und konnte einen Karpfen von einem Barsch unterscheiden. In der Elbe schwammen noch viele andere Fische, von der Forelle bis zum Stör.

Seine Idee war, dem Kloster Marienstern möglichst viele verschiedene Fische anzubieten, sodass die misstrauische Nonne am Tor gezwungen war, einen Rat von einer Frau einzuholen, die sich darauf verstand – die Tochter eines Fischhändlers!

»Was habt ihr auf dem Karren?«, herrschte Hartmut Berthold an. »Gestohlen oder selbst gefangen?«

»Aal, Forelle und Karpfen! Selbst gefangen!«, behauptete der erste der beiden Gauner aus Liebenwerda.

»Wer's glaubt wird selig.« Hartmut schnupperte an der Ware, die noch frisch aussah und auch so roch. Der Unmut von Gunther war zu spüren gewesen. Man müsste heute noch Nägel mit Köpfen machen.

»Auf zum Tor des Klosters, bevor der Fisch anfängt zu stinken!«, bestimmte Hartmut und schritt voran.

Katharina war am nächsten am Tor, als das Klopfen ertönte. Sie öffnete das Sichtfenster und sah einen jungen Mann, den sie bisher nicht zu den Lieferanten des Klosters zählte. Ohne Argwohn fragte sie nach dem Begehr.

»Nach dem bedauerlichen Tod von Kuno sind wir die neuen Lieferanten von frischem Fisch für eure Klosterküche, werte Nonne!« Hartmut fiel es nicht schwer, ein Lächeln aufzusetzen. Die junge Nonne hatte ein hübsches Gesicht.

»Was haben Sie denn anzubieten, werter Herr …?« Katharina lächelte zurück.

»Hartmut Konnewitz. Alles was Sie wünschen – Aal, Forelle, Barsch, Hecht …«

»Ich kenne mich damit leider nicht so gut aus, hole eine Schwester herbei, welche die Auswahl trifft.« Katharina ließ die Blicke schweifen.

Sie entdeckte nirgendwo Schwester Agnes, die nicht nur in Heilkunde und Kräutermedizin bewandert war, sondern sich auch in der Tierwelt auskannte. Margarete kam gerade aus dem Garten und trug in der Armbeuge einen Weidenkorb mit Gemüse und Kräutern.

»Margarete, kannst du mal ans Tor kommen? Wähle bitte die Fische aus, die wir den neuen Lieferanten abkaufen!«

Hartmut ballte die rechte Hand zur Faust und boxte sie auf die flache linke.

»Jetzt nichts anmerken lassen«, zischte er seinen Kumpanen zu. »Tücher und Stricke zur Hand?«

Berthold und Kilian nickten ihm zu. Sie erkannten die einmalige Chance, die sich ihnen bot.

Margarete stellte den Korb ab und eilte ans Tor.

»Wenn ihr die Fische auswählen wollt, müsst ihr das Tor öffnen, werte Nonnen«, sagte Hartmut mit sonorer Stimme. Katharina schloss das Sichtfenster und öffnete die Tür. Berthold und Kilian drückten sich an die Mauer, sodass sie nicht sofort sichtbar waren.

»Eine andere Schwester ist sonst für den Einkauf zuständig«, sagte Katharina und trat neugierig näher. Margarete folgte ihr ohne Argwohn. Sie wunderte sich, dass auf der Straße nicht nur der offene Karren der Fischer stand, sondern dahinter ein Planwagen mit zwei Pferden an der Deichsel. Als beide junge Nonnen vor dem Tor standen, schnellten Berthold und Kilian aus dem Schatten und pressten ihnen Tücher vor den Mund.

Am wichtigsten war, dass die Frauen keine Gelegenheit hatten, Schreie auszustoßen. Der Markt von Mühlberg war nur wenige Schritte entfernt. Die beiden jungen Frauen waren zu überrascht, um sich zu wehren. Katharina erhielt einen Schlag auf den Hinterkopf.

Sie wurden gefesselt und geknebelt und auf die Ladefläche des Planwagens geworfen. Hartmut schaute sich um. Die anderen Nonnen waren nicht zu sehen. Er schloss das Tor in der Klostermauer von außen. »Kilian! Den Karren mit dem Fisch hinüber zum Markt! Lass ihn über einen Stein rollen und umkippen, es lenkt die Leute vom Planwagen ab!«, zischte er dem Gauner zu.

Als die Fische auf das Pflaster purzelten rief Berthold geistesgegenwärtig: »Frische Ware aus der Elbe zum halben Preis! Kauft Leute! Mit klarem Wasser abspülen, ausnehmen und in die Pfanne hauen!« Gemeinsam richteten sie wieder den Karren auf, sammelten die Fische ein und waren bald darauf an ihrem Stand.

»Du kommst hier allein klar, Kilian?«, fragte Berthold leise. »Ich laufe hinter dem Fuhrwerk her und passe auf, dass die Nonnen nicht ausbüxen.«

»Aber die sind doch …?«, wunderte sich der etwas einfältige Kilian.

»Schnauze! Fische verkaufen, Stand abbauen und dann zum Feldlager!«

»Ist ja schon gut«, murrte Kilian.

Gunther von Bentheim war gerade dabei das Pferd zu satteln, um in Mühlberg früher als vorgesehen zu erscheinen, als der Planwagen auf die Elbwiese rumpelte, den man für alle Fälle bei einem Ackerbürger in einer Scheune abgestellt hatte.

Hartmut Konnewitz stieg vom Kutschbock. Er hatte nicht wissen können, dass Margarete ans Tor kam, aber wohlweislich den Stallknecht des Bürgers mit Gespann zum Tor des Klosters beordert.

»Wir mussten zwei Täubchen fangen, Gunther. Das Vögelchen, das dir wichtig ist, liegt neben einer anderen Nonne.«

Hartmut grinste über alle Backen. Vielleicht hatte er es mit dieser Aktion geschafft, dass ihn Gunther oder Nikolaus von Polenz zum Ritter schlugen, obwohl er nicht der Sohn eines Adeligen war.

Von Bentheim schlich um das Fuhrwerk und schlug die Plane zurück. Eine junge Nonne in der schwarz-weißen Tracht der Zisterzienserinnen lag reglos da. Die andere, um die es ging, trug das weiße Gewand einer Novizin. Margarete wand sich in ihren Fesseln. Wegen des Knebels konnte sie den Mann, der hinter der Entführung steckte, nicht anschreien.

»Gut gemacht, Hartmut! Die zweite ist Beifang. Es soll dein Schaden nicht sein, dass du es geschafft hast, bevor ich eingreifen musste«, sagte Gunther. »Wo steckt dein Kumpan, Berthold?«, fragte er den Mann, der neben dem Planwagen hergelaufen war.

»Verkauft die restlichen Fische auf dem Markt und müsste in zwei Stunden hier sein!«

»Solange werde ich nicht warten«, entschied Gunther. »Ich entlasse euch aus meinen Diensten, ihr bekommt zwei Beutel Silber! Für die Bewachung der Nonnen genügen meine Leute. Da ihr noch das Standrecht habt, könnt ihr gern weiter Fisch verkaufen!«

»Wir müssen das Fuhrwerk zurückbringen, Gunther«, warf Hartmut ein.

»Wir kaufen es! Nikolaus wird nicht knausrig sein, wenn wir ihm sein abtrünniges Weib nach Senftenberg liefern! Das Lager abbauen, Lieberecht!«

»Jawohl, wird gemacht!«

»Wie geht es jetzt weiter, Gunther?«, wollte Hartmut wissen.

»Wenn wir Ost-Nord-Ost reiten, kommen wir zwischen Liebenwerda und Elsterwerda wieder an den Flusslauf der Schwarzen Elster. Von da einfach am Ufer entlang nach Senftenberg! Du schaust so grimmig, was hast du einzuwenden?« Hartmut Konnewitz war der treueste Waffengefährte und genoss hohes Ansehen.

»Die junge Nonne, die du ›Beifang‹ nanntest – was soll mit ihr als Mitwisserin geschehen? Viele Nonnen in einem Konvent sind adeliger Herkunft, wir sollten herausfinden, wer sie ist und Lösegeld fordern.«

»Entscheidend ist, Margarete nach Senftenberg zu bringen. Alles weitere wird sich finden, Hartmut. Wir sollten so schnell wie möglich aus der Umgebung von Mühlberg verschwinden, dann reden wir weiter!«, sagte Gunther von Bentheim mit befehlsgewohnter Stimme.

Sowohl Margarete als auch Katharina wurden während der holprigen Fahrt von der Elbe zur Schwarzen Elster ordentlich durchgeschüttelt. Beide waren gefesselt und geknebelt. Katharina erwachte aus der Bewusstlosigkeit mit einem Hustenanfall, der durch den Knebel erstickt wurde. Margarete hätte ihr gern geholfen, war aber ebenso bewegungsunfähig. Sie bekamen während der nächsten Stunden weder etwas zu trinken, zu essen noch die Möglichkeit, sich zu erleichtern. Wenn es so weiterging, dachte Margarete, würde sie sich einnässen müssen.

Nach unendlich langer Zeit hielt das Fuhrwerk. Es schien so, dass die Entführer von den Pferden stiegen und ein Lager aufschlugen. Zumindest deutete Margarete die Geräusche so.

Ein Waffenknecht schlug die hintere Plane zurück. Sie keuchte gegen das stickige Tuch in ihrer Mundhöhle, dass sie sich dringend erleichtern müsse. Der Mann lachte nur. Er hatte sie nicht verstanden.

»Wir sollten das Weib, das Nikolaus von Polenz gehört, vom Knebel befreien und ihr etwas Wasser geben!«, insistierte Hartmut Konnewitz. »Ich möchte noch einmal meinen Vorschlag unterbreiten, die andere Nonne zu befragen, um herauszufinden …«

»Dazu haben wir keine Zeit, Hartmut! Deine Mitstreiter sind begierig darauf, das Weib zu schänden. Anschließend werden wir nicht den Fehler wiederholen, den wir an der Elbe begangen haben! Stein ans Bein und ab in die Elster! Ach, ja, deinen ersten Vorschlag nehme ich gerne an. Wir alle wollen doch, dass Nikolaus sein Weib wohlbehalten zurückerhält.«

Hartmut Konnewitz ließ sich seinen Unmut zunächst nicht anmerken. Er hatte sich im Gefolge des Ritters von Bentheim einiger Verbrechen schuldig gemacht. Den Knecht, der ihn mittels einer Heugabel vom Pferd holen wollte, hatte er mit einem Schwerthieb niedergestreckt. Er hatte tatenlos zugesehen, wie Gunther, Lieberecht und die anderen voller Wut, weil die gesuchten Männer nicht anwesend waren, zwei Frauen geschändet und erschlagen hatten. Dann hatte man das Vieh zum Landgut des Ritters getrieben.

Der Waffenknecht Lieberecht erhielt den Auftrag, zunächst Margarete aus dem Planwagen zu zerren. Nachdem sie vom Knebel befreit war, schniefte sie: »Ich muss dringend ins Gebüsch, jetzt!«

Gunther von Bentheim nickte Hartmut zu. »Du gehst mit! Sorgfältig bewachen!«

Damit hatte er zwei Fliegen mit einer Klappe geschlagen. Hartmut, der inzwischen zu viele Fragen stellte, war abgelenkt und man konnte sich der anderen Nonne widmen.

»Die Handfesseln lösen, wie soll ich sonst …? Bitte!«, keuchte Margarete. Hartmut kam dem Wunsch nach.

Dann umrundete er das Gebüsch und versperrte so den möglichen Fluchtweg zur Schwarzen Elster, die ganz in der Nähe vorbeiströmte. Wenn das Weib des Nikolaus von Polenz entwischte und in den Fluss sprang, würde ihn Gunther einen Kopf kürzer machen.

Als Margarete fertig war, erhob sie sich und ließ die Kleider nach unten gleiten. Sie hörte einen Schrei und rannte sofort los, um Katharina beizustehen, obwohl sie keine Waffe hatte. Sie spürte einen harten Griff am rechten Handgelenk.

»Wir gehen beide jetzt dahin und verhindern schlimmeres«, zischte ihr Hartmut ins Ohr. Warum sollte Margarete einem Mann vertrauen, der sie entführt und unter dem Befehl des Ritters von Bentheim Menschen gemeuchelt hatte?

Sie hatten Katharina zu Boden geworfen und die Haube vom Kopf gerissen. Lieberecht und der dritte Waffenknecht Georg hielten jeweils ein Bein fest und spreizten diese.

»Haltet ein! Los, Margarete, sag ihnen, wer die Nonne ist!«, schrie Hartmut Konnewitz und zog sein Schwert.

»Katharina von Wildenfels – uraltes Adelsgeschlecht aus der Oberpfalz!«, keuchte sie.

»Willst du dich mit dem Grafen von Wildenfels anlegen, Gunther, wenn es herauskommt?« Hartmut war fest entschlossen an keinem weiteren Verbrechen mitzuwirken. Er hatte in der Gefolgschaft von Gunther genug Blut vergossen.

»Wie soll der Graf von Wildenfels, der so weit weg in seiner Burg thront, erfahren, dass wir es waren? Nimm das Schwert runter, Hartmut! Wegen deiner Verdienste verzeihe ich dir den Aufruhr. Komm zur Besinnung! Im anderen Falle …« Gunther von Bentheim gab mit der rechten Hand ein verstecktes Zeichen.

Lieberecht mochte noch so einfältig sein, das verstand er.

Hartmut Konnewitz blieb in Verteidigungsstellung, das Schwert vor der Brust gekreuzt.

Margarete wollte einen Warnruf ausstoßen, als sie sah, wie sich der Waffenknecht von hinten anschlich. Ihr Schrei kam zu spät. Hartmut wurde mit einem Knüppel niedergeschlagen.

»Noch jemand Lust, mir die Gefolgschaft zu kündigen?«, rief Gunther in die verkleinerte Runde. »Nein? Dann alle drei fesseln, knebeln und aufladen! Weiter geht's!«

»Wollten wir nicht die Nonne …?«, wagte Lieberecht einzuwenden.

»Nein!«, schrie er. ›Soll doch der Nikolaus über das Schicksal des Weibes entscheiden‹, dachte Gunther. Er glaubte zwar nicht, dass der Graf von Wildenfels mit einer Streitmacht bis nach Senftenberg ziehen würde, nur weil eine seiner Töchter entführt worden war, aber man konnte es auch nicht ausschließen.

Der Planwagen rumpelte jetzt mit drei statt zwei Gefangenen in der Nähe des Ufers der Schwarzen Elster entlang. Margarete wusste es nicht genau, ahnte aber, dass sie sich in der Nähe von Liebenwerda befanden.

Gunther von Bentheim würde sie alle nach Senftenberg verbringen, den Ort, den sie am meisten hasste. Dort lauerte ihr Noch-Ehemann mit Rohrstock und Peitsche.

Sie stieß den bewusstlosen Hartmut immer wieder mit gestreckten Beinen an, solange, bis dieser aus seiner Ohnmacht erwachte. Wegen der Knebel konnten sie sich nicht verständigen. Margarete freute sich, als das Leben in den Mann zurückkehrte, in den sie ungeachtet all seiner Verbrechen ihre ganze Hoffnung setzte.

Hartmut krümmte sich, bis es ihm gelang, mit den gefesselten Händen den linken Stiefelschaft zu erreichen.

Dort zauberte er ein Stilett hervor, das der Waffenknecht Lieberecht bei der Untersuchung übersehen hatte. Dann begann er zu reiben. Margarete und Katharina schickten Gebete zum Himmel, es möge dem Mann gelingen, sich und anschließend sie von den Fesseln und Knebeln zu befreien. Als es endlich geschafft war, betete Katharina immer noch. Hartmut legte den rechten Zeigefinger auf die Lippen.

»Auf mein Zeichen springen wir so geräuschlos wie möglich vom Wagen und rollen uns in Blickrichtung nach links zur Seite. Inzwischen ist es dunkel, es müsste gelingen«, zischte er. Hartmut wäre es lieber gewesen, nur mit einer Frau die Flucht zu wagen. Auf Katharina hatte er ein Auge geworfen, auch wenn sie ihr Leben Gott geweiht hatte. Margarete zur Flucht zu verhelfen, bedeutete Ärger in vielfacher Hinsicht, unter anderem hätte er dann Nikolaus von Polenz und dessen mächtigen Vetter Hans zum Feind.

Gunther und seine verbliebenen Spießgesellen hatten den Fehler gemacht, dass niemand hinter dem Planwagen ritt. »Auf mein Zeichen«, flüsterte Hartmut den beiden jungen Frauen zu. Es gelang ihnen tatsächlich, nacheinander unbemerkt von der Ladefläche zu springen und sich nach links ins regennasse Gras abrollen zu lassen. Hartmut wartete einige Sekunden ab, aber der Wagen rollte weiter. Zu Hilfe kam ihnen auch der Umstand, dass der Kutscher Georg neben sich einen Tonkrug mit Branntwein stehen hatte, aus dem er ab und an einen Schluck nahm. Er war noch in der Lage, ein Gespann zu lenken, aber das Geraschel hinten auf der Ladefläche war ihm entgangen.

»Irgendwann werden die ihr Nachtlager aufschlagen und bemerken, dass wir weg sind«, flüsterte Hartmut Katharina zu. Er war sich nicht sicher, ob auch die weiter weg liegende Margarete ihn gehört hatte. »Wir schleichen zum Ufer der Elster und schwimmen ans Nordufer!«

Er begann, die Riemen der Rüstungsteile zu lösen und alles zu einem Bündel zu verschnüren. Katharina schaute ihn entsetzt an. Im beginnenden Herbst durch einen Fluss zu waten und zu schwimmen, dazu noch in der hereinbrechenden Dunkelheit?

»Ihr könnt doch schwimmen?«, fragte er. Inzwischen war auch Margarete näher herangerobbt. Beide Frauen nickten stumm, fragten sich aber, warum sie dieses Wagnis eingehen sollten.

»Sie werden uns am Südufer suchen. Wir sind dann aber ganz woanders«, antwortete Hartmut auf die unausgesprochene Frage. »Auf geht's meine Damen, auch wenn das Wasser kalt ist!«

Der Waffenknecht hielt seine zum Bündel verschnürten Rüstungsteile und Stiefel über Kopf und stapfte in die trübe Brühe der Elster. Sein Ziel war der Flusslauf der Dober, der Kleinen Elster. Deren Verlauf folgend würde man irgendwann Dobrilugk, Finsterwalde und die Wasserburg Sallgast erreichen, hoffte er. Das wussten auch die Verfolger, aber noch hatte man einen kleinen Vorsprung.

Gunther von Bentheim drehte sich im Sattel um und bemerkte, dass der Planwagen mehr als fünfzig Ellen hinter ihm lag.

Er wendete das Pferd und boxte dem schief auf dem Kutschbock sitzenden Georg in die Rippen. Der Tonkrug mit dem Branntwein war umgefallen und der Alkohol hätte die Kleidung der Gefangenen durchtränken müssen – wenn noch welche dagewesen wären. Es stank schlimmer als in einer billigen Kaschemme.

»Hat sich alle Welt gegen mich verschworen!«, brüllte er. »Erst kündigt Hartmut die Gefolgschaft, dann besäuft sich Georg und lässt die Gefangenen entkommen!« Gunther von Bentheim gestand sich ein, dass es ein Fehler gewesen war, die beiden Gauner aus Liebenwerda aus seinen Diensten zu entlassen. Man hätte sie sehr gut als Wachen gebrauchen können.

Lieberecht hatte das Gespann zum Halten gebracht. »Wie jetzt weiter, Gunther?«

»Schirre die Pferde aus und entfache ein Lagerfeuer! Es macht keinen Sinn, die Weiber und den Verräter im Dunkeln zu suchen. Die halten sich irgendwo versteckt.« Von Bentheim nahm seinem Pferd den Sattel ab und ließ es am Wegesrand grasen. Dann zerrte er gemeinsam mit Lieberecht Georg vom Kutschbock, der auch nach einem Schwall kaltem Wasser nur grunzte und weiterschlief.

Als das Feuer brannte und man Brot mit Schinken verzehrte, sagte Gunther: »Wir sind nicht weit weg von Liebenwerda. Ich hole Berthold und Kilian zurück und mache sie zu Waffenknechten. Sie werden den Verräter und den Suffkopp ersetzen! Dann machen wir uns auf die Suche. Ich ahne, welchen Weg sie einschlagen. Wir haben Pferde, sie sind zu Fuß!«

Lieberecht ließ das belegte Brot sinken und griff zur Kanne mit dem Bier.

»Vermutlich hast du recht, Gunther. Mir war auch schon aufgefallen, dass Georg nicht nur Bier trank, sondern auch dem Branntwein zugetan war. Was ist, wenn wir die drei Flüchtigen nicht schnappen?«

»Dann stelle ich mit Nikolaus Hilfe eine Streitmacht auf, welche die armselige Feste Sallgast belagert – wie ich es dem hochnäsigen Gero von Rothstein angekündigt habe!«

Lieberecht wagte keine Widerworte. Nikolaus von Polenz würde alles andere als begeistert sein, wenn er erfuhr, dass man Margarete entführt hatte, sie mit einer Nonne und einem Verräter aus den eigenen Reihen geflohen war.

Kapitel 15

Matthias kannte inzwischen nichts anderes mehr als täglich acht Stunden Training mit dem unerbittlichen Lehrer Bertram von Eschwege, der auf seinem Hackklotz saß. Gelegentlich stand er auf, um seinem Schützling die richtige Haltung des Schwertes zu zeigen. Fechtkampfpartner waren zumeist Waffenknechte aus der Wachmannschaft, die bereits Erfahrungen im Feld gesammelt hatten. Jeden Abend nach dem Essen fiel Matthias auf seine Bettstatt.

Anfangs hatte sich Peter von ihm ferngehalten. Nach der gemurmelten Entschuldigung, dass es ein Fehler gewesen war, Margarete zu begehren und zu umgarnen, lebte die alte Freundschaft wieder auf.

»Am liebsten würde ich ein Pferd satteln, um nach Mühlberg zu reiten. Ich habe Margarete im Traum gesehen. Zunächst hatte sie Schweißperlen auf der Stirn, dann rief sie um Hilfe.« Matthias nippte am Bierkrug.

Peter hatte sich Margarete aus dem Kopf geschlagen und die hübsche Magd Bertha umgarnt, die sich aus guten Gründen noch bedeckt hielt. Er hatte auch mit Marica das Lager geteilt.

»Ich könnte vortäuschen, dass mein Vater, meine Mutter oder der Bruder mit dem Tod ringen und ich dringend nach Zschipkau muss. Stattdessen reite ich nach Mühlberg zu diesem Kloster!«, schlug Peter vor.

»Vergiss es, Peter! Gero von Rothstein wird dem niemals zustimmen, weil er mit einer Belagerung durch Gunther von Bentheim und Nikolaus von Polenz rechnen muss!«, sagte Matthias und stellte den Humpen Bier ab. »Du gehörst zur Wachmannschaft.«

»Es war wohl nur ein wirrer Traum. In Wirklichkeit langweilt sich deine Margarete im Kloster. Noch vor dem Aufstehen das erste Gebet – für mich wäre das nichts.« Peter holte die angestaubte Laute aus einer Ecke und versuchte sich an einem Lied aus dem Stegreif, in dem er die holde Weiblichkeit pries. Er hütete sich, den Namen Margarete in den Text einzubauen.

»Lass es nicht Bertram hören! Er hat es drauf, die Laute auf dem Boden zu zerschmettern«, murmelte Matthias.

»Noch ein Bier? Was frage ich überhaupt, du siehst so müde aus, ich lass dich in Ruhe. Bis morgen!«

Gunther von Bentheim musste am nächsten Morgen nicht weit reiten. Die beiden Gesuchten kamen ihm auf einem Feldweg südwestlich von Liebenwerda entgegengestolpert.

»Man sucht uns, Gunther!«, keuchte Berthold außer Atem. »Das plötzliche Verschwinden von Kuno, das Auftauchen der Leiche. Bei der Frage ›cui bono?‹ kam der Vogt von Belgern auf uns und hat den Bürgermeister von Mühlberg überredet, Büttel loszuschicken!«

»Cui was?«, schniefte Kilian.

»Wem nutzt es! Im Gegensatz zu dir kann dein Kumpan zwei Worte Latein!« Gunther wandte sich wieder Berthold zu. »Bringen der Vogt und der Bürgermeister das Verschwinden zweier Nonnen auch mit uns in Verbindung?«

»Wir haben keine langen Ohren mehr gemacht und uns unserer flinken Füße besonnen. Dem Mann, dem das Fuhrwerk gehört, wurde Schweigegeld gezahlt. Kann aber sein, dass uns jemand trotz aller Vorsicht an der Klostermauer gesehen hat!«

»Ihr steht unter meinem Schutz und damit unter dem Schirm des Nikolaus von Polenz, dem Vetter des Landvogtes der Niederlausitz! Ab sofort stelle ich euch als Waffenknechte mit entsprechender Besoldung ein!« Gunther hätte am liebsten das Banner mit dem Wappen derer von Polenz geschwungen. Das befand sich leider am Lagerplatz, wo Lieberecht die anderen Pferde hütete.

»Wirklich?« Kilian machte große Augen. Sein Kumpan suchte nach dem Haken.

»Das machst du nicht ohne Grund, Gunther!«

»Natürlich nicht! Hartmut hat sich als Verräter entpuppt und der besoffene Georg die Gefangenen entkommen lassen. Ich brauche Verstärkung. Jetzt beeilt euch, meinem Pferd zu folgen! Wir müssen den Verräter und die beiden Weiber ergreifen, bevor sie Sallgast erreichen. Falls wir das wider Erwarten nicht schaffen, muss ich meinen Auftraggeber davon überzeugen, eine Belagerungsstreitmacht aufzustellen. Los jetzt!« Gunther von Bentheim wendete das Pferd und wollte es traben lassen, besann sich aber, dass die beiden Gauner, die er gerade befördert hatte, nicht folgen konnten und zog die Zügel wieder an.

Im Morgengrauen erreichten Hartmut und seine Begleiterinnen ein einsames Gehöft. Alles blieb ruhig. Es gab keinen Wachhund, der anschlug. Nur ein Hahn breitete auf einem Misthaufen seine Flügel aus und begann laut zu krähen. Der abtrünnige Waffenknecht blieb vorsichtig, signalisierte Katharina und Margarete, dass sie im taunassen Gras liegenbleiben sollten. Langsam robbte er näher, das Stilett als einzige Waffe in der rechten Faust.

Eine abgehärmte Frau mittleren Alters kam aus der Hütte und schüttete Abwasser aus einem Holzeimer in Richtung des Misthaufens, woraufhin der Hahn protestierend davonflatterte.

›Hier ist nicht viel zu holen‹, dachte Hartmut und duckte sich tiefer hinter den Strauch. Die Frau in den geflickten Kleidern machte nicht den Eindruck, wohlhabend zu sein.

Es hieß, weiter auf der Hut zu bleiben. Die Frau konnte auch einen Ehemann haben, der noch schlief, aber bewaffnet war. In der Regel hatten Bauern und Fischer keine gefährlichen Waffen außer Messern und Dreschflegeln. Hartmut beschloss, abzuwarten. Er hatte mit den Gewaltexzessen unter Gunther von Bentheim abgeschlossen. Dieser Frau oder Familie würde er nur das abnehmen, was dringend gebraucht wurde. Als sich nach einer weiteren Viertelstunde nichts tat, richtete er sich auf, um zur Hütte zu gehen. Plötzlich sprang die Tür auf und ein Mädchen mit langen blonden Zöpfen hüpfte heraus. Sie hatte eine flache Schüssel mit Körnern in der Hand, um die Hühner zu füttern. Als das Mädchen Hartmut ansichtig wurde, erschrak es und ließ die Schüssel fallen. Das Kind war zu überrascht, um zu schreien.

Hartmut versteckte das Stilett hinter seinem Rücken und ging weiter auf die Hütte zu.

»Ich tue dir nichts, Kleine! Hol deine Mutter, ich brauche nur Kleider für zwei Frauen, die sich in meiner Obhut befinden, mehr nicht!«

Das Mädchen rührte sich nicht von der Stelle. Aus der armseligen Hütte ertönte die Stimme der Mutter: »Elisa, komm rein, es gibt Frühstück!« Die Hühner und der Hahn hatten kein Problem damit, dass ein fremder Mann herumstand.

Sie kamen näher und begannen, die heruntergefallenen Körner aufzupicken. Die schief in den Angeln hängende Tür sprang auf und die Frau, die Hartmut bereits gesehen hatte, schrie auf: »Heiliger Franziskus!«

»Der bin ich nicht, werte Frau, sondern Hartmut Konnewitz. Zwei Nonnen wurden aus dem Kloster Marienstern entführt. Uns gelang die Flucht. Ich bitte Sie nur um zwei Kleider, um die

Verfolger zu täuschen. Ich weiß, Sie sind arm, ich kann es bezahlen!« Hartmut schwenkte einen Beutel mit Münzen, den Georg ebenfalls übersehen hatte.

Die Frau presste die flache rechte Hand auf ihr Herz, beruhigte sich umgehend wieder. Der Mann, der vor ihr stand, trug kein Schwert und sah nicht so aus, als ob er sie und ihre Tochter umbringen wollte. Hartmut gab ein Handzeichen nach hinten und Katharina und Margarete kamen aus ihrem Versteck.

»Ich bin Rosa. Mein Mann fiel bei einer der vielen Fehden zwischen den Adelsgeschlechtern in der Nähe von Spremberg. Ich habe nur geflickte Kleider. Wenn Sie es bezahlen, Herr Konnewitz, gebe ich zwei.«

»Gott vergelte es Ihnen, Frau Rosa«, sagte Katharina und legte die Hände zu einem Gebet zusammen.

Rosa musste nicht lange in der Truhe suchen, es gab nicht viel zu sichten. Hartmut schlich aus dem Dämmerlicht der Hütte, als sich Katharina und Margarete umzogen.

»Wo willst du mit den beiden Frauen hin?«, fragte die kleine Elisabeth, die von ihrer Mutter Elisa gerufen wurde.

Hartmut legte den Zeigefinger auf den Mund. »Das ist ein Geheimnis! Es könnte sein, dass böse Männer kommen und dich danach fragen. Dann kannst du antworten, du weißt es nicht.«

Hartmut Konnewitz hoffte, dass sie ihre Spuren so gut verwischt hatten, dass von Bentheim gar nicht auf die Idee kam, dieses abgelegene Gehöft aufzusuchen. Der schreckte auch vor Folter und Mord nicht zurück.

»Wenn fremde Männer kommen, warne deine Mutter und versteckt euch im Wald!« Mehr konnte er für die Witwe und ihre Tochter nicht tun.

»Wir hatten auch einen Wachhund, der ist leider gestorben und wir mussten ihn vor zwei Wochen beerdigen«, klagte Elisabeth.

»Das tut mir leid, Elisa!« Hartmut strich mit der flachen rechten Hand über das blonde Haar des kleinen Mädchens. Gehörte zu seinem neuen Leben auch eine Frau, mit der er die Ehe einging und eine Tochter, wie Elisa zeugte, oder einen Sohn? Er hatte mit Gunther gebrochen, weil er ein Auge auf Katharina geworfen hatte und deren Vergewaltigung verhindern wollte.

Als Margarete und Katharina ins Freie traten, erkannte Hartmut sie kaum wieder. Die Nonne hatte das schulterlang gestutzte Haar unter einem Kopftuch verborgen. Margarete hatte ihr langes blondes Haar zu einem Zopf geflochten und um den Kopf gewunden. Mit den verschlissenen Kleidern aus der Truhe von Rosa sahen sie aus wie entlaufene Mägde.

Genau das hatte Hartmut beabsichtigt. Wenn Gunther nach einer Nonne und einer Novizin fragte, würde er nur Kopfschütteln ernten. Alle hatten nur zwei Mägde in Begleitung eines jungen Mannes gesehen.

Blieb zu hoffen, dass Elisa und ihre Mutter die Begegnung mit Gunther von Bentheim und seinen Schergen überlebten – falls dieser hier auftauchte. Man befand sich am nördlichen Ufer der Schwarzen Elster.

Georg saß mit gesenktem Kopf am Lagerfeuer und verschmähte sogar den Krug mit Dünnbier, den Lieberecht ihm reichte. »Wenn du vom Wasser unbedingt die Scheißerei haben willst!«

»Keinen Tropfen mehr, auch nicht Bier und Wein«, seufzte Georg. Er hoffte mit dem Abschwören vom Alkohol Gunther gnädiger zu stimmen. Der Ritter könnte ihn enthaupten, auspeitschen oder entlassen.

Als er das Schnauben des Pferdes hörte, sprang Georg wie von einem giftigen Insekt gestochen nach oben.

»Verzeih mir, Gunther, es wird nicht wieder vorkommen!«, keuchte der Waffenknecht.

Von Bentheim zog das Schwert aus der Scheide und deutete einen Schwung an – nur, um den Mitstreiter zu erschrecken. »Hat er was getrunken?«, rief Gunther Lieberecht zu.

»Nur Wasser, ich schwöre es, bald plagt ihn der Durchfall!«, kicherte Lieberecht.

Gunther von Bentheim steckte das Schwert wieder ein. »Ich müsste dich entlassen, Georg, gebe dir wider besseres Wissen Gelegenheit, dich zu beweisen. Berthold und Kilian kennt ihr ja schon. Ersterer wird das Pferd und die Waffen vom Verräter übernehmen. Kilian zu Georg auf den Kutschbock! Tretet das Feuer aus! Wir haben einen Verräter und zwei Weiber zu jagen!«

Nach einer Meile hatte sich Berthold nicht nur mit dem Hengst von Hartmut angefreundet, sondern sich auch eigene Gedanken gemacht.

»Kann es nicht sein, dass euer ehemaliger Mitstreiter durch die Elster gewatet ist, um uns zu täuschen? Wir gehen davon aus, dass er und die beiden Nonnen den Weg über Mückenberg nehmen, um erst später über den Fluss zu setzen! Was ist, wenn sie längst am nördlichen Ufer sind und über Lindena und Dobrilugk zur Feste Sallgast eilen?«

Gunther von Bentheim zügelte das Pferd. »Danke für den Hinweis. Siehst du hier irgendwo eine Brücke oder Furt? Ich möchte es nicht riskieren, dass mein Pferd mit den beschlagenen Hufen im Schlamm steckenbleibt. Da Mückenberg einem von Köckritz gehört – Gott sei es geklagt – kann ich nicht ausschließen, dass sie dort Zuflucht suchen.«

Sollte Margarete von Polenz mit dem Geständnis, sie sei die Geliebte von Matthias von Köckritz, vor das Burgtor treten?

»Vorschlag zur Güte, Herr Ritter! Ich reite voraus, suche nach einer Furt, durchquere den Fluss und suche nach Spuren der Flüchtigen. Vielleicht treffe ich auf jemand, der zwei Weiber und einen jungen Mann gesehen hat, auf die die Beschreibung zutrifft«, wagte Berthold einzuwenden.

Gunther von Bentheim hatte nichts gegen Mitstreiter, die mitdachten. Im Vergleich zu Lieberecht und Georg war Berthold ein Gewinn.

»Ich trenne diese kleine Truppe nur ungern. Auf keinen Fall wirst du allein reiten, auch wenn Hartmut kein Schwert hat. Der Mann ist auch mit einem Messer gefährlich! Georg! Du steigst auf eines der Reservepferde und folgst Berthold! Wenn ihr keine Spuren findet, treffen wir uns am diesseitigen Ufer zwei Meilen stromauf!«, befahl Gunther.

»Es zieht Regen auf und das kalte Wasser der Elster …«, begann Georg zu jammern, als er vom Kutschbock stieg und Kilian die Zügel in die Hand drückte.

»Muss ich dich erst daran erinnern, dass du die drei hast entkommen lassen und auf Bewährung bei uns bist?« Von Bentheim richtete sich im Sattel auf.

»Ja, ist in Ordnung, Gunther, verzeih meine unbedachten Worte! Wir suchen nach Spuren.«

Berthold versetzte den Hengst, den Hartmut geritten hatte, in Trab. Georg war zuletzt den Kutschbock gewohnt und konnte kaum folgen. Nach wenigen hundert Metern erreichten sie tatsächlich eine Furt. Das Wasser der Schwarzen Elster strömte etwas heller über den Grund.

Berthold trieb das Reittier über die Böschung zum Fluss. »Pferde haben ein Gespür, ob der Untergrund sicher ist. Folge mir«, rief er über die Schulter. Georg war nicht wohl dabei, aber es sah hier wirklich flach aus. Der Hengst setzte vorsichtig einen Huf vor den anderen. An dieser Stelle hatte die Strömung den Schlamm weggespült, der Untergrund war fester und sie gelangten schnell ans andere Ufer.

»Wir reiten ein Stück zurück! Weit können die nicht gekommen sein, sie sind zu Fuß unterwegs!«

Berthold wartete die Antwort seines Begleiters nicht ab. Nach weniger als einer halben Meile kam eine Hütte in Sicht, vor der ein Mädchen mit blonden Zöpfen mit einer geschnitzten Figur spielte.

Als Elisa der beiden Reiter ansichtig wurde rannte sie hinter die Hütte, um sich zu verstecken.

Berthold glitt aus dem Sattel und reichte Georg die Zügel. »Bleib im Hintergrund, ich rede mit dem Mädchen!« Er umrundete den Misthaufen, neben dem der Hahn die Flügel ausbreitete, als wolle er den fremden Mann verscheuchen. Auch das Krähen half nichts, der Mann kam näher.

»Ich will dir nichts tun, Kleine, komm hervor, ich habe nur eine Frage!« Berthold sprach tiefer als sonst, um das Mädchen zu beruhigen.

»Sind Sie einer der bösen Ritter, vor denen uns ein anderer Mann gewarnt hat?«, kam es aus dem Schatten.

»Nein, der bin ich nicht, sondern ein Freund von Hartmut, der ihm beistehen will«, log Berthold. Als Gauner und Trickbetrüger in Liebenwerda, Elsterwerda und anderen Städten, hatte er es immer wieder geschafft, andere Menschen zu täuschen.

Elisa lugte um die Ecke der Hütte. »Wirklich? Da werden sich Hartmut und die beiden Nonnen, die sich bei uns umgezogen haben, aber freuen!«

Rosa ließ den Korb mit den gesammelten Pilzen fallen, als sie einen Mann zu Pferd sah und einen anderen, der auf ihre Tochter einredete. Genau davor hatte Hartmut sie gewarnt!

»Elisa, das sind fremde Männer! Sag nichts!«, schrie sie.

»Zu spät! Georg – absteigen und die Frau ins Haus! Ich brauche Gewissheit!«

Rosa hatte vergessen, das weiße Novizinnen-Gewand in die Truhe zu stopfen, wo sich der Habit der Nonne Katharina befand. Berthold musste nicht die Truhe öffnen. Das Offensichtliche genügte ihm.

»Wann waren die hier?« Berthold zog das Schwert, das einst Hartmut gehört hatte, um seiner Frage Nachdruck zu verleihen.

»Vor sechs Stunden!« Elisa war zu ihrer Mutter geeilt und klammerte sich fest.

»Ein größerer Vorsprung als ich dachte«, brummte Berthold. »Danken Sie Gott, dass ich hier war und nicht der Ritter von Bentheim! Entschuldige die Flunkerei, kleine Elisa. Ich bin kein Freund von Hartmut. In Wirklichkeit suchen wir nach Margarete von Polenz!«

Georg, der draußen die Pferde hielt, wollte aufbegehren, weil Berthold seiner Meinung nach zu viel preisgab. Er schwieg lieber. Er war nur auf Bewährung noch dabei.

Kapitel 16

Allen knurrte der Magen. Sie hatten seit gestern nichts gegessen. Hartmut hatte der Witwe und ihrer kleinen Tochter nichts wegnehmen wollen. Die beiden hatten selbst nicht viel. Vielleicht hätte man ein Huhn kaufen können. Aber das Rupfen, Ausnehmen und Rösten über einem Lagerfeuer hätte zu viel Zeit gekostet, abgesehen vom weithin sichtbaren Rauch.

»Ich kann nicht mehr«, keuchte Margarete und ließ sich auf einen umgestürzten Baumstamm sinken. Zu ihren Füßen plätscherte die Dober vorbei. Hier war sie schon einmal in einem Kahn sitzend vorbeikommen. Matthias hatte das Boot gestakt. Mit klopfendem Herzen erinnerte sie sich an ihn. Hartmut, der sie führte, sah ihm ähnlich, als wäre er ein von Köckritz.

Das gleiche dunkelblonde dichte Haar und blaugraue Augen. Bei dem Gedanken, dass Hartmut Konnewitz vielleicht auch der uneheliche Spross eines Edelmannes aus dem Geschlecht derer von Köckritz war, musste sie schmunzeln.

»Schön, dass dein Lächeln ungeachtet der Umstände zurückgekehrt ist, holde Margarete! Leider kann ich nur Wasser aus der Dober anbieten!« Hartmut hatte aus Baumrinde und Harz eine Schale gefertigt, aus der Margarete einen Schluck nahm.

»Danke«, hauchte sie. »Bring deiner Angebeteten auch etwas«, fügte sie noch leiser hinzu.

»Sie hat ihr Leben Gott geweiht«, flüsterte Hartmut.

»Und ihr Habit abgelegt«, widersprach Margarete. Katharina war unbemerkt näher getreten.

»Ich zweifle nicht an Gott, sondern an meiner Bestimmung. Vielleicht ist es der Wille des Herrn, dass ich weiter diese Kleider trage. Nicht die einfachen geborgten aus Wolle, sondern aus Seide.«

Hartmut traf ein Blick aus himmelblauen Augen. Seine rechte Hand zitterte, als er das provisorische Trinkgefäß weitergab.

»Ich hatte noch keine Gelegenheit, mich zu bedanken, Hartmut! Nur um zu verhindern, dass ich geschändet werde, hast du dich von der Gefolgschaft des Ritters von Bentheim losgesagt und in Gefahr begeben. Ich danke dir und schließe dich in meine Gebete ein!«

Hartmut versuchte gar nicht erst, die Worte die er vernommen hatte, zu deuten. Naheliegender war, die beiden jungen Frauen und sich selbst vor dem Zugriff von Gunther zu bewahren.

»Auf geht's, Margarete von Polenz und Katharina von Wildenfels! Wenn wir hier noch lange hocken, hören wir bald das Schnauben des Pferdes des Ritters von Bentheim!«

»Nenn mich nie wieder Margarete von Polenz!« Die junge Frau stapfte trotzig mit dem rechten Fuß auf dem feuchten Waldboden auf. »Es gibt ein Rechtsgutachten, das meine Ehe für ungültig erklärt. Bis zur Eheschließung mit Matthias von Köckritz bin ich Margarete Kürschner!«

Hartmut winkte ab. Es hatte keinen Zweck, mit diesem Weib zu disputieren. Er hatte nur deutlich machen wollen, dass er zwei Edelfräulein bei sich hatte, selbst ein Nichts war, aber die Verantwortung trug. Das Problem war, dass Gunther von Bentheim genau wusste, wohin sie wollten. Er konnte den Planwagen am südlichen Ufer der Schwarzen Elster zurücklassen und durch eine Furt reiten, um ihnen irgendwo nördlich von hier aufzulauern.

Falls Gunther oder einer seiner Späher die abgelegene Hütte gefunden hatten, wussten sie, dass er mit den beiden Frauen den Fluss durchquert hatte und würden nicht mehr über Mückenberg und Naundorf nach Senftenberg reiten.

»Jede Nacht erscheint Margarete in meinen Träumen und ruft um Hilfe! Ich muss zu ihr!«, sagte Matthias und rutschte auf seinem Stuhl hin und her.

Peter versuchte, seinem Freund beruhigend auf die Schulter zu klopfen. »Nimm einen Schluck Bier, Hopfen beruhigt!«

Matthias beachtete das Trinkgefäß nicht, sondern erhob sich, um in den Saal zu laufen, in dem die Ritter Gero von Rothstein und Bertram von Eschwege tafelten. Er ahnte, dass sein Argument mit der im Traum erschienenen Margarete, die um Hilfe rief, auf tönernen Füßen stand und kaum Gehör finden würde. Er wollte es wenigstens versucht haben.

Nachdem er sich dafür entschuldigt hatte, die Herren Ritter bei der Verkostung eines zweiten Schoppen Rotwein gestört zu haben, trug er sein Anliegen vor. Wider Erwarten wurde er nicht ausgelacht. »Geh zurück, trink mit dem Waffenknecht Peter noch ein Bier oder einen Becher Wein und komm in einer halben Stunde zurück«, sagte Gero und machte ein eindeutiges Handzeichen, dass Matthias wieder verschwinden solle.

»Traumgespinste«, sagte Bertram und griff nach dem Krug mit dem Wein, um nachzuschenken. »Zudem bin ich mit der Ausbildung noch lange nicht fertig. Hattest du nicht gesagt, wir entscheiden erst, wenn Heinz zurück ist?«

Gero von Rothstein beugte sich über den Tisch. »Ungeachtet der hohen Verluste, welche der Clan derer von Köckritz vor zwei Jahren in der Schlacht bei Aussig erlitten hat, besitzen sie allenthalben Burgen und Ländereien in dieser Gegend. Warum bin ich nicht gleich darauf gekommen? Mückenberg gehört einem Onkel unseres Schützlings. Wir schicken ihn los, den Traumgespinsten nachzugehen. Wenn er seine Margarete nicht findet, soll er sich nach Mückenberg begeben!«, sagte Gero und nahm einen Schluck des süffigen Weines.

»Du bist ein noch durchtriebener Halunke, als ich bisher glaubte, Gero!« Bertram klopfte auf den Tisch. »Gesetzt den Fall, Gunther von Bentheim taucht mit Nikolaus von Polenz hier auf, um uns zu belagern, schwören wir auf Bibel und Kreuz, dass sich weder Margarete von Polenz noch Matthias von Köckritz hier befinden und sie mögen sich trollen!«

»Das ist noch nicht alles, Bertram. Heinz erzählen wir, es war der ureigenste Wunsch von Matthias, seinem Oheim in Mückenberg einen Besuch abzustatten. Wir konnten es ihm nicht verwehren. Die Waffenknechte Friedrich und Peter schicken wir mit. Letzteren können wir ohnehin nicht gebrauchen.«

»Na, ja, immerhin hat er Fortschritte bei der Zielgenauigkeit mit der Armbrust gemacht. Er interessiert sich auch für Kanonen und Handrohre, die mit Schwarzpulver geladen werden«, warf Bertram ein.

»Wie dem auch sei, wir können zwei Waffenknechte entbehren, da wir eine Belagerung nicht mehr fürchten müssen. Gleichzeitig können wir behaupten, einem von Köckritz geholfen zu haben«, sagte Gero von Rothstein.

»Mückenberg liegt im offenen Gelände und kann besser belagert werden als unsere Burg«, warf Bertram ein.

»Ist nicht mehr unser Problem«, lachte Gero von Rothstein.

Kapitel 17

Margarete, Katharina und Hartmut lagen hinter Büschen versteckt am Waldrand und beobachteten die in der Herbstsonne liegende staubige Landstraße. Bisher war ihnen das Glück hold gewesen. Bei einem Bauer hatte man Brot, Milch, Käse und Äpfel erstanden. Hartmut wollte dem guten Mann eine abenteuerliche Geschichte auftischen, aber der hatte es durchschaut. Ihm war nichts anderes übrig geblieben, als dem Bäuerlein die Wahrheit zu sagen. Auch auf die Gefahr hin, dass Gunther hier durchzog und es mit vorgehaltener Waffe ebenfalls erfuhr. Der Bauer gab ihnen noch ein halbes Dutzend hartgekochte Eier als Wegzehrung mit.

»Wir könnten im Schatten des Waldes der Landstraße folgen, die nach Finsterwalde führt«, schlug Hartmut halbherzig vor.

»Überall umgestürzte Baumstämme und Wurzeln, wir würden nur langsam vorwärtskommen«, wagte Margarete einzuwenden.

»Hört ihr die Pfeifen und Schellen?«, flüsterte Katharina. Alle spitzten die Ohren. Die Kakophonie an Geräuschen kam rasch näher.

»Spielleute und Gaukler, die auf Märkten und Burgen auftreten«, freute sich Margarete und richtete sich auf.

»Als kleines Mädchen habe ich mich immer gefragt, wie ein Feuerschlucker das macht, ohne sich den Mund zu verbrennen …« Sie wurde von Katharina unterbrochen. »Und ein Schwertschlucker ohne sich zu verletzen!«

»He, beruhigt euch mal wieder, ihr ehemaligen Betschwestern«, sagte Hartmut. »Noch wissen wir nicht, ob wir bei ihnen mitreisen dürfen!«

»Eine Gelegenheit, unterzutauchen«, rief Margarete und lief auf den ersten Spielmann zu, ohne auf Hartmut zu achten.

Der Zug kam zum Stehen. Katharina und Hartmut warteten am Wegesrand ab, was ihre Gefährtin aushandelte. Nach wenigen Minuten winkte sie ihnen zu. Zögerlich traten die beiden näher.

»Mein Name ist Hanno von Burgstädt«, sagte der offensichtliche Anführer der Gaukler und Spielleute. Hartmut wunderte sich zunächst über den Adelstitel. Es kam schon mal vor, dass der Spross eines verarmten Adelsgeschlechtes als Minnesänger oder Spielmann unterwegs war.

»Ich bin Hartmut Konnewitz. Als junger, aber dennoch erfahrener Waffenknecht könnte ich zu eurer Sicherheit beitragen, wenn gewünscht!«

»Herzlich gern – und wisst ihr auch, warum?«, fragte Hanno, der Spielmann. »Margarete erzählte mir gerade, Nikolaus von Polenz habe sie in der Ehe geschändet und misshandelt. Ein Freund von mir, Carlo, wurde im vergangenen Jahr auf dem Markplatz von Senftenberg gehenkt. Angeblich hatte er einer Bürgersfrau Schmuck gestohlen. Im Tribunal saßen Gunther von Bentheim, besagter Nikolaus …«, der Spielmann spuckte aus »… und Gottschalk Wedemar zu Senftenberg.«

»Die richterliche Gewalt hat der Landvogt der Niederlausitz, Hans von Polenz, inne. Habt ihr das Urteil angefochten?«, fragte Hartmut.

»Wer hört schon auf Spielleute?« Hanno machte eine wegwerfende Handbewegung. »Hans von Polenz war nicht zugegen, er weilte in Lübben. Was hast du für eine Waffe, Hartmut?«

»Leider nur ein Stilett, meine Waffen musste ich bei der Flucht zurücklassen!«

»Du bekommst von uns eine Armbrust und einen Spieß, mehr können wir nicht bieten. Eigentlich wollten wir in dieser Gegend nicht mehr auftreten. Nur noch ein Gastspiel in Finsterwalde, dann ziehen wir nach Westen, nach Magdeburg und Braunschweig«, sagte Hanno von Burgstädt. »Was ist euer eigentliches Ziel?«

»Die Wasserburg Sallgast«, sagte Hartmut wahrheitsgemäß. Inwiefern es eine gute Idee gewesen war, sich so offen in einer Gruppe zu verstecken musste sich erst noch erweisen.

Hanno kramte auf der Ladefläche eines Fuhrwerks und überreichte Hartmut die Waffen.

»Ich sehe deinen unstet umherschweifenden Blick. Dir gefällt nicht, dass Margarete vorgeprescht ist. Ihr bleibt hinter dem Planwagen. Wenn Gunther von Bentheim auftaucht, versteckt ihr euch und ich werde euch verleugnen!«, sagte Hanno von Burgstädt mit fester Stimme. Hartmut war vom entschlossenen Auftreten des Spielmanns beeindruckt, aber immer noch nicht überzeugt.

»Was ist, wenn Gunther darauf besteht, eure beiden Fuhrwerke zu durchsuchen? Er reitet unter dem Banner derer von Polenz, behauptet gern, Befugnis vom Landvogt zu haben«, sagte Hartmut und winkte Margarete und Katharina herbei.

Die beiden jungen Frauen verschafften sich etwas Platz und nahmen auf der Kante der Ladefläche Platz. »Endlich sitzen«, seufzte Katharina.

»Das lass mal meine Sorge sein, Waffenknecht! Ich weiß, wie man mit Rittern umspringt. Ich wollte selbst mal einer werden, musste die Ausbildung zum Pagen und Knappen abbrechen, weil mein Vater starb und nur Schulden hinterließ!« Hanno stiefelte zur Spitze des Zuges, der sich wieder in Bewegung setzte. Obwohl man nur langsam vorankam, schätzte Hartmut, dass man Finsterwalde spätestens am Abend dieses Tages erreichen würde.

Als er darüber nachsann, wem die Burg Finsterwalde gerade gehörte, wurde er von einer jungen Frau mit hüftlangen schwarzen Haaren angetanzt, die einen Tambourin schlug. Die auf ihrem farbenfrohen Kleid aufgenähten Schellen verursachten weiteren Lärm. Als Hartmut erschrocken einen Schritt zurückwich, blieb die Tänzerin stehen.

»Stolzer Recke, welcher der beiden, die ihre Beine baumeln lassen, gehört dein Herz?«, fragte sie kess.

Hartmut nahm die schwarzhaarige Schöne beiseite. »Der ehemaligen Nonne, die ihr Haar verhüllt«, raunte er der Tänzerin zu. »Und wer bist du?«

»Aniko vom Ufer der Donau aus Ungarn«, rief sie, lief zum nächsten Planwagen und kehrte umgehend mit einem Tonkrug zurück. »Etwas vom Rotwein aus meiner Heimat gefällig?« Aniko reichte Hartmut die schwere Amphore. Es war gar nicht so einfach, daraus zu trinken, ohne sich zu bekleckern.

»Ach, ihr Deutschen braucht Becher, um daraus zu trinken. Verzeih, edler Recke!« Aniko huschte wieder einmal nach hinten und kam umgehend mit drei Bechern auf einem Tablett zurück. Sie nahm Hartmut die Amphore ab und goss im Gehen Wein in die Becher. Der ehemalige Gefährte des Ritters von Bentheim bewunderte die Geschicklichkeit der Ungarin.

»Drei Becher?«, fragte Hartmut.

»Deine Begleiterinnen sollen auch den Geschmack meiner Heimat auf der Zunge spüren!« Sie zwinkerte ihm zu und ging mit dem Tablett näher an den Planwagen.

Hartmut probierte und nahm gleich noch einen Schluck. »Jetzt verstehe ich, warum König Sigismund am liebsten in Ungarn weilt. Es ist der süffige Wein!«, lachte er. Nachdem Margarete und Katharina gekostet hatten, stimmten sie zu und in das Gelächter ein.

»Ihr kommt viel rum«, wandte sich Hartmut an Aniko. »Wer ist gerade Herr auf Finsterwalde?«

»Das weiß ich nicht. In dieser Gegend wechseln Herrschaftsansprüche schnell«, wich die Ungarin aus. »Sicher kann dir Hanno Auskunft geben. Ich weiß nur, dass wir auf dem Markt auftreten werden.«

Margarete meldete sich mit hochgerecktem rechten Arm. »Die Fuhrwerke meines Vaters kommen überall hin und berichten Neuigkeiten. Der Landvogt Hans von Polenz hat das Raubritternest Drebkau geschliffen. Dann zog er nach Finsterwalde und drohte dem Ritter von Gorenzen, dass ihm das Gleiche blühe. Der Mann zog mit seinen Knechten ab. Die Herrschaft Finsterwalde gehörte eine Zeit lang dem Landvogt selbst, dann dem Ritter von Pack, der es vor drei Jahren an den sächsischen Kurfürsten Friedrich I. dem Streitbaren verkaufte, der einen Verwalter einsetzte.«

»Danke für die Ausführungen, werte Margarete Kürschner!« Hartmut deutete eine Verbeugung an. Er hatte seine Lektion gelernt und würde sie nie wieder als Margarete von Polenz bezeichnen.

Hanno von Burgstädt hatte sich von der Spitze des Zuges angeschlichen und den Ausführungen Margaretes gelauscht. »Wir treten nicht auf dem Burghof, sondern dem Marktplatz auf. Der Bürgermeister von Finsterwalde wird nichts dagegen haben, wenn wir etwas Leben in die Bude bringen! – Aniko, für mich auch ein Schlückchen Ungarwein, danke!«

Gunther von Bentheim und seine Mitstreiter hatten die Pferde ausgeschirrt und den Planwagen einem Bauern überlassen, der sich überschwänglich bedankte. Berthold fragte, warum man sich das Gefährt nicht bezahlen ließ.

»Der Mann beackert mit seiner Familie den Grund und Boden des Klosters Dobrilugk. Soll ich dem Geld abnehmen, der nichts hat? Es gibt Tage, da entdecke ich ritterliche Tugenden in mir!«

Berthold schüttelte den Kopf. Wo waren diese Tugenden, als auf der Elbe ein argloser Fischer erschlagen worden war, um den Fischhandel in Mühlberg an sich zu reißen? Ihm als Trickbetrüger und Dieb ging es nur ums eigene Wohlergehen.

Dass ein Ritter wie von Bentheim wohltätig sein konnte, passte nicht in sein Weltbild. Womöglich hatte es dies einmal vor langer Zeit gegeben.

»Was schlägst du vor, Berthold?«, fragte Gunther und verlangsamte die Geschwindigkeit seines Pferdes, indem er leicht an den Zügeln zog. Der Gauner aus Liebenwerda fühlte sich geschmeichelt. Binnen kürzester Zeit war er anstelle des abtrünnigen Hartmut zum ersten Mann an der Seite des Ritters aufgestiegen.

»Wir sollten in Finsterwalde nachfragen, ob jemand unseren Mann in Begleitung zweier junger Frauen gesehen hat, die sich als Mägde verkleidet haben!«

»Genau so machen wir es! Georg, Lieberecht und Kilian – uns nach!«

Der Zug der Spielleute und Gaukler erreichte Finsterwalde am späten Nachmittag. Hanno machte sich sofort auf den Weg, um bei der Stadtverwaltung nachzufragen, ob eine Auftrittserlaubnis benötigt wurde. An Markttagen wie diesem konnte man nicht einfach so hereinschneien und loslegen. Man unterlag dem Marktrecht. In diesem Fall dem sächsischen, weil Finsterwalde dem Kurfürsten von Sachsen gehörte. Der Tross lagerte am Rande des Marktplatzes, unschlüssig darüber, wie es nun weitergehen sollte.

Hanno kam zurück, als die Kirchturmuhr zur sechsten Abendstunde schlug.

»Heute Abend können wir nicht mehr auftreten, wir hätten uns früher melden müssen. Anders als im Herzogtum Österreich gibt es hier keinen Spielgrafen. Die Aufsicht über uns obliegt dem Marktbüttel. Bei Androhung von Geldstrafe und Verweis dürfen keine Waffen getragen werden!« Hanno von Burgstädt klatschte in die Hände. »Wir ziehen uns von hier zur Nachtruhe zurück. Auf zu einer Wiese, die uns zugewiesen wurde!«

»Was ist mit Adrian, dem Schwertschlucker?«, rief Aniko, die Tänzerin. »Er braucht doch ein Schwert, um damit aufzutreten!«

»Das klären wir morgen! Ich bin müde, noch einen Schluck Rotwein und dann bette ich mein Haupt«, entschied der Spielmann Hanno.

Hartmut, Margarete und Katharina blieben im Schatten des ersten Planwagens. Ihnen lag besonders daran, unerkannt zum Ruheplatz der Spielleute zu gelangen.

Noch vor dem Wachwechsel am Abend ritt Matthias mit seinen Begleitern Friedrich und Peter durch das östliche Tor ein. Zur gleichen Zeit erreichten Gunther von Bentheim und seine Spießgesellen das südliche Stadttor von Finsterwalde. Das Banner des Landvogtes Hans von Polenz galt hier seit einiger Zeit nichts mehr, weshalb man es eingerollt hatte. Der Waffenknecht am Stadttor war besonders gewissenhaft und fragte nach den Namen und dem Anlass des Besuches.

»Otto von Quedlinburg mit drei Waffenknechten, wenn's recht ist!«, log Gunther. Die meisten Wachleute an den Stadttoren konnten weder lesen noch schreiben. Man konnte ihnen irgendeinen Wisch unter die Nase halten und sie mussten es glauben.

»Und Euer Begehr, Herr von Quedlinburg?« Der Knecht blieb hartnäckig.

»Der Markt von Finsterwalde ist weit über seine Grenzen berühmt«, entgegnete Gunther. »Ich war gerade in der Gegend und dachte, ich solle hier mal vorbeischauen!«

»Angenehmen Aufenthalt, Herr von Quedlinburg! Zudem treten morgen Spielleute und Gaukler auf«, sagte der Wachmann. »Viel Spaß!«

»Den werden wir haben«, knurrte Gunther und trieb sein Pferd an. Es war wegen des Markttreibens nicht einfach, eine Bleibe im Stadtzentrum zu finden. Zudem mussten mehrere Pferde untergebracht und versorgt werden. Wie so oft half das Klimpern mit dem Geldbeutel. Der dritte Wirt, den Berthold im Auftrag von Gunther fragte, war bereit, einen Ritter, sein Gefolge und die Pferde unterzubringen.

Matthias hatte zwar noch das Silber von Margaretes Mutter, da Gero von Rothstein sein Schwert bezahlt hatte, wollte aber eine kostengünstige Unterkunft. Wer weiß, wozu man das Geld noch brauchen konnte. Es blieb ihm und seinen Begleitern Peter und Friedrich nichts anderes übrig, als weiter entfernt ein Quartier zu suchen. Eine billige Herberge mit Strohsäcken anstelle Bettdecken, die mit Daunenfedern gefüllt waren.

Die Wiese, auf der die Spielleute kampierten, war nur zweihundert Schritte entfernt. Matthias war seiner Liebsten in diesem Moment näher, als er ahnte. Bevor er sich zur Ruhe begab, lief er ein paar Schritte in Richtung der Musik. Matthias konnte Drehleier, Laute und Fidel unterscheiden. Er wäre gern näher getreten, aber die Müdigkeit übermannte ihn und er lief zurück.

Margarete und Katharina hatten mit Erlaubnis von Hanno ›ihren‹ Planwagen zur Schlafstatt erklärt und es sich mit einigen Decken so gemütlich wie möglich gemacht.

An Schlaf war ungeachtet des genossenen Rotweins nicht zu denken. Die Spielleute probten für ihren Auftritt.

»Kehrst du in ein Koster zurück oder findest du Gefallen am Leben?« Der Wein hatte Margaretes Zunge gelockert. Den Hinweis auf Hartmut verkniff sie sich, soweit wollte sie nicht gehen. Margarete sah den Glanz in den Augen ihrer Freundin, obwohl der Lagerplatz nur von einem Feuer und Fackeln etwas erleuchtet wurde.

»Ich weiß es nicht, Margarete. Ich nehme den Weg, den Gott mir weist. Ich habe schon einmal gesagt, dass ich mir auch ein Leben in Kleidern aus Seide anstelle des Habits vorstellen kann«, seufzte sie. »Ich weiß, was hinter deiner Frage steckt. Hartmut hat mir das Leben gerettet und ist ein stattlicher Mann. Vielleicht sehnt sich jede Frau nach einer starken Schulter, an die sie sich lehnen kann.«

»Ich weiß, wonach ich mich sehne. Ein Leben in Frieden mit meinem Liebsten Matthias und einer Schar Kinder«, sagte Margarete und gähnte.

In diesem Moment verstummten Laute, Drehleier und Fidel. Sie ließ sich auf die Ladefläche des Planwagens zurücksinken. Dann griff Margarete nach der Hand ihrer Freundin. Sie hatte es bereits im Kloster bemerkt. Katharina von Wildenfels war beiden Geschlechtern zugeneigt. Sie erinnerte sich an die heißen Küsse auf ihrer fiebrigen Haut. Es durfte nicht sein. Gottes Wille war, dass ein Weib einen Mann zu lieben hatte. Es sei denn, sie stellte ihr Leben in den Dienst von Jesus Christus. Dieser Gedanke durchzuckte Margarete wie ein Blitz. Katharina musste nicht nur die Entscheidung zwischen Gott und Hartmut treffen, sondern auch zu ihr. Dies bedeutete ewige Verdammnis!

Kapitel 18

Matthias schlenderte am nächsten Morgen gähnend zu einem Gebüsch hinter der Scheune, um sich zu erleichtern. Durch eine Lücke konnte er einen Blick auf das Lager der Spielleute erhaschen. Bis auf das Zwitschern der Singvögel war nichts zu hören. Ein Mann mit einer Hellebarde erhob sich ächzend vom niedergebrannten Lagerfeuer und schlurfte in Richtung des Gebüsches, hinter dem sich Matthias befand. Vielleicht verspürte der Wächter auch ein menschliches Bedürfnis oder er suchte nach Holz, um das Feuer wieder zu entfachen. Jetzt hieß es, abzuducken und auf leisen Sohlen zu verschwinden. Matthias nahm sich vor, nachher noch einmal vorbeizuschauen.

Es war nur ein Gefühl, dass Margarete womöglich nicht mehr im Koster Marienstern weilte. Es war unwahrscheinlich, dass seine Liebste mit einer bunten Gauklertruppe unterwegs war. Ausschließen wollte er es nicht. Matthias musste sich Gewissheit verschaffen, bevor er und seine Begleiter nach Mühlberg ritten. Das bedeutete einen Tag länger Aufenthalt in Finsterwalde als geplant.

Margarete spürte Katharinas rechte Hand auf ihrer linken, als sie erwachte. Die Hand der Freundin war erstaunlich warm. Es war nicht die einzige Überraschung. Wie aus dem Boden gestampft stand Hanno der Spielmann vor dem Planwagen, der nach dem weinseligen Abend gestern frisch und munter wirkte. »Guten Morgen! Ich habe eine Aufgabe für euch! Ihr werdet an einem Stand Kinderspielzeug verkaufen!«

Margarete hielt eine Hand vor den offenen Mund. Noch war sie nicht im heutigen Tag angekommen. Dazu beigetragen hatte auch der süffige Wein aus dem Ungarnlande.

»Spielzeug? Wie darf ich das verstehen?« Sie hatte in ihrer Kindheit eine einfache Puppe aus Holz besessen, die ein Onkel für sie gefertigt hatte. Die kleinen Söhne von Rittern, Grafen und Fürsten bekamen Schwerter aus Holz zum Spielen. Aber Spielzeug auf einem Markt zu verkaufen – das war neu.

»Dein Gesicht ist ein einziges Fragezeichen, Margarete«, lachte Hanno. »Die Silberbergleute aus dem Erzgebirge schnitzen es in ihrer freien Zeit. Manche hatten auch einen Unfall unter Tage. Für sie ist es der einzige Broterwerb. Macht euch frisch. Nach dem Frühstück bauen wir den Stand auf. Die Genehmigung dafür habe ich. Bis nachher!« Hanno verschwand so schnell wie er aufgetaucht war.

Die ehemalige Nonne Katharina war durch den Wortwechsel wach geworden und rekelte sich wie eine Katze. »Was wollte der Spielmann?«

»Wir werden zu Marktweibern!«, sagte Margarete und hüpfte von der Ladefläche. »Nun komm schon! Die Gauklertruppe gewährt uns einen gewissen Schutz und wir sollten uns erkenntlich zeigen!«

»Ich verlass mich beim Schutz lieber auf Hartmut«, stöhnte Katharina und stolperte der davoneilenden Freundin hinterher.

Matthias, Peter und Friedrich saßen gerade bei einem einfachen Frühstück, das aus Brot, Butter, Käse und hartgekochten Eiern bestand, als draußen der erste Planwagen der Spielleute vorbeirumpelte. Ein Blick durch das Fenster hätte genügt, um Matthias aufspringen zu lassen. Peter hatte nur Augen für die blonde Magd, die Dünnbier nachschenkte. Friedrich kaute gedankenverloren auf einem Kanten Brot.

Als Matthias den Krug mit dem Bier abstellte, den Schaum vom Mund wischte und durchs Fenster lugte, war der Planwagen schon aus dem Gesichtsfeld.

Gunther von Bentheim hatte Georg als Beobachtungsposten am Markt von Finsterwalde platziert. Dem passte es nicht, sich zu dieser frühen Morgenstunde die Beine in den Bauch stehen zu müssen. Aber besser diese Aufgabe als gar keine. Zunächst passierte nichts. Mit dem sechsten Glockenschlag der Kirchturmuhr kam Bewegung in das Zentrum von Finsterwalde. Bauern aus dem Umland brachten mit Ziehkarren frisches Gemüse und Obst zu den Buden, die seit gestern dastanden. Georg wollte gerade davonhuschen, um sich hinter einem Baum in einer Seitengasse zu erleichtern, als eine aufgemalte Laute auf der festen runden Hülle eines Planwagens seine Aufmerksamkeit fesselte. Auf dem Kutschbock saß ein Mann, den Georg nicht kannte. Der Druck auf die Blase war vergessen, als er den Mann erkannte, der nebenher lief. Der Verräter Hartmut! Georg drückte sich in einen Torbogen.

Ein Marktbüttel eilte herbei und wies Hartmut darauf hin, dass er aufgrund des gestern ausgerufenen Marktfriedens keine Waffen tragen dürfe. Hartmut gab den Spieß und die Armbrust ab. Der Büttel deutete stumm auf die Stiefelschächte. Dem ehemaligen Mitstreiter von Gunther von Bentheim blieb nichts anderes übrig, als widerwillig auch noch das verborgene Stilett abzugeben.

Von der Ladefläche des Fuhrwerks rutschten zwei Frauen und traten neugierig näher. Auch auf die Gefahr hin, dass er sich einnässte – jetzt durfte Georg seinen Posten auf gar keinen Fall verlassen! Wenn er das entlaufene Weib des Nikolaus von Polenz meldete, wäre er schon heute morgen wieder vollwertiger Gefolgsmann des Ritters von Bentheim!

Margarete und die Nonne, mit denen Hartmut geflohen war, hatten sich zwar verkleidet, aber sie waren es. Georg trampelte von einem Fuß auf den anderen, wartete aber noch ab, bis das zweite Fuhrwerk der Gaukler erschien und ein Marktstand aufgebaut wurde. Er vergewisserte sich, dass der Verräter und die beiden Weiber an Ort und Stelle blieben.

Georg schaffte es gerade noch bis zur Toreinfahrt der Herberge – dann musste er der Natur freien Lauf lassen. Er atmete befreit auf. Eine Küchenmagd huschte um die Ecke. »Können Sie das nicht auf dem Abtritt im Hof erledigen? Sauerei! Leute gibts!«

Gunther von Bentheim plagte das Bauchweh. Deshalb hatte er zum Frühstück einen Kräutertee bestellt. Die beiden Gauner aus Liebenwerda und der Waffenknecht Lieberecht grinsten sich an, unterließen aber jede spöttische Bemerkung. Der Ritter beachtete die Platte mit kaltem Braten, Schinken und Käse nicht, aß nur trockenes Brot. Georg sah das missmutige Gesicht, war sich aber sicher, das Gemüt des Ritters aufhellen zu können.

»Setz dich und iss, Georg! Sind sie hier?«, knurrte von Bentheim.

»Jawohl, Gunther! Alle drei! Und das Beste ist – sie werden nicht weglaufen! Sie bauen gerade einen Marktstand auf und werden da den ganzen Tag bleiben. Es gibt nur ein kleines Problem …« Georg griff nach einer Scheibe Brot und butterte sie.

»Nun spann mich nicht auf die Folter«, schnauzte Gunther, der einen querliegenden Furz entweichen ließ. »Welches Problem?«

Georg wollte nach dem Krug mit Dünnbier greifen, besann sich aber, dem abgeschworen zu haben. »Kann ich einen Becher von deinem Tee haben, Gunther?«

»Lenk nicht ab, du Trottel!« Widerwillig schob der Ritter die Kanne mit dem Kräutergebräu über den Tisch, damit sich Georg bedienen konnte.

»Es herrscht der Marktfrieden. Die Büttel des Rates der Stadt überwachen es. Soll heißen, sobald wir die Herberge verlassen und zum Markt wollen, müssen wir alle Waffen abgeben. Ich habe es bei Hartmut beobachtet. Sie finden auch versteckte Dolche.«

Georg konnte sich endlich dem Frühstück widmen. Er hatte nach dem Herumstehen im kalten Herbstwind einen Mordshunger.

Gunther vergaß für einen Moment seine im Aufruhr befindlichen Gedärme.

»Mit anderen Worten, wir müssen sie gewähren lassen und können erst am späten Abend oder in der Nacht zuschlagen, wenn sie vom Markt in ihr Lager ziehen. Gefällt mir nicht.«

»Bei einer Gauklertruppe sind manchmal Feuerspucker und Schwertschlucker dabei«, sagte Berthold, dem die Rolle als Berater von Gunther zunehmend gefiel. »Ich werde herausfinden, ob ein Schwertschlucker mit einer Sondergenehmigung auftritt.«

»Ich weiß, worauf du hinauswillst, Berthold! Vergiss es! Hunderte Zeugen, Büttel der Stadt. Zudem könnten die drei, die wir ergreifen wollen, in drei verschiedene Richtungen …Scheiße! Ich muss auf den Abtritt!« Der Ritter von Bentheim rauschte aus der Gaststube.

Georg starrte ihm mit offenem Mund hinterher und vergaß zu kauen. »Wie nun weiter?«

Berthold schwang sich in Abwesenheit des Anführers zum Sprecher auf. »Du hast gehört, was Gunther gesagt hat! Wir sollen das Gelände ausspionieren, wo die Gaukler ihr Lager aufgeschlagen haben! Ich mache das selber. Du, Georg, wirst mit Lieberecht das Markttreiben beobachten. Hartmut darf euch nicht entdecken. Kilian kommt mit mir.«

»Seit wann bist du der Stellvertreter des Ritters?«, fragte Lieberecht.

»Seitdem Hartmut abtrünnig ist und Gunther mich und Kilian zurückholte. Noch Fragen?«

Margarete und Katharina platzierten die Spielzeuge auf der Verkaufsfläche ihres Standes.

Nebst holzgeschnitzten Figuren und aus Ton gebrannten Rittern sollten noch Murmeln, Bälle aus Bast, Holzkreisel und drei Schaukelpferde zum Verkauf ausgestellt werden. Letztere wegen ihrer Größe neben dem Stand.

Nach einem Fanfarenstoß stieg der Aufsichtsführende über die Marktbüttel auf ein hölzernes Podest und verkündete den Beginn des zweiten Markttages. Zuwiderhandlungen gegen die Finsterwalder Marktordnung würde man streng bestrafen. Waffen seien an den Zugängen abzugeben. Man würde sie abends zurückerhalten.

»Ganz schön großspurig dieser Ganove aus Liebenwerda«, murmelte Georg an Lieberecht gewandt.

»Kilian sagte mir, das ist ein helles Köpfchen. Der kann dir auch einen lahmen Ackergaul als edles Ross verkaufen«, erwiderte Lieberecht. Sie drückten sich wieder einmal in einen Torbogen, weil Hartmut seine Blicke schweifen ließ. Es waren allerdings so viele Leute unterwegs, dass man sich gut verstecken konnte. Falls wider Erwarten ihr ehemaliger Kampfgefährte sie entdeckte und die Verfolgung aufnahm, hatten sie in der Höhlung eines Baumes in einer Seitengasse Dolche versteckt. Hartmut hingegen war unbewaffnet.

»Es wundert mich, dass Berthold noch kein geschlitztes Ohr hat«, witzelte Georg.

»Hat sich halt nie erwischen lassen. Zuletzt hatte der Vogt von Belgern Witterung aufgenommen, aber Berthold und sein Kumpan sind wieder einmal entwischt«, flüsterte Lieberecht. »Ich schaue mich mal unauffällig auf dem Markt um. Bin bald wieder zur Ablösung da!«

Ehe Georg ein Wort des Protestes einlegen konnte, war Lieberecht bereits im Gewühl verschwunden.

Als er daran dachte, dass sein Kumpan womöglich ein Bierchen kippen würde, leckte er sich über die trockenen Lippen. Er hatte ja geschworen, in nächster Zeit keinen Tropfen anzurühren.

Einige gutsituierte Bürgerfrauen kamen an den Stand der beiden jungen Frauen, nahmen ein Spielzeug in die Hand und beäugten es von allen Seiten. Manche wollten den Preis herunterhandeln. Margarete dachte sich, egal, ob Fisch oder Spielzeug - Ware ist Ware. Sie erwies sich als geschickte Verkäuferin und wurde von Katharina stumm bewundert. Leichtes Spiel hatte man bei Frauen, welche ein Kind an der Hand führten. Diese quengelten meist solange, bis die Mutter oder Amme das Spielzeug kaufte.

Lieberecht beobachtete alles aus sicherer Entfernung. Zudem musste er darauf bedacht sein, nicht dem ehemaligen Waffengefährten Hartmut über den Weg zu laufen. Den hielt es nicht am Stand. Er war ebenso im Markttreiben unterwegs wie Lieberecht selbst.

Kurz vor Mittag, nachdem er Georg abgelöst hatte, ertönten Fanfarenstöße. Ein Herold – Lieberecht wusste nicht, ob dieser im Auftrag der Stadt handelte oder zu den Gauklern gehörte – bat lautstark um Aufmerksamkeit. Die berühmte Gauklertruppe um Hanno von Burgstädt würde sich die Ehre geben, vor dem erlauchten Publikum in Finsterwalde aufzutreten. Binnen kürzester Zeit war die kleine Bühne an der Westseite des Marktplatzes von Schaulustigen dicht umlagert. Zwei Helfer hatten dreibeinige Stützen aufgebaut und ein Seil gespannt. Zur Musik von Hanno und drei weiteren Spielleuten setzte Aniko vorsichtig einen Fuß vor den anderen. In der rechten Hand hielt sie einen Fächer, in der linken eine brennende Fackel, um die Schwingungen des Seiles auszugleichen. Vor dem Podium hielt sich ein Mann mit freiem Oberkörper eine Fackel an den Mund, um bald darauf Feuer wie ein Drache zu spucken. Die Zuschauer in der ersten Reihe wichen erschrocken zurück.

So etwas erlebte man in Finsterwalde nicht jede Woche. Lieberecht trat neugierig näher. Den abtrünnigen Hartmut hatte er inzwischen aus den Augen verloren. Der war irgendwo, konnte sich nicht in Luft aufgelöst haben.

Als ein Schwertschlucker die mit viel Applaus verabschiedete Aniko auf dem Podium ablöste, verstand Lieberecht, was Berthold umgetrieben hatte. Es war der einzige Mann auf dem Markt, der eine Waffe führte. Der Artist beugte sich weit nach hinten, um dann ein Schwert, das zuvor von zwei Bürgern geprüft worden war, komplett im Körper verschwinden zu lassen. Gesetzt den Fall, man konnte dem Gaukler das Schwert entwenden und gegen Hartmut richten, so wäre dieser doch längst im Gewühl verschwunden. Margarete und die Nonne würden den Stand verlassen und in verschiedene Richtungen davonflattern. Gunther, der vermutlich immer noch auf dem Donnerbalken saß, hatte das vorausgesehen. Deshalb war er der Ritter und Lieberecht nur ein Knecht.

Matthias, Peter und Friedrich hielten sich am Rande des Geschehens auf und betrachteten die Aufführung aus der Ferne. Der verhinderte Minnesänger Peter hatte seine Laute dabei, um im Markttreiben als Musiker durchzugehen. Er musste zugeben, dass Hanno von Burgstädt so ein Instrument virtuoser spielte.

»Schleich dich durch das Gewühl und verschaffe uns Gewissheit, ob Margarete hier weilt!«, flüsterte Matthias und gab dem zögernden Freund einen sanften Stoß in den Rücken. »Los jetzt, man wird dich für einen Spielmann halten!«

Man machte ihm bereitwillig Platz, weil die Marktbesucher glaubten, ein Musiker wolle zur Bühne zu seinem Auftritt. Nach wenigen Minuten erreichte er den Spielwarenstand.

Margarete sprach gerade mit einer Kundin, die den Preis für das letzte zum Verkauf stehende Schaukelpferd drücken wollte.

Die ehemalige Nonne Katharina lächelte ihn an und sagte: »Zur Bühne gehts da lang, Spielmann!«

Margarete kassierte gerade ab und wollte die Münzen in eine Schatulle werfen, als sie den Mann erkannte, der an ihrem Klosteraufenthalt nicht ganz unschuldig war. Sie presste die rechte Hand vor den Mund. »Peter«, keuchte sie. »Ist Matthias auch hier?«

»Nicht nur er …« Peter Töpfer blieb das nächste Wort im Halse stecken. Vor ihm hatte sich ein Mann mit verschränkten Armen aufgebaut, den er schon einmal von den Zinnen der Burg Sallgast herab hoch zu Ross gesehen hatte. Der erste Gefolgsmann des Ritters von Bentheim.

»Was willst du?«, fragte Hartmut mit drohender Stimme.

»Was soll das, Margarete?«, ereiferte sich Peter. »Du verkaufst Spielzeug unter der Aufsicht eines Gefolgsmannes von Gunther von Bentheim?«

»Nein, so ist es nicht, Peter«, sagte Margarete. »Sag du es ihm, Hartmut!«

»Sie wollten die hier anwesende Katharina schänden und ertränken, da habe ich mich gegen Gunther gestellt, wurde niedergeschlagen, gefesselt, konnte aber mit beiden Frauen fliehen. Ich weiß zwar immer noch nicht, wer du bist, wenn ich es richtig sehe, haben wir das gleiche Ziel. Wir wollen Katharina und Margarete beschützen!«

»Ich bin ein guter Freund von Matthias von Köckritz. Als Sohn eines Töpfers habe ich mich als Sänger und Waffenknecht versucht und gebe zu, ein Auge auf Margarete geworfen zu haben. Eine Situation wurde missverstanden, weshalb sie ins Kloster Marienstern in Mühlberg abgeschoben wurde!«

»Dein Vorschlag, Peter?«, fragte Hartmut. Er öffnete die verschränkten Arme, blieb aber skeptisch.

Peter konnte keine Rücksprache mit Matthias nehmen. Er musste jetzt entscheiden.

»Gesetzt den Fall, deine ehemaligen Mitstreiter sind ebenfalls in Finsterwalde – wie würden sie vorgehen?«, fragte er lauernd.

»Sie würden den Planwagen überfallen, kurz bevor dieser das Lager der Gaukler und Spielleute erreicht«, sagte Hartmut nach kurzem Nachdenken. »Hier geht es nicht. Wegen des Marktfriedens dürfen sie keine Waffen tragen.«

»Wir kommen ihnen zuvor, danke für den Hinweis! Bis bald, Margarete!« Peter war umgehend wieder im Gewühl des Markttreibens untergetaucht.

Hartmut musterte Margarete mit einem strengen Blick. »Stimmt, was er gesagt hat?«

»Ja! Vielleicht habe ich ihn unbewusst ermutigt. Mein Herz gehört Matthias von Köckritz!«

Hartmut seufzte auf. Solange die Ehe nicht offiziell für beendet erklärt worden war, blieb Margarete die Ehefrau des Nikolaus von Polenz. Sein ehemaliger Herr würde nicht eher ruhen, bis sie nach Senftenberg zurück verbracht worden war.

Während Peter sich einen Weg durch die Marktbesucher bahnte, wurde er von einem Mann angerempelt, der ihm bekannt vorkam. Dieser entschuldigte sich nicht einmal, sondern schlenderte weiter, als wäre nichts geschehen. Dann dämmerte es Peter. Von den Zinnen der Burg Sallgast hatte er vier Reiter gesehen: Gunther von Bentheim, Hartmut Konnewitz – mit dem er eben gesprochen hatte und der abtrünnig war – und zwei andere. Ein Waffenknecht des Ritters, der als Spion unterwegs war!

Umso wichtiger war es, schnellstens seinen Freund Matthias in Kenntnis zu setzen, dass von Bentheim hier weilte, auch wenn er sich selbst nicht zu erkennen gab. Vermutlich hatte der Ritter bereits Ersatz für Hartmut rekrutiert.

»Du schaust betrübt drein. Hast du Margarete nicht gefunden?«, wurde er von Matthias aus seinen Gedanken gerissen.

»Lass uns beiseite gehen, hier sind Spione des Ritters von Bentheim unter dem Volk«, flüsterte Peter und zog seinen Freund hinter den dicken Stamm eines Baumes am Rande des Marktplatzes.

»Margarete wurde von Gunther und seinen Spießgesellen in Mühlberg gemeinsam mit der Nonne Katharina von Wildenfels entführt. Der Waffenknecht Hartmut wollte verhindern, dass die Nonne geschändet und ermordet wird und wandte sich gegen Gunther von Bentheim. Kurz gesagt, er wurde niedergeschlagen, konnte sich und die beiden Frauen befreien und entkommen. Margarete betreibt mit Katharina hier einen Verkaufsstand für Spielzeug im Auftrag eines Mannes, der Anführer einer Gauklertruppe ist.«

Matthias runzelte die Stirn, obwohl er froh war, dass seine Margarete wohlauf schien. »Dein Vorschlag, Peter?«

»Hartmut meinte, Gunther und seine vermutlich verstärkten Spießgesellen würden dem Planwagen der Spielleute kurz vor deren Lager auflauern und die beiden Frauen wieder einmal entführen. Da wir nicht wissen, wie viele Männer Gunther bei sich hat, kommen wir ihnen zuvor und bereiten einen Hinterhalt weit vor dem Lagerplatz der Gaukler vor.«

»Klingt vernünftig.« Matthias kratzte sich am stoppeligen Kinn. »Was sagst du dazu, Friedrich?«, wandte er sich an den erfahrenen Waffenknecht.

»Einen offenen Kampf würde ich vermeiden. Wir kennen die Stärke des Gegners nicht. Ein Hinterhalt zwei Gassen vor dem Lagerplatz macht Sinn. Immer vorausgesetzt, dieser Hartmut, mit dem Peter sprach, treibt kein doppeltes Spiel!«, sagte Friedrich.

»Der hat ein Auge auf die ehemalige Nonne Katharina von Wildenfels geworfen, will sie in Sicherheit. Der ist auf unserer Seite!« Peter hatte die Stimme etwas erhoben, besann sich sofort wieder darauf, dass die Spione des Ritters hier herumschlichen.

»Dann sollten wir uns auf die Suche nach einem geeigneten Ort für den Hinterhalt machen!«, sagte Matthias mit fester Stimme.

Langsam wuchs er in die ungewohnte Rolle eines Ritters von Köckritz hinein. »Friedrich – gehe ich richtig in der Annahme, dass du öfter als wir anderen in Finsterwalde weiltest?« Der Angesprochene nickte.

»Ich überlasse dir die Wahl als dem Erfahrensten in der Runde!«

»Ich fühle mich geehrt, Matthias von Köckritz.« Friedrich deutete ein Kopfnicken an. »Folgt mir!«

Kapitel 19

Gunther von Bentheim hatte sich wieder erholt. Ungeachtet der selbst verordneten Schonkost nahm er einen kräftigen Schluck vom kellerkühlen Bier. Für den Monat Oktober war es ein warmer Tag gewesen, der sich dem Ende zuneigte. Der Plan, den er ausgeheckt hatte, war ebenso simpel wie dreist.

Kilian hatte herausgefunden, dass der Lagerplatz der Spielleute nur von einem Mann bewacht wurde, der verhindern sollte, dass die grasenden Pferde oder zurückgelassene persönliche Habseligkeiten gestohlen wurden.

Der Wächter war mit einer Hellebarde und einem Dolch bewaffnet. Kein Problem, den außer Gefecht zu setzen. Dann würde Kilian dessen Gugel anziehen, den Stoff tief ins Gesicht ziehen und den ankommenden Spielleuten zurufen, Räuber wären hier, sie würden gerade die Pferde stehlen und er wäre der Übermacht gerade noch entkommen. Beim entstehenden Tumult auf der Straße würde man dann den abtrünnigen Hartmut niederschlagen und die Weiber Margarete und Katharina wieder einfangen – diesmal für immer. Soweit der Plan.

Der Waffenknecht Lieberecht kam angeschnauft. »Entschuldige, Gunther«, keuchte er.

»Schön, dass du es auch noch einrichten konntest, an unserer Runde teilzunehmen!«, höhnte der Ritter von Bentheim.

»Ich habe vorhin auf dem Markt versehentlich einen jungen Mann angerempelt, den ich schon einmal gesehen habe! Er kam vom Stand der beiden Weiber, die wir …Kann ich einen Schluck Bier haben? Meine Zunge klebt am Gaumen!«

»Später! Wo hast du ihn gesehen und wer ist es?«, fragte Gunther aufgebracht.

»Hoch oben auf den Zinnen der Burg Sallgast, keine Ahnung, wie der Jüngling heißt. Jener, der uns zuerst sah, bevor die Ritter von Eschwege und von Rothenburg uns … Kann ich jetzt ein Bier haben?« Gunther schob die Kanne mit dem Getränk über den Tisch, Georg reichte einen Becher. Mit trockener Zunge musste er mit ansehen, wie sein Kumpan das Bier durch die Kehle rinnen ließ.

Gunther schlug mit der Faust auf den Tisch, sodass alle Gefäße ein Stück nach oben sprangen. »Wisst ihr Einfältigen, was das bedeutet? Der Bastard von Köckritz ist hier und mit ihm mindestens zwei Waffenknechte! Die werden genauso wie wir erpicht darauf sein, das Weib des Nikolaus von Polenz in Gewahrsam zu nehmen! Berthold und Georg! Ihr werdet die

Strecke vom Markt bis zum Lager der Spielleute abreiten. Die Sonne sinkt, der Planwagen müsste bald unterwegs sein!«

Margarete und Katharina packten die Spielsachen zusammen, die sie nicht verkauft hatten. Zwei Helfer bauten den Stand in Windeseile ab. Bald darauf saßen sie auf der Ladefläche des Planwagens und ließen die Beine baumeln.

»Ich könnte mich an dieses neue Leben gewöhnen«, sagte Katharina.

»Du bist eine von Wildenfels und nicht dazu bestimmt, als Marktweib Spielzeug zu verhökern«, murmelte Margarete.

»Ach, ja, wozu dann? Ich weiß, worauf du anspielst, Margarete«, sagte Katharina mit gesenkter Stimme. Hartmut war nur wenige Schritte hinter ihnen und musterte misstrauisch die Umgebung.

»Es muss sich jemand finden, der ihn zum Ritter schlägt«, fügte sie noch leiser hinzu. »Mein Vater würde niemals einem Waffenknecht als Bräutigam zustimmen.«

»Und du?«, fragte Margarete.

»Mein Herz schlägt schneller, wenn sich unsere Blicke treffen.« Katharinas letzte geflüsterte Worte gingen in dem Lärm unter, der in diesem Augenblick einsetzte. Matthias und seine beiden Mitstreiter hatten sich Tücher vor Mund und Nase gebunden und täuschten einen Überfall vor. Hartmut hatte Peter ungeachtet der Verkleidung erkannt und rollte sich in den Straßengraben ab.

Dem Kutscher hielt man kalten Stahl an die Kehle und gab ihm zu verstehen, dass er bei einem Mucks ins Jenseits befördert werden würde. Nach wenigen Augenblicken hatte man die beiden jungen Frauen jeweils vorn auf einen Sattel gezogen. Es gab nur das Problem, dass zwei weitere Reiter angeprescht kamen und sich in die scheinbare Entführung einmischten.

Hartmut lag im Halbdunkel. Er hatte seine Waffen von einem Marktbüttel zurückerhalten. Einen Wimpernschlag lang zögerte er, einen ehemaligen Gefährten zu verletzen oder gar zu töten. Um Margarete und vor allem Katharina zu schützen, ließ er den Bolzen von der Armbrust schnellen. Georg stürzte röchelnd vom Pferd. Berthold registrierte es aus den Augenwinkeln. Er war ein Trickbetrüger, kein Ritter, der sich tollkühn einer Übermacht stellte. Er zog zwar das Schwert, das einst Hartmut gehört hatte, stellte sich aber nicht dem Kampf. Er wendete das Pferd, um Gunther Bericht zu erstatten, dass der Bastard von Köckritz schneller gewesen war.

Hartmut krabbelte aus dem Straßengraben. »Verfolgt ihn! Er hat mein Schwert!«, schrie er. Friedrich wollte die Verfolgung aufnehmen, wurde aber von Matthias zurückgepfiffen. Wichtig war, die beiden jungen Frauen in Sicherheit zu bringen. Dazu musste man auf schnellstem Wege aus Finsterwalde heraus und nach Süden, zur Burg Mückenberg.

Kilian hatte es geschafft, den Wächter des Lagerplatzes der Gaukler hinterrücks niederzuschlagen und sich dessen Gugel und Umhang überzuwerfen. Als er den bewusstlosen, gefesselten Mann hinter ein Gebüsch schleifte, schnaubten die Pferde und liefen in der Koppel unruhig auf und ab. Kilian war froh, dass der Wächter nicht auch noch einen Hund dabei gehabt hatte. Ein Problem weniger. Nach einer Weile hörte er weiter entfernt Lärm, blieb jedoch an Ort und Stelle. Er hatte seine Anweisungen.

Hartmut war immer noch sauer auf Matthias, weil dieser angeblich keinen Mann entbehren konnte, um den Reiter zu verfolgen, der sein Schwert trug. Es blieb ihm nichts anderes übrig, als hinterher zu trotten. »Hätte man nicht wenigstens ein Pferd aus dem Gespann ausschirren können, damit ich nicht nach Mückenberg laufen muss?«

»Wir sind keine Pferdediebe, die Spielleuten und Gauklern etwas von ihrer wenigen Habe wegnehmen«, entgegnete ihm Matthias.

»Ich gebe dir aber recht in der Hinsicht, dass es für dich zu weit zum Laufen ist. Zurück können wir nicht, um den Spielleuten ein Pferd abzukaufen. Wir könnten in einen Hinterhalt von Gunther von Bentheim geraten. Bleibt nur ein Bauer oder ein Gestüt südlich von Finsterwalde. Auf geht's!«

Berthold sprang mit glühendem Gesicht vom Pferd und Gunther von Bentheim direkt in die Arme, der im Begriff stand, sich aufs Pferd zu schwingen, um am Lagerplatz der Spielleute einen Hinterhalt zu legen. Kilian wartete schon geraume Zeit auf sie.

»Matthias von Köckritz ist uns zuvorgekommen und hat einen Überfall vorgetäuscht! Georg wurde von einem Armbrustbolzen getroffen! Es tut mir leid, Gunther, die sind schon längst zum Stadttor Richtung Süden raus!« Berthold musste durchschnaufen. Dann wartete er auf das Unwetter, das unweigerlich auf ihn einprasseln würde.

Der Ritter von Bentheim knurrte zwar »Scheiße!«, blieb aber erstaunlich ruhig.

Als Berthold stammelte, es waren drei Mann, winkte er nur ab. »Wir sammeln den verwundeten Georg und anschließend Kilian ein – dann sehen wir weiter!«

Besagter Kilian trampelte von einem Fuß auf den anderen. Die Sonne versank hinterm Horizont und von Gunther und den anderen keine Spur! Hatte der Lärm, den er vorhin vernommen hatte, zu bedeuten, dass sie in einen Kampf verwickelt und aufgehalten worden waren? Als Kilian sich aufmachte, zur Straße zu laufen, stand wie aus dem Boden gestampft ein Mann vor ihm, der ihm eine Schwertspitze unter das bärtige Kinn hielt. Als er die Hellebarde mit beiden Händen umfasste, um einen Schlag von oben auszuführen, wurde er von einem weiteren Mann von hinten umklammert. So fest, dass er sich nicht mehr rühren konnte und die Waffe fallen lassen musste.

»Danke, Andreas«, sagte Hanno von Burgstädt zum Schwertschlucker. »Wer bist du und wo ist Gabriel, dem die Gugel und der Umhang gehören?«, fragte der Spielmann an Kilian gewandt.

»Ich bin …«, stammelte Kilian. Gleichzeitig versuchte er, den Dolch zu ziehen, da der Schwertschlucker den harten Griff etwas gelockert hatte. Er spürte sofort einen stechenden Schmerz. Blut tropfte von der rechten Handfläche auf den Boden.

»Ich bin nicht nur Spielmann, sondern habe auch eine Grundausbildung zum Knappen absolviert und weiß ein Schwert zu führen. Sollte sich herausstellen, dass du Gabriel umgebracht hast, garantiere ich dir, dass du morgen auf dem Markt von Finsterwalde am Galgen hängst!« Hanno war sich nach den Erfahrungen mit der Senftenberger Justiz keineswegs sicher, aber der Mann mit der blutenden Hand vor ihm schlotterte am ganzen Leib und machte sich fast in die Hosen.

»Ich bin Kilian Böttcher aus Liebenwerda. Erbarmen, Herr!«

»Egal, was dieser Mensch getan hat, ich bin im Namen unseres Herrn Jesus verpflichtet, ihm zu helfen«, seufzte die Witwe Schulte. Mit Hilfe ihrer Nachbarin Isabella hatte sie Georg von der Straße aufgesammelt und grübelte nun, ob sie das Geschoss, das zwischen den Rippen des Verwundeten saß, entfernen sollte. »Isabella, du bist Hebamme – kannst du nicht?«, flehte sie.

»Ich kann ein ungeborenes Kind im Leib der Mutter drehen, damit es leichter auf die Welt kommt – aber das hier … Branntwein und saubere Tücher, schnell! Der Mann verliert das Bewusstsein!«, rief die Hebamme. Als das Gewünschte herbeigeschafft worden war, versuchte sie, den Bolzen durch sanftes Ziehen und Drehen zu entfernen. Es gelang ihr nicht. Der Verwundete stöhnte nicht mehr. Er befand sich bereits in der Welt zwischen Leben und Tod.

»Wo willst du hin?«, rief Frau Schulte. »Lass mich jetzt nicht allein mit dem Sterbenden!«

»Bin gleich wieder da!« Isabella kam nach wenigen Augenblicken mit ihrer Hebammentasche zurück. Ein Wundarzt würde eine Zange verwenden. So etwas hatte sie auch.

Sie setzte das Werkzeug an und drehte und zog vorsichtig. Es gelang ihr, das Geschoss zu entfernen. Spritzendes Blut besudelte ihre Kleidung. Sie achtete nicht weiter darauf. Bei der Geburt eines Kindes ging es nicht weniger blutig zu. Isabella faltete ein sauberes Stück Leinentuch und presste es sofort auf die offene Wunde. Nachdem die Blutung etwas gestillt worden war, ließ sie sich Branntwein reichen, um die Wundränder zu desinfizieren. Danach legte sie einen Druckverband an. »Lass uns beten, Karolina«, sagte die Hebamme zur Witwe Schulte. »Mehr können wir jetzt nicht mehr tun.«

»Wir verlieren zu viel Zeit!«, schnauzte Gunther von Bentheim. »Wo sind Georg und sein Pferd?«, wandte er sich wutentbrannt an Berthold, der feige vom Schauplatz geflohen war.

Der ehemalige Gauner aus Liebenwerda blieb eine Antwort schuldig. Er stieg vom Pferd und ging in die Knie. »Blutspuren! Sie führen zum nächsten Haus, Gunther!«

Karolina Schulte und Isabella sprangen erschrocken auf, als ein Ritter und zwei Waffenknechte mit gezogenen Schwertern die Wohnstube stürmten.

»Wir haben den Mann so gut es ging versorgt. Mit Gottes Hilfe wird er es überleben, Herr!«, stammelte die Witwe Schulte.

Gunther wies Lieberecht an, den Hauseingang zu bewachen. Dann steckten er und Berthold die Schwerter in die Scheide. Offenkundig drohte hier keine Gefahr.

»Ergebensten Dank, heilkundige Frauen! Pflegen Sie meinen Waffengefährten gesund. Wir kommen wieder!« Wie schon im Falle der jungen Hure in Dobrilugk zeigte er sich wieder großzügig und überreichte einen Beutel Silber. Bevor sich Karolina Schulte bedanken konnte, waren die Männer schon wieder verschwunden.

Hanno von Burgstädt und der Schwertschlucker Andreas atmeten auf. Sie hatten den Wächter Gabriel hinter einem Busch gefunden, dessen Fesseln durchtrennt und päppelten ihn gerade mit Rotwein auf.

»Glück gehabt, du Bastard aus Liebenwerda. Der Galgen bleibt dir wohl erspart. Unser Mann hat nur eine Beule am Kopf. Jetzt verrate mir, was dein Auftraggeber vorhat!«

Um seine Worte zu unterstreichen, hielt Hanno dem schlotternden Kilian wieder einmal die Spitze eines Schwertes unters Kinn.

»Sie wollen den Planwagen mit den Spielsachen und den beiden jungen Frauen, die darauf sitzen, überfallen«, stotterte Kilian. »Ich sollte in der Verkleidung eures Wächters euch täuschen und auf der Straße zurufen, dass Räuber die Pferde stehlen und ich gerade noch entkommen konnte.«

»Dann machen wir es so«, sagte Hanno von Burgstädt und löste die Fesseln des Gefangenen. Dann stieß er ihn nach vorn. »Vor zur Straße. Wenn du denen ein verstecktes Zeichen gibst, bist du des Todes!«

Kilian blieb nichts anderes übrig, als vor zur Straße zu laufen, um auf Gunther und die anderen zu warten, die schon längst hätten hier sein müssen. Sie waren aufgehalten worden – dessen war er sicher.

Hanno von Burgstädt organisierte den Widerstand. »Wir brauchen Lanzen und Hellebarden gegen gepanzerte Reiter«, rief er.

Das Lager der Gaukler war kein Feldlager von Landsknechten. Es konnten nur wenige geeignete Waffen aufgetrieben werden.

Gunther von Bentheim sah seinen Mitstreiter Kilian wie erwartet vorn an der Zufahrt zum Lager der Gaukler. Der winkte zwar, machte dann aber ein verstecktes Handzeichen, dass Gefahr drohe. Dieses geheime Zeichen unter Gaunern verstand nur Berthold, der sofort sein Pferd zügelte. »Vorsicht, Gunther! Eine Falle!«

»Ach, was! Ein gestandener Ritter wird doch wohl mit ein paar Gauklern fertig!« Von Bentheim versetzte sein Pferd in Trab. »Spring auf ein Reservepferd, Kilian. Wir müssen den Bastard von Köckritz verfolgen, los!« Kilian schüttelte betrübt den Kopf, in Erwartung dessen, dass ihn ein Pfeil oder anderes Geschoss im Rücken traf. Zunächst passierte nichts.

Hanno, Michael und zwei andere Mitstreiter versperrten plötzlich die Straße, die aus Finsterwalde hinausführte. Gunther von Bentheim blieb nichts anderes übrig, als sein Pferd zu zügeln. Vier Mann konnte er nicht so einfach niederreiten. Die Gaukler waren so gut bewaffnet wie Fußsoldaten in einer der vielen Schlachten, an denen er teilgenommen hatte. Georg war schwer verwundet, würde mit Gottes Hilfe überleben. Ihm zur Seite standen nur Lieberecht und Berthold. Der dritte Mitstreiter, Kilian, hatte ein Messer am Hals.

»Ein Beutel Silber für das Leben meines Mannes«, rief Gunther. »Gebt den Weg frei. Wir wollen raus aus Finsterwalde!«

Hanno von Burgstädt überlegte einen Augenblick, wie groß der Vorsprung von Margarete, Katharina, Hartmut und den drei anderen sein mochte. Nicht besonders groß, denn Hartmut hatte kein Pferd.

Gunther von Bentheim bemerkte das Zögern und schwenkte wie zur Bestätigung seiner Worte einen Lederbeutel. »Mehr, als ihr in einem Monat einnehmt. Gebt den Weg frei, Spielmann!«

Kilian nutzte die Nachlässigkeit seines Bewachers, der das Messer gesenkt hatte, ließ sich einfach fallen und trat dem Gaukler mit aller Kraft gegen den linken Knöchel. Dann rappelte er sich wieder auf und rannte zu seinem langjährigen Gefährten Berthold.

Er hoffte darauf, dass Gunther, Lieberecht und Berthold die Verwirrung nutzen würden, um die Straßensperre zu umreiten. Tatsächlich versetzte der Ritter sein Pferd nach links in Galopp, um mit einem Sprung den Straßengraben zu überwinden. Lieberecht folgte ihm.

Berthold sah seinen Kumpan und wartete einen Moment ab, um Kilian aufs Pferd ziehen zu können. Dieser hatte es beinahe geschafft, als er einen stechenden Schmerz zwischen den Schulterblättern spürte. Als Berthold merkte, dass Kilian nicht mehr die Kraft hatte, um nach seinem rechten Arm zu greifen, gab er dem Pferd die Sporen. Gunther und Lieberecht hatten bereits hundert Ellen Vorsprung und er die Straßensperre immer noch vor sich. Er duckte sich, um einem heranfliegenden Wurfspieß auszuweichen. Es gab nur eine Chance. Er musste den davongaloppierenden Gunther und Lieberecht folgen.

Der Spielmann mit der Hellebarde rannte nach rechts, um entweder das Pferd oder den Reiter schwer zu verletzen. Hanno pfiff ihn zurück. »Lass es, Lothar! Unsere Freunde sind in der Überzahl. Sie werden sich zu wehren wissen!« Dann wandte er sich an die Seiltänzerin Aniko.

»Du offenbarst verborgene Talente. Wo hast du das Messerwerfen gelernt?«

»Bei meinem Vater in Ungarn!«, lachte sie.

»Könntest du dir vorstellen, außer als Seiltänzerin auch als Messerwerferin aufzutreten?«, fragte Hanno.

»Nur, wenn du dich vor eine Holzwand stellst! – Was machen wir mit dem da?« Aniko stieß mit der Fußspitze gegen die Hüfte des verletzten Kilian. Er stöhnte auf.

»Ich habe ihn nicht getötet, nur an der Flucht gehindert.«

»Das ist auch gut so. Für die Gerichte sind wir fahrendes Volk die Gesetzesbrecher. Du wirst ihn verarzten, Aniko!«, sagte Hanno. »Dann schauen wir, an wen wir den Gauner übergeben können.«

Kapitel 20

Die Sonne war untergegangen und die Stadtwache von Finsterwalde hatte Anweisung, das Tor nach Süden zu schließen.

»Halt! Wartet!«, schrie Matthias. »Wir müssen noch durch, um morgen Mückenberg zu erreichen!«

Dem Hauptmann der Stadtwache kam es merkwürdig vor, dass zwei junge Frauen, welche die einfache Kleidung von Mägden trugen, vorn auf den Sätteln saßen und nicht auf einem Fuhrwerk reisten. Deshalb wies er zwei Soldaten an, die Hellebarden zu kreuzen. Es konnte sich auch um eine Entführung handeln.

»Sie werden halten, Herr …?«, rief Thomas von Bennewitz.

»Ritter Matthias von Köckritz«, übertrieb Matthias, den man noch gar nicht zum Ritter geschlagen hatte. »Vor mir meine Verlobte Margarete Kürschner, hinter mir Peter Töpfer mit Katharina von Wildenfels, Herr Hartmut Konnewitz sowie mein Knappe Friedrich!«

Der Hauptmann der Stadtwache schüttelte den Kopf. Er würde den Teufel tun, einen von Köckritz aufzuhalten.

Diesem Familienclan gehörte nicht nur Mückenberg, sondern weitere Ortschaften und Burgen.

»Passieren lassen«, befahl von Bennewitz seinen Soldaten. »Tor schließen und sichern!«

Man freute sich schon auf die nahende Ablösung durch die Nachtwache, als wiederum drei Reiter lautstark den Durchlass forderten. Thomas von Bennewitz eilte aus der Wachstube mit dem wärmenden Feuer wieder einmal nach draußen.

»Egal, wer ihr seid – das Tor bleibt zu!«, schnaubte er.

Gunther von Bentheim schwenkte ein Papier, das vor einiger Zeit Nikolaus und Hans von Polenz unterschrieben hatten. »Ich bin im Auftrag des Landvogtes der Niederlausitz unterwegs! Öffnet das Tor!«

Der Hauptmann der Stadtwache winkte ab. »Ihnen dürfte nicht entgangen sein, dass Finsterwalde jetzt dem Kurfürsten von Sachsen und Markgrafen von Meißen gehört und mitnichten dem Landvogt der Niederlausitz, den Sie erwähnten. Reiten Sie zurück in Ihr Gasthaus. Wünsche angenehme Nachtruhe. Morgen früh öffnen wir wieder!«

Als die drei Reiter keine Anstalten machten, zu verschwinden, fügte Thomas von Bennewitz hinzu: »Ich habe hier vier Hellebardiere, die mit ihren Waffen umgehen können. Ich wünsche nicht, das Blut von Ihnen oder Ihren Pferden zu vergießen!«

Wutschnaubend musste Gunther von Bentheim sein Pferd wenden. Er hatte nicht nur zwei Männer verloren, sondern musste auch noch diese Demütigung hinnehmen. Auch mit zwei Reitern mehr hätte er das geschlossene Tor nicht berennen können.

Berthold lenkte sein Pferd an die Seite des Ritters mit dem finsteren Gesicht.

»Die entkommen uns nicht, Gunther! Wir wissen, wohin sie wollen und können morgen nach dem Frühstück nach Mückenberg reiten!«

»Ich weiß, Berthold. Mir macht nur Sorge, ob Nikolaus und Hans von Polenz einer Belagerung von Mückenberg zustimmen. Im Falle von Sallgast konnte ich sagen, der Landvogt ist angehalten, gegen Raubritter vorzugehen. Es ist leicht durchschaubar, dass ich die Wasserburg Mückenberg belagern will, weil dort ein von Köckritz haust. Der Abt des Klosters Dobrilugk, ebenfalls einer aus dem Clan derer von Köckritz, hat mir vorgeworfen, in der Schlacht vor Aussig absichtlich den rechten Flügel der vereinigten Streitkräfte der deutschen Fürsten gegen die Hussiten in eine Falle geschickt zu haben.«

»Wie kommt der Abt zu dieser Behauptung?«, fragte Berthold.

Gunther hatte die Hand am Schwertgriff. Er hätte es gezogen, wenn der ehemalige Gauner aus Liebenwerda die Frage anders formuliert hätte.

»Ich weiß es nicht, Berthold! Niemand konnte vorhersehen, dass die böhmischen Ketzer hinter einem Waldstück und einer Hügelkuppe eine befestigte Linie aus Kampfwagen und Kanonen angelegt hatten! Ja, damals sind viele Ritter aus dem Geschlecht derer von Köckritz gefallen. Aber mir es in die Schuhe zu schieben …«

»Reiten wir zum Gasthaus und genehmigen uns einen Schoppen Wein. Morgen sehen wir weiter!«, sagte Berthold und trieb sein Pferd an.

Matthias blickte zum Himmel. Düstere Wolken verdunkelten den Vollmond, der ihnen bisher den Weg gewiesen hatte. »Es hat keinen Zweck. Wir müssen hier übernachten. Ich sehe die Sterne nicht mehr, die uns den Weg nach Süden weisen!«

»Vor uns liegt dichter Wald und niemand weiß, was dort alles lauert«, stimmte ihm Hartmut zu.

Sie mussten als schwerbewaffnete Männer weder Räuber noch wilde Tiere fürchten. Das Gefährlichste waren Wurzelstöcke, die über dem Boden lagen. Hier konnte leicht ein Pferd ins Straucheln geraten und sich verletzen.

»Wir biegen nach rechts in diese Lichtung ab und werden kein Feuer entzünden!«, bestimmte Matthias. »Falls es Gunther von Bentheim gelungen ist, die Stadtwache zum Öffnen des Tores zu bewegen, müssen wir weitgehend unsichtbar bleiben.«

Margarete und Katharina glitten von den Sätteln und wurden von Friedrich und Hartmut aufgefangen.

»Wie sieht es mit dem Proviant aus, Friedrich?«, fragte Matthias.

»Reicht für zwei, drei Tage, Herr!«, antwortete der Waffenknecht leise.

»Wie schön wäre es, die klammen Finger an einem Feuer zu erwärmen«, hauchte Margarete ihrer Freundin Katharina zu. »Der Lichtschein und der Geruch des Qualms könnten von Bentheim auf unsere Fährte locken«, verteidigte sie die Entscheidung ihres Geliebten.

Zum Abendessen gab es nur trockenes Brot und Käse, dafür aber ungarischen Rotwein aus Lederschläuchen, den man den Spielleuten abgekauft hatte.

Hartmut kaute auf einem Kanten Brot, spülte den Bissen mit einem Schluck Wein herunter.

»Wir sind in der Überzahl, Matthias. Warum legen wir hier keinen Hinterhalt? Wir könnten Gunther entwaffnen, ein für alle Mal zum Schweigen bringen oder gefesselt nach Mückenberg schleifen!«

»Keine gute Idee, Hartmut. Gefolgsmann des Nikolaus von Polenz, der Vetter des Landvogtes ist, der wiederum die Gerichtsbarkeit innehat. Mein Onkel wäre entsetzt, wenn wir ihm einen Gefangenen bringen, der nichts als Ärger bedeutet!« Matthias schüttelte den Kopf.

»Wenn die Bemerkung gestattet ist, dann ist keineswegs sicher, dass die Stadtwache von Finsterwalde Gunther von Bentheim durchlässt! Wir haben es gerade so noch geschafft, dann schlossen sie die Tore. Da Finsterwalde dem Kurfürsten von Sachsen ...«, mischte sich Friedrich ein.

Matthias unterbrach seinen Gefährten mit einer unwirschen Handbewegung. »Schon verstanden, Friedrich. Es kann gut sein, dass sie erst morgen früh durchgelassen werden und wir warten müssen. Meine Entscheidung steht fest! Wir werden kurz vor Sonnenaufgang aufbrechen und zunächst ein Pferd für Hartmut besorgen. Selbst wenn Gunther uns einholt, wird er keinen offenen Angriff wagen. Schlaft wohl! Erste Wache – Friedrich!«

Katharina kuschelte sich in der Kälte der Nacht eng an Margarete, die es sich gern gefallen ließ.

»Warum lässt Gott der Herr nicht zu, dass ich euch beide lieben kann – dich und Hartmut?«, schniefte die ehemalige Nonne.

»Ich wünschte auch, es wäre anders«, flüsterte Margarete. »Du hast dich für ein weltliches Leben entschieden und nur ein Mann kann dir die Freuden der Mutterschaft spenden.«

Da Friedrich die erste Wache gehabt hatte, konnte Matthias den ausgeruhten Mann im Morgengrauen zu einem Erkundungsritt nach Norden entsenden.

Margarete und Katharina, sowie Peter und Hartmut rollten gerade die Decken zusammen, die sie in dieser feuchten und kühlen Oktobernacht gewärmt hatten.

»Ich bin etwas rumgekommen«, gähnte Peter. »Hier in der Nähe gibt es einen Bauern, der auch Pferde züchtet. Nicht nur Ackergäule – ich habe eine Nacht in der Scheune neben dem Stall verbracht!«

»Warum hast du das nicht gleich gesagt?«, brauste Matthias auf. Dann ging er zu seinem Pferd, klopfte an dessen Hals und beruhigte sich wieder. »Tut mir leid, Peter. Ungeachtet deiner Schürzenjagd nach Margarete sind wir alte Freunde. Wir warten noch auf Friedrich, dann auf zu diesem Bauern!« Matthias schlug Peter mit der flachen Hand auf die Schulter. Der Sohn eines Töpfers wusste es zu schätzen. Sein Freund war jetzt ein Adeliger von Köckritz, der Ritterschlag nur eine Frage der Zeit.

Friedrich kam herangaloppiert und sprang vom Pferd. »Von Gunther und seinen verbliebenen Spießgesellen keine Spur. Es wird wohl sein, wie vermutet. Man wird erst jetzt das südliche Stadttor für sie öffnen! Ich reibe nur schnell mein Pferd trocken, dann können wir weiter!«

Da Hartmut immer noch zu Fuß unterwegs war, kamen sie nur langsam voran. Friedrich bildete wie zuvor die Nachhut, um einen zwar nicht wahrscheinlichen, aber möglichen Überraschungsangriff von Gunther von Bentheim auszuschließen.

Der pferdezüchtende Bauer südlich von Finsterwalde verbeugte sich, als sich Matthias als Ritter von Köckritz vorstellte.

Er registrierte sehr wohl, dass auf dessen Schild nicht einmal das Wappen des Adelsgeschlechtes abgebildet war - drei Lilien auf blau-silbernen Grund, gekrönt von zwei Stierhörnern, darunter eine Helmdecke in den gleichen Farben. Helfried kannte es. Johann von Köckritz war hier Kunde.

»Werter Herr, ist die Frage gestattet, ob Ihr mit dem Ritter von Köckritz von Mückenberg verwandt seid?«, fragte der Züchter.

»Das will ich meinen. Ist mein Onkel, ich bin auf dem Weg zu ihm. Wir brauchen ein Pferd für meinen Waffenknecht Hartmut!«, rief Matthias von oben herab.

»Dann folgen Sie mir in den Stall, werte Herren«, katzbuckelte der Bauer. »Ich habe hier einen besonders edlen Fuchshengst, acht Jahre, aber immer noch ausdauernd und schnell!«

Hartmut ging zum Reittier, das in seinem abgetrennten Abteil unruhig schnaubte. Er klopfte an den Hals des Pferdes, das sich daraufhin beruhigte.

»Wieviel?«, fragte Hartmut knapp. Sie wollten noch an diesem Tag die Burg Mückenberg erreichen. Das musste man dem Züchter nicht auf die Nase binden.

»Sechzig Groschen«, antwortete Helfried mit ernster Miene. Ihm war nicht entgangen, dass die Männer und die beiden Frauen in Eile waren. Das trieb den Preis nach oben.

»Vierzig Groschen, das Pferd ist nicht mehr in der Blüte seiner Jahre«, sagte Hartmut. Er verschwieg, dass es zwischen ihm und dem Tier eine Verbindung gab. Es hätte die Verhandlungen erschwert.

»Treffen wir uns bei fünfzig Groschen«, schlug Helfried einen Kompromiss vor. Matthias und Hartmut steckten die Köpfe zusammen. »Wenn wir zusammenlegen, gehört das Pferd dir«, zischte Matthias seinem neuen Kampfgefährten zu.

Matthias zählte die Silbermünzen ab und übergab sie dem Züchter. Langsam wurde die Kriegskasse knapp. Jeder hatte fünfundzwanzig Groschen beigesteuert.

»Dafür bekommt ihr natürlich Zaumzeug und Sattel gratis dazu«, freute sich Helfried über das gute Geschäft. Es kam nicht jeden Tag vor, dass er ein Pferd so gewinnbringend verkaufen konnte.

Obwohl Hartmut jetzt ein Reittier hatte, kam man nicht unbedingt rascher voran als zuvor. Da Margarete und Katharina vorn auf den Sätteln saßen, konnte man nicht in die schnellere Gangart wechseln. Friedrich bildete die Nachhut, ließ sich auch mal weiter zurückfallen. Von Gunther von Bentheim und seinen verbliebenen Spießgesellen keine Spur. Das konnte nur bedeuten, dass sie sich nach dem Desaster in Finsterwalde auf den direkten Weg nach Senftenberg gemacht hatten, um Verstärkung zu holen.

Kapitel 21

Sie erreichten die Bauernhäuser von Mückenberg bereits am Mittag und standen bald darauf vor der geschlossenen Zugbrücke der Wasserburg. Man hatte sich einst die Mühe gemacht, einen Kanal von der Schwarzen Elster bis hierher zu schaufeln, um die Festung durch einen breiten Wassergraben vor Angriffen zu schützen.

»Ich, Matthias von Köckritz, begehre Einlass, um meinen Onkel Johann zu sprechen! Lasst die Zugbrücke herunter!«, rief Matthias, der vom Pferd gestiegen war, hinauf zur Torwache auf den Zinnen.

»Nicht so wehrhaft wie Sallgast«, zischte Friedrich Hartmut zu.

»Kann mit einer Streitmacht von wenigen hundert Mann erfolgreich belagert werden«, stimmte ihm der ehemalige Gefolgsmann von Gunther zu. »Ich weiß nicht, ob es eine gute Idee war, hierher zu reiten.«

Ketten rasselten und die Zugbrücke senkte sich. Das Tor wurde geöffnet und sie ritten in den Innenhof der Burg. Matthias hatte zwar das Gespräch von Friedrich und Hartmut nicht mitbekommen, kam nach einer Musterung der Mauern und des Bergfrieds zu einer ähnlichen Einschätzung.

Blieb nur zu hoffen, dass Gunther von Bentheim es nicht wagen würde, im Herbst mit einer Belagerung zu beginnen.

Nachdem die Pferde in die Obhut von Stallburschen übergeben worden waren und die Damen die Kleider gerichtet hatten, trat der Burgherr auf den Innenhof.

»Willkommen, frischgebackener Neffe! Ich würde lügen, wenn ich behaupte, dass dein Besuch mich hocherfreut. Dafür gibt es einen guten Grund.« Johann von Köckritz zeigte mit ausgestrecktem rechten Zeigefinger auf Margarete.

»Das Weib des Nikolaus von Polenz, der uns demnächst seine Aufwartung machen wird! Wenn wir Pech haben, mit einer Blide und Kanonen im Tross!« Johann von Köckritz fuhr mit einer Hand durch den ergrauenden Bart. »Da wir blutsverwandt sind, bist du mir natürlich ungeachtet aller Probleme, die du hier anschleppst, herzlich willkommen!«

»Darf ich fragen, werter Onkel, weshalb du so gut informiert bist?«, wollte Matthias wissen.

»Zwei meiner Männer waren in Finsterwalde auf dem Markt und haben allerlei mitbekommen. Jetzt kommt erstmal hinein und lasst euch Speisen und Trank servieren!«

Margarete wollte aufbegehren und darauf hinweisen, dass es ein Rechtsgutachten gab, welches die Ehe mit Nikolaus von Polenz für ungültig erklärte. Ihr blieb das Wort im Hals stecken.

Aus dem Gesicht ihres Angebeteten war jede Farbe gewichen. Matthias hielt zum Glück nichts in der Hand. Er hätte es fallengelassen. Sein Onkel Johann hatte ihn mit keiner Andeutung auf diesen Anblick vorbereitet.

An der langen Tafel im Palas saß ein Mann mit verfilzten grauen Haaren und Bart, der einen Punkt auf der Tischplatte anstarrte.

»Vater!«, schrie Matthias. Er wusste es inzwischen besser, aber das war der Mann, den er Zeit seines Lebens Vater genannt hatte.

Karl Brandt hob den Kopf. »Ich danke dir für die Begräbnisse, Matthias. Als ich zurückkam, fand ich nur die Grabhügel vor. Du hast sogar den Hund beerdigt!«

Eine Magd brachte die Getränke. Karl Brandt hatte bereits einen Krug vor sich stehen, der aufgefüllt wurde. Alle anderen nippten dankbar an den Bechern mit Dünnbier – alle, außer Matthias. Das war kein Trugbild. Sein Ziehvater saß leibhaftig vor ihm. Er war weder entführt noch ermordet worden. Zwei hatten das Massaker an der Schwarzen Elster überlebt: Die Magd Hanka und Karl Brandt. Als Matthias klar wurde, dass beide wehrhafte Männer während des brutalen Überfalls abwesend gewesen waren, wurde er zornig.

»Wo warst du, als das Gehöft überfallen wurde? Welche Angelegenheit war so dringend, dass du nicht auf meine Rückkehr gewartet hast?«, zischte Matthias.

»Nun setz dich und nimmt einen Schluck Bier, Hopfen beruhigt«, seufzte Karl Brandt, der in den letzten Monaten sichtlich gealtert war. Er musste den Krug mit beiden Händen umfassen, um nichts zu verschütten.

»Ein Kampfgefährte aus der Zeit, als wir die Prager Burg zurückeroberten, bat mich um Hilfe. Er hatte einen Boten geschickt. Es duldete keinen Aufschub. Ich heuerte in Senftenberg zwei ehemalige Söldner an, um das Gehöft während deiner und meiner Abwesenheit nicht ungeschützt zu lassen. Ich weiß nicht, ob sie das Geld versoffen, von den Angreifern abgefangen und besser bezahlt wurden, ja vielleicht sogar gemeuchelt wurden. Die Vermutung liegt nahe, dass ein Spion im Gebüsch lag und den günstigsten Zeitpunkt für einen Überfall meldete, an wen auch immer.«

Karl Brandt starrte nach der langen Rede wieder auf einen Punkt auf der Tischplatte, besann sich dann darauf, die Kehle zu befeuchten.

»Es fehlten zwei Grabhügel. Ich folgerte daraus, dass zwei den Überfall überlebt hatten. Wer um alles in der Welt überfällt ein Bauerngehöft mit einer Mühle außer Betrieb?« Karl Brandt stellte den Bierkrug so schwunghaft ab, dass einige Spritzer die Tischplatte und die Kleidung benetzten.

»Ich hatte gehofft, du kannst etwas Erhellendes dazu beitragen«, seufzte Matthias.

Inzwischen hatten Bedienstete des Burgherrn Johann von Köckritz Platten mit kaltem Braten, Brot, Butter, Käse und Obst auftragen lassen. Alle langten zu – nur zwei nicht.

»Ich war nicht immer redlich, Matthias. Bei der Rückeroberung der Prager Burg habe ich Gold mitgehen lassen, das eigentlich König Sigismund zustand, um die Feldzüge gegen die böhmischen Ketzer zu finanzieren. Ich vermute, jemand hat das gewusst und das Gold gesucht. Natürlich war ich nicht so blöd, es auf dem eigenen Grundstück zu vergraben!« Karl Brandt kicherte. Beim Trinken sickerte etwas Bier aus den Mundwinkeln in seinen struppigen, grauen Bart.

»Ich war krank. Als es mir besserging, machte ich mich auf die Suche nach den Überlebenden. Ein alter Bekannter sagte, du würdest dich auf der Burg Sallgast zum Ritter ausbilden lassen. Im Dorf hieß es, du bist nach Finsterwalde unterwegs, dann wieder, du willst deinen Verwandten in Mückenberg besuchen. Deshalb bin ich hier. Weißt du, wer noch überlebte?«

»Die Magd Hanka ist Hure in einem Frauenhaus in Dobrilugk. Inzwischen gehört ihr ein Badehaus, finanziert vom Angreifer, den du angeblich nicht kennst!«, ereiferte sich Matthias.

»Hanka wollte dem Massaker entkommen, indem sie in der Elster abtauchte, entschied sich dafür, hinter einer Trauerweide zu verschwinden. Einer der Angreifer wurde mit ›Gunther‹ angeredet. Derselbe, der unter dem Banner von Hans und Nikolaus von Polenz reitet und überall behauptet, er wäre in deren Namen unterwegs. Dämmert es jetzt?«

»Gunther von Bentheim! Man sagt ihm nach, er habe eine Lage während der Schlacht bei Aussig falsch eingeschätzt und daraufhin fielen sehr viele Ritter unter dem Kanonenbeschuss der Hussiten.« Karl Brandt schien wieder bei klarem Verstand. Sein Blick ging nicht mehr ins Leere. Er musterte seinen Ziehsohn mit hochgezogenen Augenbrauen.

»Das ist noch nicht alles. Er hat sich sogar die Mühe gemacht, einen Kampfwagen der Hussiten nachzubauen, um den böhmischen Ketzern den Überfall in die Schuhe zu schieben. Hat nicht geklappt, ich habe es durchschaut. Er hat die hier anwesende Margarete Kürschner entführen lassen, die mit Hilfe des abtrünnigen Waffenknechtes Hartmut fliehen konnte. In Finsterwalde hat er es wieder versucht, wir konnten es verhindern. – Sag mal, Ziehvater, wo ist eigentlich das Gold, welches du in Prag beiseite geschafft hast?«, fragte Matthias mit gerunzelten Augenbrauen.

»Bei einem Juden in Kottbus«, sagte Karl Brandt, der nun doch eine Scheibe Brot butterte und mit einem Stück kaltem Braten belegte. »Du kannst es haben, falls du die Mühle und das Gehöft an anderer Stelle wieder neu aufbauen willst. Deine Braut ist übrigens sehr hübsch. Ob sie die Richtige für den Wiederaufbau ist - da hege ich leise Zweifel. Deine Entscheidung, Matthias!«

Margarete errötete über das ganze Gesicht. Hatte sie nicht mehrfach bewiesen, dass sie zupacken konnte? Unterwegs mit Matthias, dann auf der Burg Sallgast, wo man sie anfangs wie eine Magd behandelt hatte?

»Sie irren sich, Herr Brandt! Ich mag die Tochter eines Kaufmanns sein, kann aber sehr wohl zupacken!«, sagte Margarete und stampfte mit einem Fuß auf.

»Und von aufschäumender Gemütsart ist sie auch noch«, kicherte Karl Brandt. »Ich hoffe, auch im Schlafgemach!«

Matthias hatte seinen Ziehvater immer bewundert. Er war für ihn ein Kriegsheld und jemand, der nahezu alles konnte. Vom Dengeln einer Sense bis zur Reparatur eines Wagenrades.

Der Mann, der vor ihm saß, schien ein anderer zu sein. »Jetzt ist es genug, Ziehvater! Die Zweisamkeit von Margarete und mir geht dich nichts an! Sollten wir nicht besser überlegen, wie wir diesem Gunther von Bentheim das Handwerk legen?«

»Nimm etwas von dem kalten Braten, lieber Neffe«, mischte sich der Burgherr ein. »Du musst dir keine Sorgen machen, der taucht bald hier auf. Hängt davon ab, wie schnell sie Belagerungsgerät beschaffen und hierher bringen können. Die sicherste Methode, Schaden von dieser Burg abzuwenden wäre, wenn ihr alle verschwindet. Geht aber nicht, weil Blutsverwandtschaft und Gastfreundschaft dem entgegenstehen.«

Karl Brandt war vom genossenen Bier angesäuselt, hatte aber einen Nebensatz seines Ziehsohnes nicht vergessen. »Der lange Kerl, der sich im Hintergrund hält – ist das jener abtrünnige Waffenknecht? Wenn er am Überfall beteiligt war, weshalb lebt er noch und ist in deinem Gefolge?« Der alte Haudegen sprang auf und stützte sich an der Tischkante ab. Matthias wollte zur Rede ansetzen, wurde durch eine unwirsche Handbewegung aufgefordert, es zu unterlassen.

»Trete vor, Kerl, und verstecke dich nicht länger hinter Weiberröcken!«, schrie Karl Brandt.

Hartmut Konnewitz schob sich nach vorn und senkte den Kopf.

»Es ist wahr, Herr Brandt. Ich war dabei und habe mich weiterer Verbrechen schuldig gemacht. Euer Knecht wollte mich mit einer Heugabel vom Pferd holen, ich musste ihn erschlagen. Obwohl ich es missbilligte, habe ich tatenlos zugesehen, wie Euer Weib und Eure Tochter misshandelt wurden.« Die Vergewaltigung ließ Hartmut lieber aus. »Ich wagte es damals nicht, mich gegen Gunther zu stellen. Das tat ich erst, als man Katharina von Wildenfels schänden und ertränken wollte! Gott wird einst über mich richten. Matthias hat mir vergeben. Ich bitte Sie, mir ebenfalls zu verzeihen!«

»Am liebsten würde ich dich morgen zum Zweikampf fordern, du Mörder!«, keuchte Karl Brandt. Vor den Augen des alten Mannes tanzten plötzlich regenbogenfarbene Ringe. Er musste sich wieder setzen. Gegen den jungen Mann würde er ungeachtet all seiner Erfahrung im Kampf keine Chance haben.

»Also gut, wenn Matthias so große Stücke auf dich hält, weil du Margarete und Katharina zur Flucht verholfen und sie beschützt hast, verzichte ich auf den Zweikampf. Wir brauchen alle Männer für die zu erwartende Belagerung«, seufzte Karl Brandt.

»Weise Entscheidung, Herr Brandt«, mischte sich der Burgherr ein. »Ich hätte ohnehin keinem Zweikampf auf meiner Burg zugestimmt!«

Es dauerte nur eine Woche, bis eine Belagerungsstreitmacht vor dem Burggraben Stellung bezog.

Der Burgherr stand mit Matthias, Karl Brandt und Hartmut oben auf den Zinnen und schirmte die Augen mit der flachen rechten Hand gegen die Novembersonne ab.

»Die haben sich sogar die Mühe gemacht, eine Blide in ihre Einzelteile zu zerlegen und mit vier Fuhrwerken hierher zu transportieren«, staunte Johann von Köckritz.

»Außerhalb der Reichweite unserer Armbrustschützen und der Handrohre. Dauert noch bis morgen, bis sie den Katapult einsatzbereit haben.«

»Die gute Nachricht ist, ich sehe keine Kanonen«, ließ sich Hartmut vernehmen.

»Ach, ja, du bist hier der Experte, was das taktische Vorgehen von Gunther von Bentheim betrifft. Der ist aber nicht der Befehlshaber. Ich sehe das Banner derer von Polenz«, rief Johann von Köckritz.

»Das muss nichts heißen, Gunther hat es immer bei sich geführt«, warf Matthias ein. Hartmut nickte bestätigend.

»Schaut noch mal genauer hin. Der Helm mit dem Federbusch – Nikolaus, genannt Nickel, von Polenz persönlich. Der will sein Weib wiederhaben. Als ihr vor das Tor geritten kamt, wusste ich, es bedeutet Ärger. Nicht persönlich nehmen, lieber Neffe«, seufzte Johann von Köckritz.

Dann geschah etwas, womit die Belagerten nicht gerechnet hatten. Nikolaus von Polenz hatte an seine Lanze weiße Bänder anbringen lassen und ritt bis zur Kante des Burggrabens. »Nicht schießen! Ich will verhandeln!«, schrie er nach oben.

Johann von Köckritz wies seine Waffenknechte an, die Waffen zu senken.

Gunther von Bentheim stieß eine junge Frau nach vorn, deren Handgelenke auf dem Rücken gefesselt waren. »Gerda Maria Schneider – nicht nur die Magd der Familie Kürschner, sondern auch die Milchschwester von Margarete von Polenz. Beide Mädchen wurden von der gleichen Amme gestillt. Holt sofort mein Weib auf die Zinnen, damit sie es sieht!«, schrie Nikolaus von Polenz.

In Kriegszeiten hatte eine Frau nichts auf den Zinnen zu suchen. Johann von Köckritz wies einen Knappen an, die Genannte dennoch umgehend zu holen. Matthias spürte, wie sein Hals immer trockener wurde. Welch perfide List hatten sich Gunther von Bentheim und Nikolaus von Polenz diesmal ausgedacht?

Margarete hatte das Kleid gerafft, war nach oben geeilt und presste die Hand vor den Mund, als sie unten auf der Wiese ihre beste Freundin aus glücklicheren Tagen gefesselt sah.

»Sie wollen mich schänden und meinen Leichnam mit einem Katapult über die Burgmauer schleudern! Es sei denn, du trittst vor das Tor und hörst dir die Argumente von Nikolaus von Polenz an, die gegen eine Trennung sprechen. Er gelobt Besserung und will dir ein treusorgender Ehegatte sein. Bitte, Margarete! Wenn du meinen Tod und weiteres Blutvergießen verhindern willst, dann trete vor das Tor. Wenn das geschieht, wird niemand von der Belagerungsstreitmacht die Waffe erheben, oder einen Pfeil oder Bolzen von der Sehne schnellen lassen!«

Margarete kannte die beiden genannten Männer gut genug, um zu wissen, dass es sich um keine leere Drohung handelte. Sie traute ihnen zu, nicht nur Gerda, sondern auch Tierkadaver, Steine und Brandsätze über die Mauern zu schleudern. Genau dafür war eine Blide da.

»Um unnötiges Blutvergießen zu vermeiden mache ich es!«, sagte sie mit fester Stimme. »Ich gehe runter. Lasst die Zugbrücke herunter!«

Johann von Köckritz verneigte sich. »Weise Entscheidung! Die Waffenknechte mögen die Zugbrücke herunterlassen und das Tor öffnen! In Schussposition bleiben, falls dies ein Hinterhalt ist!«

Weder Matthias noch Karl Brandt oder Hartmut blieb Zeit, Margarete zurückzuhalten. Sie war bereits auf dem Weg nach unten. Sie konnten nur hinterherstarren, wie die junge Frau in ihr Verderben rannte.

Die Zugbrücke hatte sich noch nicht ganz gesenkt, Margarete sprang über den Spalt und fiel ihrer Freundin aus Kindertagen in die Arme. »Danke, dass du gekommen bist, Margarete«, schluchzte Gerda. »Ich glaube, sie hätten es getan!«

»Ist nur zum Schein, um dein Leben zu retten. Matthias und die anderen werden mir nach Senftenberg folgen«, zischte sie Gerda ins Ohr.

»Verzeih mir, meine Liebe, diese List! Wie sonst sollte ich deine Gunst zurückgewinnen?«, sagte Nikolaus von Polenz, der hinzugetreten war, aber das letzte nicht gehört hatte. »Wir ignorieren das Pergament aus dem Kloster Dobrilugk und fangen neu an!«

»Du willst ein Dokument ignorieren, welches meine Untreue als Rechtsgrund benennt, um die Ehe für ungültig zu erklären? Ein Pergament, das von zwei hochrangigen Vertretern der Kirche unterzeichnet wurde?« Margarete schüttelte den Kopf. Sie wusste nicht, wie es weitergehen sollte. Sie war nur hier, um das Leben von Gerda und den Menschen in der Burg, die ihr lieb und teuer waren, zu schützen. Was sie in Senftenberg erwartete, darüber hatte sie sich keine Gedanken gemacht.

»Was die Untreue betrifft, vergebe ich dir«, säuselte Nikolaus von Polenz. Margarete legte die Stirn in Falten. So kannte sie ihren Mann nicht. Und vor allem glaubte sie ihm nicht.

»Natürlich würde ich am liebsten die Burg stürmen und Matthias von Köckritz, der dir beigewohnt hat, zum Duell fordern. Du bist mir wichtiger, Liebste. Und bei dem erwähnten Dokument hat mein Vetter das letzte Wort, der oberste Gerichtsherr über die Niederlausitz!«

Von Norden her hörte man Hufgetrappel, Waffenklirren und Geschrei. Ein Ritter riss an den Zügeln seines Pferdes und brachte es direkt vor Margarete und Nikolaus zum Stehen.

»Wir werden angegriffen, Herr!«, keuchte er.

»Banner? Wappen?«

»Heinz von Waldow, Herr!«

Der Herr der Wasserburg Sallgast hatte geschworen, jedem von Köckritz zu helfen, der in Bedrängnis geriet. Er hatte Wind davon bekommen, dass Mückenberg, das Johann von Köckritz gehörte, belagert werden sollte. Zudem hielten sich dort nach seinen Informationen seine Schützlinge Margarete von Polenz und Matthias von Köckritz auf.

Nikolaus von Polenz griff unter die Achseln der verblüfften Margarete und zog sie mit einem Ruck vor sich auf den Sattel. »Du kannst heute zum zweiten Mal Menschenleben retten, Teuerste!«

Es gab bereits die ersten Toten. Ein Dutzend Waffenknechte aus Senftenberg waren unter dem Hagel von Pfeilen und Armbrustbolzen gefallen. Als Heinz von Waldow seinen kampferprobten gepanzerten Reitern befahl, die langen Lanzen zu einem Angriff zu senken, preschte Nikolaus von Polenz an die Frontlinie.

»Haltet ein, Heinz von Waldow!«, brüllte Nikolaus, der Gefahr lief, dass Margarete oder er von einem Pfeil getroffen wurde. »Margarete hat sich in meine Obhut begeben, die Fehde ist beigelegt. Halten Sie Ihre Männer zurück!«

Der alte Raubritter hob den Arm und seine Ritter und Waffenknechte zu Fuß stellten die Lanzen senkrecht.

»Ist das dein Ernst, Margarete? Du willst mit dem Mann ziehen, den du hasst?« Heinz von Waldow schüttelte den Kopf. Die neben ihm reitenden Gero von Rothstein und Bertram von Eschwege waren ebenso fassungslos.

Wegen der Helme, die ihre Gesichter verbargen, konnte man deren Mienenspiel nicht erkennen.

»Wie ich sehe, sind bereits Männer gestorben. Ich werde mich mit meinem rechtmäßigen Ehemann arrangieren, um weiteres Blutvergießen zu verhindern!«, rief Margarete.

»Wir beenden die Belagerung von Mückenberg und ziehen ab. Es steht Ihnen frei, Herr von Waldow, nach Sallgast zurückzukehren oder zu einem Festmahl in die Burg einzurücken!«, sagte Nikolaus von Polenz, nahm den Helm ab und deutete sogar eine Verbeugung an.

Er verabscheute das Raubrittergesindel genau wie sein Vetter Hans. Diese erfahrenen Kämpfer hätten die Belagerungsstreitmacht entscheidend schlagen können.

Margarete wusste nicht, wie ihr geschah, als Nikolaus ihr einen Kuss auf die Wange hauchte. »Du bist ein Engel, Liebste! Du hast vielen Männern das Leben gerettet!«

Sie traute dem Frieden immer noch nicht. Nikolaus wollte andere leiden sehen. Margarete wusste nur nicht, ob es sie oder jemand anderen treffen würde.

Kapitel 22

Das Wasser aus der Schwarzen Elster speiste den Burggraben der Feste Senftenberg. Nikolaus von Polenz führte Margarete in den Speisesaal.

»Wohin habt ihr Gerda verbracht?«, fauchte Margarete ihren Ehemann an.

»Ihr langes braunes Haar wird von einer Magd zu einem Zopf geflochten.«

Margarete sah das Grinsen im Gesicht von Nikolaus von Polenz. Sie hätte sich nicht darauf einlassen sollen, die Burg Mückenberg zu verlassen. Jetzt war es zu spät.

»Damit nicht genug, dieselbe Magd wird deiner Gerda auch die Achsel- und Schamhaare abschaben«, sagte Nikolaus und rief nach einer Magd, damit man Wein bringe.

»Wozu das alles?«, fragte Margarete. Inzwischen hatte man Wein in einer Karaffe und Becher bereitgestellt. Nikolaus nippte am Wein, befand ihn für gut und entließ die Schankmagd.

»Es gab eine Anzeige, deine Milchschwester ist eine Hexe, die mit übernatürlichen Kräften im Bunde steht. Die von mir erwähnten Vorbereitungen dienen nur dazu, dem Torturmeister und dem Untersuchungsrichter später die Arbeit zu erleichtern. Auch einen Becher Wein, meine Liebe?« Margarete schüttelte den Kopf. Sie hätte es wissen müssen. Um das Leben ihres Geliebten Matthias zu schützen, der noch nicht geübt genug im Schwertkampf war, hatte sie sich darauf eingelassen, Nikolaus von Polenz zu folgen.

»Meine Liebe, steigen wir die Stufen hinab! Ich habe keine Mühe und Kosten gescheut und nur die Besten ihres Faches nach Senftenberg gerufen. Bartholomäus von Schenk und Gernot von Hohnstein sind Meister darin, die Wahrheit herauszufinden! Darf ich dir den Arm reichen, damit du auf der Treppe nicht stolperst?«

In ihrer kurzen Ehe war Nikolaus nie so zuvorkommend gewesen. Torturmeister und Untersuchungsrichter? Das konnte nur bedeuten, dass man Gerda unter Androhung von Folter zu einer Aussage zwingen wollte.

Im Keller der Festung stand bereits ein Schreiber am Pult, um die Befragung zu protokollieren.

In einem Kamin loderte ein Feuer. Margarete stellte mit Entsetzen fest, dass man darin auch Zangen und andere Werkzeuge erhitzte.

»Warum trägt die Delinquentin noch ihre Kleider?«, schnauzte Nikolaus von Polenz. »Ich fordere dich auf, Gerda, um die hochnotpeinliche Befragung zu erleichtern, die Kleider abzustreifen!«

»Entschuldigen Sie, Herr von Polenz! Zunächst verlese ich die Anklageschrift, dann folgt die Territio, das Zeigen der Instrumente, die der Untersuchung und der Tortur dienen. Bestätigt sich der Anfangsverdacht der Hexerei und leugnet die Angeklagte, wird über das weitere Verfahren entschieden!« Bartholomäus von Schenk beendete seinen gestenreichen Vortrag und setzte sich. Er ließ sich vom Schreiber ein Dokument reichen und erhob sich umgehend wieder von seinem Platz.

An der obersten Stufe des Verlieses entstand ein Tumult. Der die Tür bewachende Waffenknecht stolperte die Stufen herunter und wäre beinahe gestürzt.

»Herr von Polenz! Mehrere Herren, einige auch in weiblicher Begleitung, wünschen Einlass und dem Prozess beizuwohnen!«, stotterte er.

»Dann lasst Stühle, Tische und Getränke herbeibringen! – Entschuldigen Sie, Herr von Schenk, die kleine Unterbrechung. Vermutlich habe ich nach ein, zwei Bechern Wein in trauter Runde verlauten lassen, dass heute ein Prozess stattfindet!« Nikolaus von Polenz hoffte inständig, dass sein Vetter Hans, der oberste Gerichtsherr der Niederlausitz, nicht so schnell aus Lübben zurückkehren würde. Auf das Donnerwetter, das unweigerlich niedergehen würde, weil er wieder einmal eigenmächtig eine Gerichtsverhandlung angesetzt hatte, konnte er gern verzichten.

Margarete hingegen war sich nicht sicher, ob es für ihre Freundin aus Kindertagen hilfreich wäre, wenn Zeugen zugegen sind.

Falls man sie entkleidete, um sie auf Hexenmale zu untersuchen, würde Gerda vor Scham im Boden versinken. Andererseits waren der Willkür Grenzen gesetzt, wenn es Zeugen gab.

Nachdem unter Gepolter weitere Tische und Stühle in das Verlies gebracht worden waren und die Gäste sich platziert hatten, richtete Bartholomäus von Schenk einen vorwurfsvollen Blick auf Nikolaus von Polenz. »Darf ich nun endlich? Danke!«

»Hier anwesende Gerda Maria Schneider, Magd in Diensten des Kaufmanns Kürschner in Ruhland, wird von uns namentlich bekannten Zeugen der Hexerei bezichtigt. Man habe sie dabei beobachtet, wie sie vom Sammeln von Pilzen und Beeren zurückkam, ohne ein Stadttor passiert zu haben. Dies wäre nur möglich, wenn sie sich in die Lüfte erheben und über die Stadtmauer fliegen könne.« Der Untersuchungsrichter, der aus Spremberg stammte, befeuchtete die trockene Kehle mit einem Schluck Wein, der in einem silbernen Pokal für ihn bereitstand.

Margarete schüttelte die blonde Haarpracht. »Wer denkt sich sowas aus?«, murmelte sie. Umgehend spürte sie einen festen, schmerzhaften Griff an ihrem rechten Oberschenkel.

»Halt dich raus, ich warne dich!«, zischte Nikolaus und nickte freundlich einem Edelmann aus dem Umland von Senftenberg zu.

»Wird dieser Märchenerzähler auch vor Gericht aussagen?« Obwohl der Griff fester wurde und ihre Augen zu tränen begannen, gab Margarete nicht auf. »Gerda ist unschuldig. Ich will, dass alles mit rechten Dingen zugeht und ihre Unschuld bewiesen wird!«

»Du hast hier gar nichts zu wollen, Liebste! Jucken deine Fußsohlen?« Nikolaus von Polenz spielte auf die Bastonade an, die Margarete erleiden musste, weil sie einen Krug zerbrochen hatte.

»Des Weiteren wurde die Angeklagte dabei beobachtet, wie sie des Öfteren mit dem in Ruhland stadtbekannten blinden Bettler Roland tuschelte, dem man das dritte Gesicht nachsagt«, fuhr Bartholomäus von Schenk mit dem Verlesen der Anklageschrift fort. »Inwiefern besagter Roland mit übernatürlichen Kräften im Bunde steht, ist nicht Gegenstand unserer Ermittlungen und wird nur auf Antrag verfolgt. Ein Hund, der durch den Garten des Kaufmanns Kürschner lief, starb am selben Abend unter Qualen. Der Angeklagten wird vorgeworfen, sie habe einen Schadzauber angewendet, weil derselbe Hund sie einmal gebissen habe. Auf einem zweiten Blatt sind mehrere mysteriöse Vorfälle in Ruhland verzeichnet, die man mit der Angeklagten in Verbindung bringen könnte, was aber nicht bewiesen ist.« Der Untersuchungsrichter warf mit einer theatralischen Geste die beiden Bögen der Anklageschrift auf die Tischplatte.

»Bekennst du dich, Gerda Maria Schneider, gemäß der Anklageschrift der Hexerei für schuldig?«

»Unschuldig!«, sagte Gerda fest, obwohl ihre Knie zitterten. Sie hatte fast eine Stunde auf einem Fleck stillstehen müssen.

»Dann beginnen wir mit der Territio! Henker, waltet eures Amtes!«

Gernot von Hohnstein stammte aus einer verarmten Adelsfamilie und übte seit einigen Jahren das niedrige Amt eines Scharfrichters und Torturmeisters aus. Er hatte sich damit abgefunden, einsam zu leben und gemieden zu werden. Um gewisse Bedürfnisse zu befriedigen, konnte er sich eine Hure kaufen. Geld hatte er genug – er wurde für seine Dienste großzügig entlohnt.

Auf einem Tisch hatte er seine Instrumente ausgebreitet, darunter fein gearbeitete Daumenschrauben aus Italien, die an den Innenseiten kleine Noppen hatten. Der Untersuchungsrichter aus Spremberg legte noch einen Gegenstand dazu, der aussah wie ein Stilett, die lange Klinge dreikantig wie eine Feile.

»Das ist ein sogenannter Hexenstecher, Angeklagte«, erklärte Bartholomäus von Schenk mit heiterer Miene. »Wenn du weiter leugnest, werden wir womöglich Stigmata, Hexenmale, auf deiner Haut finden. Wenn beim Hineinstechen Blut fliest, bist du eine normale junge Frau. Falls nicht, bist du eine Hexe!«

Hexenmale? Gerda wurde bewusst, dass man sie vor allen Leuten entkleiden würde, um ebendiese Male auf ihrem Körper zu finden. Allein der Gedanke daran, obwohl es schon einmal durch Nikolaus von Polenz ausgesprochen worden war, ließ sie vor Scham im Boden versinken.

Wenn sie zugab, eine Hexe zu sein, konnte sie all den Qualen entgehen, nur um Tage später bei lebendigem Leib vor den Toren Senftenbergs verbrannt zu werden.

»Unschuldig! Ich bin keine Hexe«, sagte sie fest. Lieber nackt vor all den Gaffern, die Nikolaus zugelassen hatte, als dieser qualvolle Tod auf einem Haufen brennenden Holzes.

»Wie du willst, Angeklagte! Entkleide dich, damit wir mit der Untersuchung beginnen können«, sagte Bartholomäus von Schenk.

Gerda reagierte nicht schnell genug. Auf ein Kopfnicken des Untersuchungsrichters wies der Torturmeister seine beiden Knechte an, der jungen Frau die Kleider vom Leib zu streifen. Kleid, Bluse und Unterkleid segelten in eine Ecke.

»Es dient nur der Wahrheitsfindung«, säuselte Nikolaus. Dabei tätschelte er den Unterarm von Margarete, die diesen angewidert zurückzog. Ihr war es vorgekommen wie die Berührung durch die Zunge einer giftigen Schlange. Sie wusste nicht, wie lange sie noch tatenlos zusehen würde. Ihre Freundin und Milchschwester sollte offensichtlich durch eine peinliche Untersuchung und anschließende Folter gezwungen werden, etwas zuzugeben, das sie nicht getan hatte.

Die Edelleute in der ersten Reihe nippten am gereichten Wein. Sie erfreuten sich am Anblick des unverhüllten Körpers einer schönen jungen Magd aus Ruhland.

Zwei Folterknechte streckten ihre Arme nach oben. Die inzwischen gefesselten Handgelenke wurden in einen Kettenzug eingehängt. Dann wurde Gerda nach oben gehievt, sodass ihre großen Zehen gerade noch den Boden berührten.

Die Beine wurden gespreizt und mittels Seilen an im Boden eingelassenen Eisenringen fixiert. Dann wurde sie mittels des Kettenzuges weiter durchgestreckt.

»Die Untersuchung auf Hexenmale führe ich selbst durch. Bei einem positiven Ergebnis wird die Beschuldigte noch einmal gefragt, ob sie gesteht. Falls sie leugnet, wird Herr von Hohnstein zur Wahrheitsfindung beitragen. Da es sich bei Hexerei um ein Ausnahmeverbrechen handelt, gibt es keine Begrenzung der Folter auf drei Mal. Henkersknecht – komm mit einer Fackel näher, damit ich die Haut untersuchen kann!«, sagte von Schenk und winkte mit einer Hand. Gleichzeitig begann er am Gesicht und Hals beginnend mit der Suche nach Hautveränderungen, wie Muttermalen, Leberflecken und ähnlichem.

»Da wird er nicht viel finden, die Magd hat makellose, glatte Haut«, raunte ein vorwitziger Edelmann seinem Freund zu.

»Wie willst du das aus dreißig Ellen Entfernung erkennen, Giselher? Es sei denn, du warst in Ruhland, hast mit ihr das Lager geteilt und sie von Nahem gesehen«, kicherte der andere am Tisch.

Bartholomäus von Schenk wurde erst unterhalb des Bauchnabels fündig, merkte sich die Stelle und beäugte im Fackelschein den glatt rasierten Venushügel. Danach die Oberschenkel, Knie, Schienbeine und Füße. Nachdem er den Kopf geschüttelt hatte, widmete er sich der Rückseite, die vom Publikum nicht einsehbar war.

Er entdeckte erst am Ansatz des Pos die nächste Hautveränderung, gleich danach am Übergang zum linken Oberschenkel.

»Nur drei, kann ich mir merken, muss ich nicht markieren«, murmelte von Schenk. Dann besann er sich darauf, dass Nikolaus von Polenz Zuschauer zugelassen hatte.

»Ich habe nur drei Male gefunden«, wiederholte er laut. Dann schritt er zum Tisch, wo der lange, stilettartige Hexenstecher lag und nahm ihn an sich. »Ich steche jetzt nacheinander in die drei Male. Wenn Blut austritt, ist alles in Ordnung. Falls nicht, ist sie als Hexe überführt!«

›Nur noch diese drei schmerzhaften Stiche überstehen, dann müssen sie mich abnehmen und freilassen‹, dachte Gerda. Die Anschuldigungen waren einfach lächerlich. Als sie aus dem Wald zurückkam, hatte sie die Kapuze des Umhangs ins Gesicht gezogen und der angetrunkene Torwächter sie nicht erkannt. Der ältere Hund des Nachbarn hatte irgendetwas Vergiftetes gefressen, das nicht von ihr stammte. Der blinde Bettler Roland hatte zwar das zweite Gesicht, war aber kein Zauberer und auch nie angeklagt worden.

Dann durchzuckte Gerda ein stechender Schmerz. Der Untersuchungsrichter hatte in die empfindliche Stelle zwischen Bauchnabel und Unterleib gestochen. Sie senkte den Kopf, soweit es ihre gestreckte Haltung zuließ. Gerda war sich sicher, dass etwas Blut hervorsickerte. Von Schenk musste nichts sagen. Die näher sitzenden Zuschauer sahen es auch. Auch beim zweiten Mal floss Blut. Da es niemand sehen konnte – auch der Henker und seine beiden Gehilfen standen zu weit weg – sagte er es den Anwesenden. Zugute kam dem Untersuchungsrichter, dass er hinter der Magd stand. Gerda spürte beim dritten Stich weniger als bei den beiden Malen zuvor. Es war ein Pikser gewesen, die Haut war verletzt.

»Herr von Hohnstein, Schreiber! Tretet näher und bestätigt, dass es sich um ein Stigma handelt! Es ist kein Blut ausgetreten, die Hexe somit überführt!«, triumphierte von Schenk.

»Ich frage dich noch einmal, Gerda Schneider – willst du nach diesem Beweis immer noch leugnen, dass du mit dem Teufel im Bunde stehst?«

»Unschuldig, Euer Ehren! Ich bin keine Hexe! Ich weiß nicht, warum an dieser Stelle kein Blut ausgetreten ist«, sagte Gerda mit fester Stimme. Sie bekam umgehend eine schallende Ohrfeige.

»Willst du damit andeuten, dass ich die Untersuchung nicht gründlich genug durchgeführt habe? Henker, eilt herbei und spreizt die Kieferknochen. Ich beginne mit der Untersuchung der Körperöffnungen, um sicherzustellen, dass die Hexe keine Zaubersprüche versteckt hat, welche ihr die Schmerzen der Folter erträglich machen!«

Nachdem Gernot von Hohnstein mit hartem Griff ihre Kiefer gespreizt hatte, spürte Gerda umgehend zwei Finger des schmierigen Untersuchungsrichters in ihrer Mundhöhle. Sie konnte einen Brechreiz gerade noch unterdrücken. Zum Glück hatte von Schenk seine Hände in eine bereitstehende Schale mit Essigwasser getaucht. Als der Grobian einen Zeigefinger tiefer stieß, überkam sie wieder der Brechreiz. Gerda schluckte die aufsteigende bittere Galle herunter. Sie ahnte, der Untersuchungsrichter machte es nur, um sie zu demütigen. Wann und warum sollte sie auch einen Zettel in ihrer Mundhöhle versteckt haben? Danach wurde es noch unangenehmer.

Bartholomäus von Schenk reinigte seine Finger, um zwei davon in ihrer Körpermitte zu versenken. Unter anderen Umständen hätte Gerda es vielleicht als erregend empfunden, wenn ein Mann seine Finger in sie versenkte. Jetzt empfand sie nur Abscheu.

Sie bäumte sich auf, soweit es ihre Fesselung zuließ. Diesmal war es der Scharfrichter, der mit einem breiten Ledergürtel zuschlug und sie wortlos ermahnte, stillzuhalten.

»Ich wäre gern an der Stelle des Untersuchungsrichters«, seufzte Giselher in der ersten Reihe.

»Wer nicht«, stimmte ihm sein Freund zu. Beide nippten am Wein. Zwischenzeitlich hatte man Platten mit kaltem Braten, Brot, Käse und Obst aufgetragen.

Bartholomäus von Schenk widmete sich dem wohlgestalteten Po der Magd. Als sich hier zwei Finger ihren Weg bahnten, hätte sie beinahe aufgeschrien. An dieser empfindsamen Stelle war die Prozedur besonders unangenehm. Gehörte das schon zur Folter oder war das noch Untersuchung? Gerda war sich dessen nicht mehr sicher. Sie war froh, als der Richter seine Finger wieder entfernte und diesmal noch sorgfältiger reinigte.

»Keine versteckten Zaubersprüche gefunden, was nichts heißen muss«, sagte von Schenk mit ausgebreiteten Armen. Genau für dieses Schauspiel hatte Nikolaus von Polenz den Mann aus Spremberg engagiert. Seiner Frau sollte vorgeführt werden, was man mit einem widerspenstigen Weib so alles anstellen konnte. In diesem Fall leider verbunden mit einem Bauernopfer. Margaretes beste Freundin würde übermorgen vor den Toren Senftenbergs brennen.

»Das weitere Vorgehen überlasse ich dem Torturmeister und Scharfrichter Gernot von Hohnstein! Schreiten Sie zur Tat, Verehrtester!«, rief Bartholomäus von Schenk und verbeugte sich, als erwarte er, Beifall zu erhalten.

Der Scharfrichter musterte seine Instrumente und Schlaggegenstände, entschied sich dann für eine mehrschwänzige Lederpeitsche, die Knoten an den Enden hatte.

Es gab auch noch eine mit Metallspitzen, welche sofort Hautverletzungen hervorrief.

Als der erste heftige Schlag ihren Po traf, konnte Gerda gerade noch einen Aufschrei verhindern. Sie biss die Zähne zusammen. Der Torturmeister schlug unbarmherzig immer wieder schnell zu, bis ihr Hintern, der Rücken und die Oberschenkel in Flammen standen. Dann machte der Folterer eine kurze Pause. Da Gerda freistehend durchgestreckt im Raum hing, ahnte sie, was folgen würde. Die empfindliche Vorderseite würde als nächstes dran sein. Als die Knotenenden der Peitsche eine blutige Spur unterhalb der Brüste der Magd hinterließen, sprang Margarete auf.

Ehe Nikolaus von Polenz sie zurückhalten konnte, stürmte sie die Bühne.

»Genug des teuflischen Spiels! Gerda ist keine Hexe! Ich bin eine! Lasst ab und befragt mich!«

»Ach, ja, hochverehrtes Weib des Nikolaus von Polenz, wie wollt Ihr das belegen?«, fragte Bartholomäus von Schenk amüsiert.

»Mein hier anwesender Ehegatte hat auf meine Fußsohlen eingeschlagen, sodass ich nicht mehr laufen konnte. Ich lag eingesperrt in meiner Kemenate. Durch einen Verwandlungszauber habe ich mich klein gemacht und bin durch das schmale Fenster geflogen. Wie hätte ich mit zerschundenen Füßen sonst in einer Nacht Naundorf erreichen können? Am Ufer der Schwarzen Elster kühlte ich meine Fußsohlen. Dort entdeckte mich zufällig Matthias von Köckritz, der sich als Matthias Brandt vorstellte. Ich stieg in seinen Kahn.« Ohne eine Antwort abzuwarten entledigte sich Margarete ihrer Kleidung, faltete alles ordentlich zusammen und legte das Bündel auf einem Stuhl ab.

»Jetzt bekommen wir mehr zu sehen, als ich erhoffte, Juri«, sagte der Edelmann Giselher und nippte am Wein. »Das Weib des Vetters unseres Landvogtes in ihrer ganzen Schönheit!«

Nikolaus von Polenz sprang auf und schrie: »Was soll das? Du kleidest dich umgehend wieder an, schamloses Weib!« Die beiden Büttel des Scharfrichters hinderten ihn daran, den Teil des Verlieses zu stürmen, in dem Gerda immer noch durchgestreckt hing.

»Ich muss Sie doch bitten, Herr von Polenz! Wenn jemand, auch wenn es bisher in meiner Praxis nicht vorkam, sich selbst der Hexerei bezichtigt, bin ich als unabhängiger Untersuchungsrichter von Rechts wegen gezwungen, dem nachzugehen!« Bartholomäus von Schenk hob wieder einmal theatralisch beide Arme.

»Was sollen wir mit der Beschuldigten machen, die leugnet?«, fragte der Scharfrichter.

»Abnehmen und auf einem Kantholz knien lassen«, bestimmte der Untersuchungsrichter. »Ihre Unschuld ist nicht erwiesen und wir müssen sie weiter hochnotpeinlich befragen. Ist ein Spanischer Esel vorhanden?«

»Jawohl, Herr von Schenk!«, antwortete Gernot von Hohnstein beflissen.

»Zunächst das Kantholz. Den Esel können wir immer noch einsetzen.«

Nachdem Gerda ihre Gliedmaßen ausgeschüttelt hatte, erwartete sie eine andere perfide Tortur. Sie musste sich auf einem Kantholz knien.

Zunächst machte es ihr nichts aus, aber der Schmerz baute sich langsam auf. Zudem waren ihre Handgelenke von den beiden Folterknechten wieder auf dem Rücken gefesselt worden.

Ungeachtet aller Proteste von Nikolaus von Polenz wurde sein Weib zum Gaudium des Publikums aufgespannt. Margarete war sich sicher, dass sie als Ehefrau des Vetters des Landvogtes niemals auf dem Scheiterhaufen landen würde.

Ihr ging es nur darum, das Leben ihrer Freundin aus Kindertagen zu retten. Ein Seitenblick sagte ihr, dass Gerda weiter leiden musste. Ein Großteil ihres Körpergewichts lastete auf den Knien. Die Auflagefläche nur eine harte Kante.

Nachdem Margarete durchgestreckt wie ihre Vorgängerin da hing, schritt der Untersuchungsrichter zur Tat. Die Begutachtung der makellosen Haut dauerte nicht lange. Margarete hatte nicht viel mehr Auffälligkeiten als ihre Vorgängerin. Dann griff von Schenk erneut zum Hexenstecher. Margarete zuckte zusammen.

Die Stiche waren schmerzvoll, aber gerade noch auszuhalten. Der Untersuchungsrichter wurde von Nikolaus von Polenz bezahlt. Umso wichtiger war, hier den Gegenbeweis zu liefern und die Selbstanzeige der Hexerei ad absurdum zu führen. Bei jedem Stich trat etwas Blut hervor. Der Schreiber musste es protokollieren.

Hans von Polenz übergab sein schwitzendes Pferd an einen Stallburschen, damit man es trockenrieb. Ein Page flüsterte ihm zu, im Verlies des Bergfrieds wäre eine Untersuchung wegen Hexerei im Gange. Hans schnaubte vor Wut. Sein Vetter hatte wieder einmal seine Kompetenzen überschritten. Ein Hellebardenträger wollte ihm den Zugang verwehren, erkannte aber sofort, wer vor ihm stand und machte Platz.

Nikolaus von Polenz musste durch einen Waffenknecht immer noch daran gehindert werden, in das Geschehen vor ihm einzugreifen.

Auf das, was Hans von Polenz zu sehen bekam, hatte ihn niemand vorbereitet. Zwei junge, nackte schöne Frauen. Eine kniete auf einem Kantholz. Das Eheweib seines Vetters hing durchgestreckt fast an der Decke.

»Schluss mit dem Theater! Ich, der Landvogt und Herr über die Niederlausitz befehle, diese Untersuchung sofort zu beenden! Ich werde umgehend erläutern, warum!«

Mit dem Landvogt wollte sich niemand anlegen. Gerda durfte sich erheben und wieder ankleiden. Margarete dachte, man würde sie ebenfalls abnehmen. »Sie bleibt hängen!«, befahl Hans von Polenz.

Der Landvogt griff in die linke Tasche des Umhangs von Bartholomäus von Schenk und förderte einen Hexenstecher zutage.

Zum Entsetzen der Zuschauer setzte er das Instrument an der Innenfläche seiner linken Hand an und stach zu. Es sah so aus, als ob die schmale Klinge einige Millimeter in die Haut eindrang. Hans hob die Hand. Zu sehen war nur ein roter Punkt.

»Ich erhielt in Spremberg einen Hinweis, Herr von Schenk arbeitet mit einem Trick. Er benutzt zwei Hexenstecher. Der zweite hat einen Federmechanismus, der die Klinge ein wenig nach innen zieht. Es sieht dann nur so aus, als würde man tief hineinstechen. Kraft meines Amtes als oberster Richter der Niederlausitz sind Sie, Herr von Schenk, abgesetzt! Sie dürfen in meinem Wirkungsbereich nicht mehr als Untersuchungsrichter arbeiten!«

Ein Raunen ging durch das Publikum.

»Warum hat er jetzt das Weib von Nikolaus hängen lassen und sie nicht ebenfalls befreit?«, wollte Juri von seinem Freund Giselher wissen, der nur mit den Schultern zuckte. »Ich hoffe, er wird uns bald aufklären!«

»Ich danke dem Herrn, dass ich gerade rechtzeitig aus Lübben zurückkehrte, um einen Justizirrtum zu verhindern, der zum Flammentod von Gerda Schneider geführt hätte«, sagte Hans von Polenz und legte die Hände zusammen. Nachdem er sein kurzes Gebet beendet hatte, widmete er sich wieder dem abgesetzten Untersuchungsrichter.

»Sie, Bartholomäus von Schenk, werden nirgendwo mehr als Richter tätig sein, zumindest soweit ich es beeinflussen kann. Dies umfasst mit sofortiger Wirkung die Nieder- und Oberlausitz. Entsprechende Kunde geht an die Kurfürsten von Sachsen und Brandenburg! Bei einem Todesurteil, das auf Taschenspielertricks beruht, hätte ich Sie in Ketten legen lassen! Verlassen Sie Senftenberg, ehe ich es mir anders überlege!«

Bartholomäus von Schenk raffte seine Siebensachen zusammen, alle, außer dem Hexenstecher mit dem Federmechanismus. Den hatte Hans von Polenz als Beweismittel sichergestellt. Dann beeilte er sich, Land zu gewinnen und huschte hinaus in den kalten Herbstabend. Vorbei die schönen Zeiten mit den Erfolgsprämien, wenn wieder einmal eine Hexe brannte. Kein Graf, Bischof oder Kurfürst wollte Frauen oder Männer, die Satan huldigten, in seinem Land haben.

Gerda machte einen Knicks. »Sie haben mir vermutlich das Leben gerettet, Herr Landvogt! Darf ich fragen, warum Margarete immer noch dort hängt und nicht abgenommen wird?«

»Das erkläre ich dir und allen Anwesenden sehr gern. Falschaussage und Behinderung der Justiz. Ich verurteile dich, Margarete von Polenz, wegen wissentlicher Falschaussage – auch wenn sie hehren Motiven entsprang – zu vierzig Peitschenhieben!« Nikolaus von Polenz musste inzwischen von vier Bütteln festgehalten werden. Der Schaum vor dem Mund tropfte auf seinen Bart.

»Ich begnadige die Lügnerin auf dreißig Hiebe mit einem flachen Riemen!« Der Landvogt wandte sich an den Henker. »Herr von Hohnstein! Liege ich richtig mit meiner Annahme, dass Sie von den Machenschaften des abgesetzten Richters nichts wussten?«

»Meine Gehilfen und ich, wir standen zu weit entfernt, um den Einsatz zweier Hexenstecher zu bemerken, werter Herr Landvogt!«

»In Ordnung, Sie bleiben Scharfrichter, hier und in Spremberg«, sagte Hans von Polenz. »Walten Sie Ihres Amtes, wir wollen es hinter uns bringen!«

»Halt!«, schrie Margarete. »Woher wollen Sie wissen, dass ich lüge?«

»Holt den Pagen Ludwig herbei! Er wird bezeugen, dass du ihm schöne Augen gemacht und zudem Geld zugesteckt hast, damit er einen Nachschlüssel anfertigen lässt. Mein Vetter hatte zwar deine Kemenate abgeschlossen, du konntest jedoch von innen aufschließen. Deine Fußsohlen schmerzten noch von der Bastonade, dennoch bist du auf eigenen Füßen bis zum Ufer der Elster gehinkt und hast einen Kahn gestohlen. Der schlug leck, du hast ihn versteckt und Matthias von Köckritz hat dich mit seinem Boot mitgenommen! Draußen vor der Stadt ist eine ehemalige Nonne, die bezeugt, dass du im Kloster Marienstern zu Mühlberg stets nur die Jungfrau Maria um Hilfe gebeten hast und niemals den Satan. Herr von Hohnstein – dreißig Hiebe bitte!«

Giselher und sein Freund Juri genossen es, wie der Torturmeister um die der Falschaussage Überführten herumschlich, um dann alle Körperpartien mit Schlägen zu bedenken. Margarete stöhnte auf. Der Schmerz wurde durch den breiten Ledergürtel gleichmäßig verteilt. Bald brannten nicht nur ihr Rücken und ihr Po, sondern auch Oberschenkel, Bauch und Brüste. Sie hatte nicht mitgezählt. Irgendwann hatte die Bestrafung ein Ende und sie wurde von ihren Fesseln befreit. Als sie sich ankleidete, spürte sie, wie der Leinenstoff auf ihrer geröteten Haut kratzte.

Nikolaus von Polenz hatte sich etwas beruhigt, war aber immer noch geneigt, auf seinen Vetter mit einem Schwert loszugehen – wenn er eines dabei gehabt hätte.

»Was sollte das, Hans? Mein Weib vor allen Leuten so zu demütigen?«, keuchte Nikolaus.

»Im Interesse des Rechtsfriedens musste es sein. Eine Falschaussage vor Gericht muss geahndet werden. Wenn ich das nicht mache, verliere ich meine Glaubwürdigkeit. König Sigismund würde mich absetzen, und ganz im Vertrauen – du die mögliche Nachfolge niemals antreten!«

Der letzte Einwand ließ Nikolaus von Polenz verstummen. Hans von Polenz war noch nicht fertig. »Draußen vor den Toren von Senftenberg lagern Leute, darunter mein alter Kampfgefährte Karl Brandt und dessen Ziehsohn Matthias von Köckritz. Ich habe ihnen angesichts des nasskalten Herbstwetters gestattet, sich innerhalb der Mauern ein warmes Plätzchen zu suchen und die Pferde unterzustellen.«

Nikolaus schnaubte verächtlich. Sein Weib hatte sich von dem Bastard von Köckritz abgewandt und wieder, wie es sich geziemte, in seine Obhut begeben.

»Alles Weitere besprechen wir in meinem Arbeitszimmer! Ich erwarte jeden Tag einen Boten vom Landvogt der Oberlausitz, damit ich mich an die Spitze eines Heeres stelle, welches den Vormarsch der böhmischen Ketzer aus der Gegend um Reichenberg und Kratzau verhindern soll. Noch wissen wir nicht, welches Ziel die haben.«

Kapitel 23

Margarete begab sich zu ihrer Kemenate, die sie in der kurzen Zeit, in der sie in Senftenberg lebte, bewohnt hatte. Als sie die massive Holztür öffnen wollte, knickste eine Zofe vor ihr.

»Werte Frau von Polenz, meine Herrin, Margarethe von Dohna, bittet Sie in ihre Gemächer zu einer Unterredung. Wenn Sie mir folgen würden?«

Natürlich wusste Margarete, dass ihre Namensvetterin mit ›h‹ aus einem alten Adelsgeschlecht in Sachsen stammte und das Eheweib des Hans von Polenz war. Nur hatte sie in der kurzen Zeit zwischen Eheschließung und überhasteter Flucht selten mit ihr zu tun gehabt.

»Margarete von Polenz, gnädige Frau!« Die Zofe machte einen Knicks und wollte sich zum Gehen wenden.

»Warte noch, Eleonore! Hol mir die Apothekerin Anne herbei. Sie soll einen Topf heilende und kühlende Salbe mitbringen!«

»Jawohl, gnädige Frau!«

Margarethe von Dohna schüttelte den Kopf. Zu ihren Füßen spielte ein Knabe. Hans von Polenz und dessen Frau hatte das Elternglück spät ereilt.

»Tritt näher, mein Liebe!«, forderte sie Margarete auf. »Du hättest dich schon vor Monaten mir anvertrauen können. Wir hätten gewiss eine Lösung gefunden! Ich will dir keine Vorwürfe machen. Setz dich! Ein Becher vom heißen Würzwein? Im Kamin prasselt ein Feuer. In so einer Burg ist es fast immer feucht und kalt.«

»Sehr freundlich von Ihnen«, sagte Margarete und setzte sich vorsichtig auf die Kante eines Lehnstuhls. Ihr Hintern brannte immer noch. »Sehr gern!«

Eine Bedienstete huschte herbei und füllte aus einem Krug einen Becher mit Würzwein. Margarete nippte nur daran, um sich nicht die Lippen zu verbrennen.

»Sprich mich mit Du und Margarethe an, du bist fast so etwas wie eine Schwägerin für mich«, hob Frau von Dohna an. »In diesem Moment wird mein Ehegatte seinem Vetter die Leviten lesen. Aus mehreren Gründen: Nikolaus darf nur bei kleineren Rechtsstreitigkeiten als Richter fungieren, niemals bei Kapital- und

Ausnahmeverbrechen, wozu Mord, Totschlag und Hexerei gehören! Einmal wurde sogar ein Gaukler gehenkt!«

»Ich weiß«, seufzte Margarete.

»Du kennst den Fall?«, wunderte sich die Frau des Landvogtes.

»Ja, ich war unter anderem mit dieser Gauklertruppe unterwegs – eine lange Geschichte.«

»Der Winter ist lang, wir haben Zeit und ich will alles hören! Zurück zu Nikolaus: Er hat seinen Gefolgsmann Gunther von Bentheim darauf angesetzt, dich zu finden und zurück zu bringen. Dabei verfolgte er stets auch eigene Ziele. Karl Brandt und Matthias von Köckritz fordern jetzt von meinem Mann eine Untersuchung, ob Gunther den Überfall auf die alte Mühle in der Nähe von Naundorf befohlen und angeführt hat!«

Margarete schrak zusammen. Sie kannte die Aussage von Hanka im Gasthaus zu Dobrilugk.

»Du hast mit Matthias von Köckritz das Lager geteilt?«, wechselte die Frau des Landvogtes unvermittelt das Thema.

»Ja, es war Sünde, ich habe gebeichtet und gebetet, wurde bestraft, rang im Kloster Marienstern zu Mühlberg mit dem Tod. Vielleicht ist es Gottes Wille, dass ich jetzt wieder hier in Senftenberg bin.« Margarete führte mit zitternden Händen den Becher an die Lippen und trank die lauwarme Neige aus.

»Du bist ein impulsives, junges Ding, Margarete. Manche deiner leichtsinnigen Entscheidungen bewundere ich. Du hast unsinniges Blutvergießen vor der Burg Mückenberg verhindert, indem du dich wieder in die Obhut deines rechtmäßigen Ehemannes begeben hast.«

Nach einem Klopfen und dem ›Herein‹ Rufen wurde die Tür einen Spalt breit geöffnet.

»Die Apothekerin Anne wäre jetzt da, gnädige Frau«, sagte die Zofe.

»Soll eintreten! Streif bitte Kleid und Unterkleid nach unten, wir wollen uns den Schaden besehen. Versteh meinen Mann, er muss auch Falschaussagen ahnden.«

Die Apotheke wurde vom greisen Vater von Anne geleitet. Es war zwar ungewöhnlich, aber sie würde in Ermangelung eines männlichen Erben das Amt übernehmen.

Margarete spürte sofort die lindernde Wirkung der Salbe, die auf ihrem Rücken aufgetragen wurde.

»Ist der Po auch betroffen?«, fragte die Apothekerin. Margarete bejahte. Frau von Dohna rief keine Zofe herbei, sondern breitete selbst eine Decke auf einer Truhe aus. Margarete legte sich bäuchlings darauf. Mit sanften, kreisenden Bewegungen trug Anne auch hier die Heilsalbe auf.

»Was macht Sie, äh, dich so sicher, dass ich hier am richtigen Ort bin – abgesehen von der wohltuenden Massage mit einer Salbe, die mir gerade zuteilwird?«

»Anne, du verschließt deine Ohren! Nikolaus soll das Amt des Landvogtes der Niederlausitz erben. Nur unter der Voraussetzung, dass er sich dir gegenüber benimmt wie ein Ritter und sich von seinem Gefolgsmann Gunther von Bentheim lossagt! Ich glaube, dir und mir ist jetzt warm genug und wir können den nächsten Becher Wein kalt genießen! Eleonore – einen zweiten Krug Wein, muss nicht auf dem Feuer erhitzt werden!«, rief Frau von Dohna ihrer Zofe zu.

Sie entlohnte die junge Apothekerin und entließ sie. Margarete schaute genau zu. Sie wünschte, genau so souverän aufzutreten, wie es ihre Namensvetterin gerade vormachte. Vielleicht war das die Chance, Nikolaus zu beeindrucken. Wenn sie weiter das ängstliche Mäuschen spielte, würde er sie wieder schlagen.

Margarethe von Dohna, die ihren Namen nach der Eheschließung behalten hatte, reichte ihrem Gast einen Becher Wein, den die Zofe befüllt hatte. »Du kannst dich wieder ankleiden, die Salbe müsste eingezogen sein. Wo waren wir stehengeblieben? Ach, ja, bei der Nachfolge im Amt des Landvogtes der Niederlausitz. Ich mache mir nichts vor. Die Hussiten stehen bei Zittau, ziehen vermutlich nach Löbau. Mein Gatte wird sich gemeinsam mit dem Landvogt der Oberlausitz an die Spitze des Heeres stellen. Noch in diesem Winter könnte mich die Nachricht ereilen, dass ich Witwe bin. Hans sucht einen würdigen Nachfolger, keinen Nichtsnutz.«

Die Amme kam, um den kleinen Jakob ins Bett zu bringen. Margarethe von Dohna hauchte ihrem Kind einen Gute-Nacht-Kuss auf die Stirn.

»Jakob kann das Amt noch nicht erben, es müsste ein Vormund eingesetzt werden. Wenn dein Ehemann auf die Bibel schwört, dich gut zu behandeln und sich von seinem umtriebigen Gefolgsmann Gunther von Bentheim lossagt, bleibt die alte Regelung. Im anderen Falle müsste sich Hans anderweitig nach einem Vormund und Nachfolger umsehen. Ich bin gespannt, wie es ausgeht. Zum Wohl, meine Liebe!« Margarethe von Dohna erhob den Becher und prostete ihrem Gast zu.

Im anderen Teil der Burg hatte Hans von Polenz seinen Vetter einen Kopf kürzer gemacht. Zumindest wirkte es so, weil Nikolaus sein Haupt bis auf das Lederwams gesenkt hatte. Zu dieser Abendstunde hatte er den Brustharnisch bereits abgelegt.

»Einverstanden, Hans«, sagte er. Mit dem Amt des Landvogtes waren nicht nur militärische und richterliche Autorität verbunden, sondern in diesem Fall auch der Besitz vieler Güter in der Niederlausitz.

»Bevor ich in den Keller kam, weil ich Kunde von einem Hexenprozess erhielt, bat mich mein alter Kampfgefährte Karl Brandt, die Heimsuchung seines Gehöftes in der Nähe von Naundorf zu untersuchen. Gemäß einer Zeugenaussage war dein Gefolgsmann Gunther von Bentheim der Anführer! Du wirst dich von ihm lossagen und ihn nicht mehr mit Geld oder Waffen ausstatten! Ich werde einen unabhängigen Untersuchungsrichter beauftragen, den Überfall aufzuklären. Da der Landvogt der Oberlausitz mir noch einen Gefallen schuldet, wird er den Richter Christoph von Haugstein entsenden. Ich würde es selbst machen, muss aber morgen früh nach Löbau, wo ich erwartet werde! Wo steckt eigentlich Gunther?«, wollte Hans von Polenz wissen.

»Ich weiß es wirklich nicht, Hans!« Nikolaus zuckte mit den Schultern. »Ich habe keine Kunde mehr von ihm, seitdem wir vor Mückenberg standen!«

»Das glaube ich dir nicht! Er ritt doch an deiner Seite, als sich Margarete wieder in deine Obhut begab - und im Übrigen in diesem Moment von meinem Weib instruiert wird, wie sie mit dir umgehen soll - doch das nur am Rande«, bemerkte Hans von Polenz süffisant.

»Um des Landfriedens Willen – Gunther von Bentheim ist ab sofort nicht mehr mein Gefolgsmann! Ich entziehe ihm meine Unterstützung. Als wir bei Ruhland lagerten, war er plötzlich mit seinen verbliebenen Waffenknechten verschwunden. Ich saß an einem Lagerfeuer und habe es nicht bemerkt, werter Vetter!«, schniefte Nikolaus, dem immer unwohler wurde.

Allein die Aussicht, seine wiedergewonnene schöne, junge Frau in den Gemächern vorzufinden, konnte sein Gemüt etwas aufheitern. Er würde Margarete so behandeln, wie man es ihm nahegelegt hatte. Seine Gelüste, andere leiden zu sehen, würde er im Zaum halten müssen und sein Weib ganz behutsam auf dem Weg, wo Schmerz auch Lust bedeuten konnte, begleiten.

Gerda zog die Kapuze ihres Umhanges tiefer ins Gesicht. Hans von Polenz hatte ihr einen Beutel Silbergroschen zugesteckt, damit sie in einem Senftenberger Gasthaus übernachten konnte, bevor sie wieder nach Ruhland zurückkehrte. Der Herbststurm zerrte an ihrem Gewand. Fast wäre sie mit einem Mann zusammengestoßen, den sie im Dunkeln nicht gleich erkannte. Sie schob die Kapuze ein wenig zurück.

»Sie, Herr Kürschner?«, wunderte sich Gerda.

»Ja, ich habe Zeugenaussagen von einem Notar in Ruhland protokollieren lassen, die dich entlasten. Ein Wächter gab zu, einige Schlucke Branntwein genossen zu haben und er deshalb nicht sah, wie du das Stadttor passiert hast. Ein Nachbar zwei Häuser weiter sagte kleinlaut, dass es ihn gestört habe, dass der Köter auf seine Auffahrt kackte und er einen vergifteten Köder warf. Komm, gehen wir in die Gaststube, Gerda!«, sagte Wilhelm Kürschner.

Bevor sie den Raum betraten, in dem Katharina, Matthias, Hartmut und all die anderen saßen, raunte der Fischhändler seiner Magd noch zu:

»Umsonst die Mühe. Der Untersuchungsrichter wurde des Betruges überführt und vom Landvogt abgesetzt. Hast du dich schon einmal gefragt, warum noch nie die Tochter eines Grafen oder Fürsten auf einem Scheiterhaufen verbrannt wurde?«

»Nein – aber was hat das mit mir zu tun? Falls es jemand überhaupt wagen sollte, ein edles Fräulein der Hexerei zu bezichtigen, würde man es mit Geld regeln. Den Untersuchungsrichter bestechen und Zeugen beeinflussen.« Gerda zuckte mit den Schultern. Sie wusste nicht, was ihr Dienstherr aus Ruhland bezweckte.

Wilhelm Kürschner stieß die Tür zum Gastraum auf, der mit stickiger Luft angefüllt war.

Der Wirt und eine Schankmagd wuselten umher, um die Becher nachzufüllen.

»Wir stoßen an auf die Freilassung von Gerda Schneider, die zu Unrecht der Hexerei angeklagt wurde!«, rief Matthias von Köckritz. Gerda senkte den Kopf. Ihr war der junge, gutaussehende Mann bereits aufgefallen, als er sich bei seinem Besuch bei ihrer Herrin damals an ihr vorbeigedrängt hatte.

»Ich muss Sie korrigieren, Herr von Köckritz«, schnaufte Wilhelm Kürschner. Er war dem Mann nicht wohlgesonnen, weil er aus seiner Sicht seine Tochter verführt hatte, die man mit Nikolaus von Polenz vermählt hatte. Derlei Befindlichkeiten musste er hintenan stellen.

»Darf ich vorstellen: Gerda von Wildenfels, nicht legitime Tochter des Grafen von Wildenfels in der Oberpfalz!«

Sowohl die ehemalige Nonne Katharina von Wildenfels als auch Gerda schlugen die flache Hand vor den Mund.

»Mein Weib Maria hat es gewusst, mich aber erst vor kurzem ins Vertrauen gezogen. Vor zwanzig Jahren zog der Graf von Wildenfels nach Norden, um eine Ehe mit seiner erst zwölfjährigen älteren Tochter im Kurfürstentum Brandenburg zu arrangieren. Er nahm nicht die direkte Route über Leipzig, sondern eine weiter östlich. Er nächtigte auch in Ruhland. Eine Magd hatte es ihm angetan, die aber erst nach weiterem Werben nachgab. Wie gesagt, mein Weib wusste davon, bedachte zu meiner Verwunderung das Kind der Magd mit besonderer Aufmerksamkeit. Später wurde Gerda zwar Hausangestellte, durfte aber unaufgefordert das Wort an mich und meine Frau richten. Zu meinem Bedauern musste ich feststellen, dass andere Hausangestellte die Bevorzugung nicht verstanden und die unselige Anzeige wegen Hexerei unterstützten. Die beiden Bediensteten habe ich entlassen!«

Wilhelm Kürschner ließ sich nieder und verlangte nun endlich auch nach einem Schluck Wein.

Hartmut hielt das rechte Handgelenk seiner Angebeteten umklammert. Katharina riss sich los und umarmte Gerda. »Wenn es stimmt, was Herr Kürschner sagt – dann sind wir Halbschwestern!«

»Und wer ist dann die dritte, die damals vermählt werden sollte?«, fragte Gerda.

»Elisabeth ist vor fünf Jahren im Wochenbett verstorben. Ich wollte nicht heiraten, habe mich für ein Leben im Kloster entschieden. Nun ist es doch anders gekommen.« Katharina von Wildenfels strahlte Hartmut an.

Kapitel 24

Margarete war nach dem Umtrunk und dem Gespräch bei Margarethe von Dohna sanft entschlummert. Irgendetwas kitzelte sie an der Wange. Ein Kuss durch einen bärtigen Mann?

Sie blinzelte mit einem Auge, konnte aber in dem Licht, das die letzte, noch nicht heruntergebrannte Kerze spendete, nicht viel erkennen.

»Wer sind Sie und was haben Sie mit Nikolaus von Polenz gemacht?«, murmelte Margarete.

»Ich muss mich entschuldigen, mein liebes angetrautes Weib! Ich glaubte, jedes Frauenzimmer brauche eine harte Hand. Es tut mir leid. Künftig werde ich dich angemessen behandeln!«

Als ein weiterer zärtlicher Kuss ihre Wange streifte, war Margarete plötzlich wach. Ein Trugbild?

Nein, es war immer noch das Gesicht von Nikolaus von Polenz, vor dem sie im Frühsommer davongelaufen war.

»Wer sagt mir, dass es nicht nur Lippenbekenntnisse sind, weil Ihr das Amt des Landvogtes zu erben gedenkt?«, flüsterte sie, jetzt wieder fast nüchtern. »Zudem gibt es noch das Dokument, das zwei hohe Geistliche unterschrieben haben und die Ehe für ungültig erklärt.«

»Du willst das wirklich disputieren?« Nikolaus von Polenz hauchte Margarete einen weiteren Kuss auf die Wange. Sie erwartete, dass er ihr Kinn mit fester Hand umklammern würde, um auch den Mund zu treffen. Das passierte nicht.

»Ich war grob zu dir, es tut mir leid. Künftig werden im Schlafgemach nur Dinge geschehen, denen du zustimmst. Du wirst mir in den nächsten Tagen und Nächten noch mit Misstrauen begegnen, was ich verstehen kann! Mein Vetter hat sicher einen Anteil daran, dass ich dich mit anderen Augen sehe. Das leugne ich nicht. Du bist schön, Margarete, du verdienst eine angemessene Behandlung!« Nikolaus entfernte sich kurz, um nach einer zweiten Kerze zu suchen, die er dann an der bereits brennenden entzündete.

»So kommen deine Anmut und Wohlgestalt noch besser zur Geltung! Ja, das Dokument. Eine Gefälligkeit des Abtes des Klosters Dobrilugk, der ein von Köckritz ist. Für den zufällig anwesenden Erzbischof von Magdeburg, dem Herrn von Schwarzburg, nur ein Wisch von vielen, der ihm womöglich untergeschoben wurde. Der einzige Grund, der den Geistlichen einfiel, war deine Untreue, Margarete! Ich vergebe dir, auch wenn ich Matthias von Köckritz am liebsten zum Zweikampf fordern würde, weil er dir beigewohnt hat! Die Trennung wäre nur wirksam, wenn ich den Grund anerkenne und dich verstoße – was nicht der Fall ist!«

Der leichte Rausch durch den bei Margarethe von Dohna genossenen Wein war endgültig verflogen. Margarete stützte sich auf den Ellenbogen auf.

»Du meinst es wirklich ernst, Nikolaus? Bleibt nur die Frage, warum meine liebste Spielgefährtin aus Kindertagen, Gerda, angeklagt und gefoltert wurde! Du hast sie entführen und nach Mückenberg verbringen lassen, um mich vor das Tor zu locken!«

»Das war die Idee von Gunther von Bentheim, den ich in Unehren entlassen habe! Es gab Anzeigen aus Ruhland, dass sie eine Hexe ist. Ich weiß, ich hätte den Prozess nicht anberaumen dürfen. Mein Vetter Hans hat mir deshalb bereits den Kopf gewaschen. Die Wächter waren instruiert, sie entkommen zu lassen«, behauptete Nikolaus von Polenz.

»Gesetzt den Fall, dein Vetter wäre vom Pferd gestürzt und hier nicht rechtzeitig aufgetaucht – wie wäre der weitere Fortgang gewesen?«, fragte Margarete mit aufgerichtetem Oberkörper.

»Wie schon gesagt – wir hätten Gerda entkommen lassen«, sagte Nikolaus ohne zu zögern.

»Möchtest du, dass ich meinen ehelichen Pflichten nachkomme?«, fragte Margarete mit Schalk in den blauen Augen.

»Darauf hoffe ich. Denk an meine Worte. Es wird nichts geschehen, was du nicht willst, Liebste. Wegen deines geschundenen Rückens empfehle ich, dass du dich auf mich setzt. Nur wenn es recht ist, meine Liebe!« Margarete begann, einige Knöpfe am Gewand ihres Gemahls zu öffnen. Zuletzt nestelte sie an der Bruche. Nikolaus lag nun auf der breiten Lagerstatt auf dem Rücken.

»Eine Position, die sonst nur in den Frauenhäusern üblich ist. Du hast recht, Niki. Wegen der Blessuren auf meinem Rücken ist es die angenehmste Stellung«, sagte Margarete und entledigte sich ihres Nachthemdes.

»Wie hast du mich gerade genannt?«, ereiferte sich Nikolaus von Polenz. Nur enge Freunde und Kampfgefährten durften ihn Nickel nennen. Den Spitznamen Niki hörte er zum ersten Mal. Früher hätte er sich maßlos darüber aufgeregt. Jetzt ließ er Margarete ungestraft gewähren.

Margarete legte den Zeigefinger über den Mund. »Psst! Genieße es einfach!« Sie setzte sich auf ihn und bestimmte den Rhythmus. Nikolaus kam es zunächst komisch vor. Diese Stellung hatte den Vorteil, dass er ihre Flanken und wippenden Brüste streicheln konnte. Nach dem gemeinsamen Höhepunkt schmiegte sich Margarete an den Mann, den man gegen den alten Nikolaus ausgetauscht hatte.

Es war ein Sommer voller Leidenschaft und Abenteuer gewesen. Beinahe wäre sie gestorben. Wenn es jetzt Gottes Wille war, ihr Leben an der Seite eines Mannes zu verbringen, den sie einst gehasst hatte, dann würde sie sich fügen. Und die Aussicht, als Frau des künftigen Landvogtes der Niederlausitz über einigen Einfluss zu verfügen, ließ die Erinnerung an Matthias, an Liebesspiele im und neben dem Wasser, zunächst verblassen.

Im Gasthaus am Markt von Senftenberg ging es hoch her. Gerda hatte zuvor die nicht weit entfernte Apotheke aufgesucht und sich von der Tochter des Geschäftsinhabers die blutigen Striemen behandeln lassen.

Dank des Beutels mit böhmischen Groschen, den sie von Hans von Polenz erhalten hatte, konnte sie nicht nur die Massage bezahlen, sondern auch einen Tiegel mit Heilsalbe mitnehmen. Nach drei Bechern Wein spürte sie fast nichts mehr von den Blessuren. Mit einem Mal drehte sich die Gaststube. Gerda sah nur noch verschwommen. Sie schob es auf die Torturen und den Wein. Matthias bemerkte es, sprang hinzu und stützte sie. Langsam geleitete er sie zu einer Sitzbank.

»Wenn dir nicht gut ist, soll ich dich in eine der Schlafkammern bringen, die der Wirt uns zugewiesen hat?«, fragte Matthias besorgt.

»Danke. Zunächst einen Becher Wasser«, stammelte Gerda. Matthias brachte umgehend das Gewünschte.

»Besser?«, fragte er.

»Ja, aber ich komme gern auf deinen Vorschlag zurück, dass du mich zu einer Lagerstatt begleitest. Nimm bitte den Korb, Matthias. Darin ist ein Tiegel mit Deckel, der wundheilende Salbe enthält.« Matthias nahm den Korb an sich und hakte Gerda unter.

Katharina von Wildenfels kam herbeigeeilt und wollte helfen.

»Es geht schon, danke, Halbschwester! Matthias bringt mich zu einer Lagerstatt. Feiert weiter!«

Wilhelm Kürschner hatte mit seinem Geld dafür gesorgt, dass der ganzen Gesellschaft mehrere Schlafkammern zur Verfügung standen.

»Es beginnt wieder zu brennen, Matthias«, hauchte Gerda. Sie sank auf einen Schemel, löste das Bändchen am Halsausschnitt und streifte Kleid und Unterkleid über die Schultern.

Matthias betrachtete im Licht der einzigen Kerze den wohlgestalteten, aber gepeinigten Rücken der jungen Frau. »Sie haben dich übel zugerichtet.«

»Zum Glück kam der Landvogt rechtzeitig. Im anderen Falle hätte mein Dienstherr mit neuen Beweisen Einspruch erhoben. Würdest du bitte die lindernde Salbe auftragen, damit ich auf dem Bauch liegend ohne Schmerzen schlafen kann?«, flüsterte die Magd, die gleichzeitig auch die Tochter eines Grafen war.

»Soll ich nicht lieber Katharina herbeiholen?«, fragte Matthias. Inzwischen hatte die junge Frau die Kleider bis zur Taille heruntergestreift.

»Nein, ich bin mir sicher, du kannst es genauso gut!«

Matthias tunkte seine Finger in den tönernen Tiegel und begann, behutsam die Salbe auf dem malträtierten Rücken zu verteilen.

»Liebst du sie immer noch?«, fragte Gerda unvermittelt.

Matthias stockte nur für einen Moment, dann massierte er die Salbe weiter ein. »Ich hoffe darauf, dass Nikolaus sein wahres Gesicht zeigt und Margarete ihn zum zweiten Mal verlässt.«

»Ich kenne Margarete seit fast zwanzig Jahren. Sie wollte immer etwas Besseres sein. Die Aussicht, als Tochter eines Händlers an der Seite des künftigen Landvogtes Einfluss und Macht zu erhalten, reizt sie. Ich würde nicht darauf wetten, dass sie morgen bei Nacht und Nebel aus der Burg türmt, um dir in die Arme zu fallen«, sagte Gerda.

»Sie hat dir vor der Zugbrücke der Burg Mückenberg das Leben gerettet. Du hast mit ihr im Sand gespielt! Insofern erscheint mir deine Einschätzung ein wenig nüchtern, meine Liebe!«

»Was hast du als nächstes vor?«, fragte Gerda, ohne auf den Einwand einzugehen.

»Ich will den Verantwortlichen für das Massaker an der Schwarzen Elster zur Verantwortung ziehen, ihn zum Zweikampf stellen. Danach werde ich mit der Hilfe meines Ziehvaters das Gehöft näher an Naundorf neu aufbauen!«

Matthias hatte es bisher unterlassen, die Vorderseite der vor ihm sitzenden Frau zu betrachten und zu salben. Jetzt trat er neben den Stuhl.

»Oh, Gott, verheilt das wieder?« Matthias betrachtete die blutige Strieme unterhalb der festen Brüste.

»Die Apothekerin Anne sagt ja. Die Narben werden verblassen. Für das, was du vorhast, brauchst du eine Frau, die nicht nur Fische ausnehmen und braten kann, sondern eine, die in jeder Lebenslage zupacken kann. Ich bin bereit, wenn du es bist, Matthias!«, rief Gerda.

Die linke Hand des jungen Mannes hatte sich selbstständig gemacht. Sie erkundete die linke Brust der vor ihm sitzenden Magd mit adeligem Hintergrund. ›Warum nicht?‹, dachte Matthias. Wenn Margarete nicht zurückkam, war das die beste Alternative, die er sich vorstellen konnte.

Das duftende, goldbraune Haar, die Schläfenlocken und das hübsche, ovale Gesicht. Die durch Peitschenhiebe aufgerissene Haut würde die Zeit heilen.

Ehe er es sich versah, hatten Gerdas flinke Finger die Schnalle des Gürtels gelöst, der Bruche und Beinlinge hielt. Matthias ging das zu schnell. In ihm brannte immer noch das Licht der Hoffnung, Margarete würde Nikolaus zum zweiten Mal verlassen. Ein nicht spürbarer Windhauch blies die kleiner werdende Flamme aus.

Gerda hatte sich der hinderlichen Kleidung ganz entledigt und rutschte auf die Oberschenkel von Matthias. Er tippte mit einem Finger an den Rand der Wunde, die die Peitsche des Torturmeisters hinterlassen hatte. Gerda zuckte nicht zusammen und gab keinen Schmerzenslaut von sich.

»Solltest du nicht nach allem, was dir widerfahren ist, ausruhen?« Es war der letzte, verzweifelte Versuch von Matthias, das eigene Gewissen zu beruhigen. Zudem hegte er den Verdacht, die junge Frau habe das Unwohlsein in der Gaststube nur vorgetäuscht.

»Es lenkt mich von den Schmerzen ab«, sagte Gerda und rutschte höher.

In diesem Moment wurde die dünne Holztür zur Kammer aufgestoßen.

»Hat Herr Kürschner nicht gesagt, dass wir beide …« Die ehemalige Nonne Katharina schlug die flachen Hände vors Gesicht.

»Nehmen wir die Kammer daneben! Vielleicht sollten wir auch die Stellung …« Hartmut konnte der auf ihn zufliegenden Hand gerade noch ausweichen.

»Es gibt einen Unterschied zwischen einer Magd, die von einem Grafen gezeugt und dessen Tochter, die auf einer Burg erzogen wurde! Auch wenn wir die Nacht auf einer Liegestatt verbringen, wirst du dich gedulden, bis ein Pfarrer seinen Segen gegeben hat!«, zischte Katharina.

»Könnt ihr das nicht woanders disputieren?«, stöhnte Matthias.

Kapitel 25

Margarete hatte das Nachthemd abgelegt und Unterkleid sowie einen Umhang übergeworfen. Nachdem sie sich mit einigen Spritzern Wasser frisch gemacht hatte, weckte sie ihren Gemahl mit einem zärtlichen Kuss auf die bärtige Wange. »Kräuteraufguss oder Dünnbier zum Frühstück, mein lieber Gatte?«, säuselte sie.

Jetzt bei Tageslicht erschien es Margarete noch unwirklicher, ausgerechnet mit dem Mann, der sie brutal missbraucht und geschlagen hatte, ein neues Leben zu beginnen. Tief in ihr schlummerte immer noch die Sehnsucht nach Matthias und seinen zärtlichen Händen.

Sie lächelte Nikolaus an. Margarete vertraute auf die Zusicherung von Margarethe von Dohna, dass man ein wachsames Auge auf den künftigen Landvogt haben würde.

»Kräuteraufguss mit ein wenig Honig, wenn es recht ist«, sagte Nikolaus von Polenz. »Ich brauche einen klaren Kopf, wenn ich nachher den Untersuchungsrichter empfange, den Hans aus Bautzen angefordert hat. Wie war gleich sein Name? Ach, ja, Christoph von Haugstein.«

Margarete stellte ihrem Mann einen Becher gesüßten Kräutertee vor die Nase, butterte eine Scheibe Brot und belegte diese mit Schinken.

»Ist es so recht? Irgendetwas betrübt dich. Darf ich als dein Weib erfahren, was es ist?«, fragte Margarete vorsichtig.

Nikolaus nippte am Becher, verzog ein wenig das Gesicht, weil sonst Bier und Wein die bevorzugten Getränke waren. »Es ist so recht, meine Liebe, Schinkenbrot geht immer«, grummelte er. »Gunther von Bentheim war lange Jahre ein treuer Gefolgsmann. Ausgerechnet ihn soll ich verfolgen und vor Gericht stellen lassen! Ehe wieder dein Einwand kommt, Margarete – nein, ich wusste nichts von dem Überfall auf das Gehöft des Karl Brandt an der Schwarzen Elster! Ich habe auch keine Ahnung, was er da gesucht hat. Mich wunderte nur, dass Gunther auf seinem Landsitz unweit von hier plötzlich mehr Nutztiere in den Ställen hatte.«

»Du wusstest davon?«, hakte Margarete nach.

»Er hat es mir so erklärt, dass jemand Schulden bei ihm hatte, aber kein Geld, weshalb seine Waffenknechte das Vieh wegtrieben. Ich habe das damals geglaubt, meine Liebe!«

Margarete runzelte die Augenbrauen, musste es dem neuen Nikolaus abkaufen. Matthias würde nicht eher ruhen, bis dieser Verbrecher, der die längste Zeit unter dem Banner derer von Polenz geritten war, gestellt war. Sie ahnte auch, dass Matthias das mit dem Schwert regeln würde.

Nikolaus stand vom Frühstückstisch auf, machte sich frisch und kleidete sich an. Wobei ihm Margarete die Kleider reichte.

Sonst war dafür ein Page zuständig. Der schien verschlafen zu haben. Der künftige Landvogt überlegte, ob er Gottschalk Wedemar zu Senftenberg hinzubitten sollte. Offiziell war dieser der Vertreter von Hans. Er konnte ihn nicht übergehen.

Nebel waberte von der Schwarzen Elster bis in den Burghof. Es kam dem Mann zugute, den man ›Den Schatten‹ nannte. Von den Waffenknechten auf den Zinnen unbemerkt, hatte er sich in Position gebracht. Der Rückzug mittels eines Seiles gesichert. Nikolaus schlurfte in Gedanken versunken über den Burghof, als ihn ein Pfeil im Rücken traf. Er stürzte auf das Pflaster.

Die Frühwache auf den Zinnen sah, dass Nikolaus von Polenz zu Boden fiel. Ein Mann in schwarzer, eng anliegender Kleidung rannte den Wehrgang entlang, um an einer bestimmten Stelle an der Mauer herunter zu klettern. Die sofort von den schussbereiten Armbrüsten abgefeuerten Bolzen verfehlten ihr Ziel. Der Attentäter war zu schnell.

Er ergriff das befestigte Seilende und schwang sich über die Mauer. Die am nächsten stehenden Wachleute, die nur Hellebarden und keine Armbrüste hatten, eilten herbei und durchtrennten das Seil.

Der Schattenmann stürzte drei Meter tief in den Burggraben, wo er sofort abtauchte. Als er vor Kälte schlotternd mit letzter Kraft das jenseitige Ufer erklomm, setzte der Beschuss erneut ein. Ein Pfeil traf ihn an der Ferse. Der Attentäter warf sich hinter die Uferböschung und zog mit schmerzverzerrtem Gesicht das Geschoss aus dem Fuß. Zum Glück war es keiner dieser Pfeile mit Widerhaken.

Margarete hatte durch ein Fenster gesehen, dass ihr Gatte zu Boden fiel. Sie rannte über die Treppen nach draußen, kniete sich neben Nikolaus. Sie brachte ihn in eine Seitenlage und fühlte den Puls. Ihr Mann lebte noch! »Holt sofort den Chirurgus und die Apothekerin Anne – jetzt!«, schrie sie.

Eine Magd, die zum Gesinde des Nikolaus von Polenz gehörte, rannte sofort zur Zugbrücke, die bereits heruntergelassen wurde. Die Waffenknechte wollten die Verfolgung des Attentäters aufnehmen.

Margarete wusste nicht, was sie außer Beten noch tun könnte. Der Pfeil hatte die Schulter getroffen. Der Blutfleck breitete sich von der Kleidung auf das Pflaster aus.

Das Leben des Mannes lag jetzt in Gottes Hand. Margarete entsann sich der Worte der Jungfrau Maria, die sie im Kloster Marienstern vernommen hatte und wandte sich an ihre Schutzpatronin.

»Maria, Mutter Gottes, nimm mir nicht den Mann, dem ich das Ehe-Gelöbnis gegeben, verlassen und betrogen habe! Ich schwöre bei allem was mir heilig ist – wenn er den Kampf gegen Gevatter Tod gewinnt, bleibe ich an seiner Seite bis ans Ende meiner Tage!«

Eine Magd brachte ein Kissen und eine Decke. Margarete schob das Kissen unter den Kopf des Schwerverletzten und deckte ihn zu. Es war empfindlich kühl.

»Wo bleiben nur die beiden, nach denen ich gerufen habe?«, rief sie.

Margarethe von Dohna war informiert worden und eilte auf den Burghof, um der jungen Frau beizustehen.

»Ein Racheakt des umtriebigen Ritters von Bentheim, der mir nie sympathisch war. Anders kann ich es mir nicht erklären, liebe Margarete«, sagte sie. »Ihm sind die Befugnisse und die Unterstützung entzogen worden. Offenbar hatte er auch Kenntnis davon, dass der Vorfall bei Naundorf untersucht und er angeklagt werden soll. Mit seinen inzwischen begrenzten finanziellen Mitteln einen Attentäter engagieren, der klettern kann wie ein Eichkater, alle Achtung!«

»Egal, wer es befohlen und ausgeführt hat – sie verdienen unsere Missachtung!«, schluchzte Margarete.

Der Stadtphysikus traf zuerst ein und untersuchte die Eintrittswunde auf dem Rücken.

»Sie haben gut daran getan, den Pfeil nicht herauszuziehen! Die Spitze könnte Widerhaken haben, welche das Gewebe weiter aufreißen! Tragen wir ihn in eine Kammer, um zu operieren.«

Zwei Waffenknechte hatten mitgedacht und kamen mit einer Trage an.

Der Verletzte wurde vorsichtig darauf gelegt und in die Räume getragen, die Nikolaus und Margarete von Polenz bewohnten. Die junge Apothekerin Anne kam hinzu. Sie hatte sauberes Verbandsmaterial und Alkohol zum Desinfizieren dabei.

Gunther von Bentheim hielt sich mit seinen Männern nicht auf dem Landgut westlich von Senftenberg auf, sondern lagerte in einem Waldstück unweit davon.

Er glaubte nicht, dass der von Hans von Polenz angeforderte Untersuchungsrichter so schnell hier sein würde. Ausschließen konnte er es auch nicht. Er hatte Berthold mit einem Reservepferd zurückgeschickt, damit der Schattenmann schneller Bericht erstatten konnte.

Sie hatten auch nicht gewagt, ein wärmendes Lagerfeuer zu entzünden, obwohl der Novemberwind durch die Äste der Bäume pfiff und letzte bunt gefärbte Blätter davongeweht wurden. Gunther hatte von seinem Gut drei Waffenknechte abgezogen, die sonst die Arbeit der Bauern überwachten. Veit, Jobst und Wulf waren nicht die hellsten Köpfe und hatten kaum Kampferfahrung, außer in Wirtshausschlägereien.

Ihr unschätzbarer Vorteil war, dass sie jeden Befehl widerspruchslos ausführten und sofort zuschlugen, wenn ihnen jemand dumm kam. Ihnen war es egal, ob ihr Herr in Senftenberg verfemt worden war. Solange Gunther noch Münzen im Beutel hatte, um sie zu bezahlen, würden sie ihm überallhin folgen.

Die Waffenknechte sprangen auf und ab, um sich durch Bewegung zu erwärmen. Gunther wollte gerade Veit losschicken, um Berthold und dem von diesem angeheuerten Schattenmann entgegen zu reiten, als sie das Schnauben zweier Pferde hörten.

»Scheiße, sie haben mich an der Ferse getroffen! Bisher war keine Zeit, die Wunde zu verbinden!«, rief der Schattenmann, der eigentlich Wernher hieß.

»Veit!«

»Ja, Herr!«

»Schuh aus, Wunde mit Branntwein säubern und mit Stoffstreifen verbinden! – Zwei wichtige Fragen, Wernher! Hat man dich nur zu Fuß oder auch zu Pferd verfolgt? Ist der elende Hund, dem ich solange treu diente, tödlich getroffen?«

Der Schattenmann stöhnte auf, als man ihm den blutigen Schuh auszog, um die Wunde zu reinigen und zu verbinden.

»Au! Nein, ich wurde nur von Fußsoldaten verfolgt. Ungeachtet der Verletzung gelang es mir, die Torwächter zu täuschen und aus Senftenberg zu entkommen!«, keuchte der gedungene Attentäter. »Zum Glück kam Berthold mit einem Pferd. Ich hätte nicht weiterlaufen können. Ich brauche trockene Sachen!«

»Was ist nun mit Nikolaus von Polenz, für den ich immer die Kastanien aus dem Feuer holen musste und der mich verraten und verfemt hat?«, brauste Gunther auf.

»Mein Pfeil durchschlug sein ledernes Wams. Er stürzte sofort zu Boden. Ich weiß nicht, ob er noch lebt. Wenn, dann ist er schwer verletzt und kann Euch nicht mehr selbst verfolgen!«, stöhnte Wernher, der Schattenmann.

»Was, du weißt nicht, ob er tot ist?« Gunther schüttelte den Kopf.

»Ich musste mein eigenes Leben retten und über die Mauer klettern«, verteidigte sich Wernher. »Zudem bin ich Fassadenkletterer und Dieb, kein Meuchelmörder!«

»Nikolaus ist zumindest außer Gefecht gesetzt. Hans von Polenz ist auf dem Weg nach Löbau, um gegen die böhmischen Ketzer vorzugehen. Bleibt der Untersuchungsrichter, von dem ich nicht weiß, ob er eigene Büttel aus der Oberlausitz mitgebracht hat«, sagte Gunther und war selbst überrascht, dass er seine Gedanken laut ausgesprochen hatte.

»Nicht unterschätzen sollte man Matthias von Köckritz und Karl Brandt, die auf Rache für den Überfall auf das Gehöft an der Schwarzen Elster bei Naundorf sinnen«, wagte Berthold einzuwenden.

»Der Bastard von Köckritz und sein Ziehvater, von dem ich immer noch nicht weiß, wo er das Gold aus Prag versteckt hat!« Gunther stieg auf sein Pferd. »Männer, ich weiß eure Treue zu schätzen. Ihr glaubt an mich, obwohl ich in Senftenberg verfemt wurde! Folgt mir nach Finsterwalde, wo meine Gefolgsmänner Georg und Kilian gesundgepflegt werden. Anschließend werden wir der Hure, die angeblich Zeugin unseres Angriffs auf das Anwesen des Karl Brandt war, das Maul stopfen!« Gunther zog sein Schwert wie ein Heerführer oder König vor einer Schlacht.

»Was ist denn das für ein aufgescheuchter Hühnerhaufen? Die Zugbrücke heruntergelassen, Waffenknechte irren wie trunken durch die Gassen!« Christoph von Haugstein schüttelte den Kopf und stieg vom Pferd. Ein Knecht kam herbeigeeilt, um nach den Zügeln zu greifen.

»Wenigstens das klappt hier! Ordentlich trockenreiben! Mein Pferd frisst übrigens lieber Möhren als Heu. Knecht! Schicke Er sofort jemand los, der Nikolaus von Polenz herbeiholt!« Der Untersuchungsrichter zupfte an seinem samtenen Barett. Ungeachtet des frischen Windes saß es noch an Ort und Stelle.

»Da … das geht nicht, Herr! Der Vetter unseres Landvogtes wurde angeschossen«, stotterte der Stallknecht. »Ein Medicus und die Apothekerin sind bei ihm!« Der Knecht winkte nach einem Pagen, der die Nase rümpfte. Er war im Stand höher als ein Stallknecht und würde keineswegs Befehle von jemand entgegennehmen, der nach Dung stank.

»Martin, schaff bitte Frau von Polenz oder jemand anderen herbei, um den vornehmen Gast in Empfang zu nehmen!«

»Wenn Sie mir bitte folgen würden, Herr?«, säuselte der Page. Wenn die hohen Herren nicht anwesend, oder wie im Falle des Nikolaus, nicht ansprechbar waren, dann war Margarethe von Dohna die Herrscherin über Senftenberg. Der Stallknecht war bei seinen Mist- und Heugabeln besser aufgehoben. Auf der Treppe eilte ihnen die gesuchte Dame entgegen.

Frau von Dohna erkannte an dem Umhang, der außen Schwarz und innen Rot war, sowie dem Barett aus Samt sofort einen Herrn von Stand. »Herr von Haugstein, wenn ich mich nicht irre? Mein Gatte, der Landvogt, hat Sie angefordert. Ich wäre Ihnen sehr verbunden, wenn Sie sich mir anschließen würden, um für die Genesung des bei einem feigen Attentat schwer Verwundeten zu beten!«

»Selbstverständlich, gnädige Frau!« Christoph von Haugstein deutete eine Verbeugung an.

Während sie zum Flügel eilten, in denen die Gemächer von Nikolaus und Margarete von Polenz lagen, stellte der Untersuchungsrichter die erste Frage.

»Gibt es schon einen Anhaltspunkt, wer auf den Vetter des Landvogtes geschossen hat?«

»Es ist nicht nur ein Verdacht, sondern wir sind uns sicher, dass es der ehemalige Gefolgsmann des Nikolaus, Gunther von Bentheim war. Nicht in persona – er hat natürlich jemanden geschickt, der flink wie eine Ratte entkommen konnte!«, sagte Margarethe von Dohna. »Seinetwegen sind Sie hier, Herr von Haugstein! Gunther werden drei Morde zur Last gelegt. Glaubt man den Berichten aus Mühlberg und Belgern – sogar vier. Dazu Entführung, Nötigung und Diebstahl!«

»Oha«, erwiderte von Haugstein darauf nur. »Mir stellt sich die Frage, warum sich Nikolaus von Polenz nicht eher von dieser Schande des Ritterstandes losgesagt hat.«

»Er war lange Zeit ein treuer Gefolgsmann des Vetters meines Mannes«, sagte Margarethe von Dohna. Dass ebenjener Gunther von Nikolaus beauftragt worden war, sein entlaufenes Weib zu suchen und unter dem Banner derer von Polenz ritt, verschwieg sie geflissentlich.

»Ich konnte wegen der Bedrohung durch die böhmischen Ketzer leider keine eigenen Gerichtsbüttel und Waffenknechte mitbringen. Für die Verfolgung des Verdächtigen Gunther von Bentheim brauche ich zwingend Bewaffnete. Ich wäre Ihnen sehr dankbar, verehrte Frau von Dohna, wenn Sie mir Waffenknechte zur Verfügung stellen oder eine Empfehlung aussprechen, wo ich welche rekrutieren kann.« Christoph von Haugstein hatte sich wie immer gestelzt ausgedrückt.

»Im Gasthof ›Zur Krone‹ sitzen einige kampferprobte Männer, die mit Gunther von Bentheim noch eine Rechnung offen haben und ihn gern zum Zweikampf fordern würden! Darunter auch ein Mann, der sich von ihm losgesagt hat und Ihnen, verehrter Herr Richter, von großem Nutzen sein kann!«, sagte Margarethe von Dohna.

Inzwischen waren sie in den Gemächern von Nikolaus angekommen. Margarete wunderte sich, wie schnell ihre neue Vertraute zurückkam, dazu noch in Begleitung eines fremden Mannes.

Nikolaus von Polenz lag mit eingefallenen Wangen auf dem Bett. Der rasselnde Atem kündete davon, dass er noch lebte. Von Haugstein nahm das Barett ab und legte die Hände zusammen.

Der Stadtphysikus hatte die blutigen Hände in einer Schüssel gewaschen und griff zu einem Handtuch, das ihm eine Magd reichte. »Die Operation ist erfolgreich verlaufen. So Gott will, verheilt die Wunde. Über spätere Folgen der Schulterverletzung kann ich noch nichts sagen.«

Zur Bestätigung seiner Worte deutete der Arzt auf ein Leinentuch, auf dem der zerbrochene Schaft und die blutige Pfeilspitze lagen. »Ich komme morgen wieder, um den Verband zu wechseln!«

»Wenn Sie gestatten, Herr Stadtphysikus, kann ich das auch machen«, sagte die Apothekertochter Anne und deutete einen Knicks an. »Ich werde Kräuter auflegen, welche einen Wundbrand verhindern!«

»Wenn Ihr Vater Sie entbehren kann, soll es mir recht sein«, antwortete der Arzt, verneigte und verabschiedete sich.

Der Untersuchungsrichter aus Bautzen hatte sein Gebet beendet und nickte dem davoneilenden Mediziner zu. Dann wandte er sich an die vor dem Bett knieende junge Frau.

»Er wird es überleben. Ich versichere Ihnen, werte Frau von Polenz, dass ich alles tun werde, um den Auftraggeber des feigen Anschlags zu finden und vor Gericht zu stellen!«, sagte von Haugstein und setzte das Barett wieder auf. Er ließ seinen Blick schweifen, entdeckte aber nirgendwo einen venezianischen Spiegel.

Die Kopfbedeckung musste exakt im richtigen Winkel sitzen, sonst fühlte er sich unwohl. »Ich wäre Ihnen sehr verbunden, werte Frau von Dohna, wenn Sie mir einen Waffenknecht zur Seite stellen, der mich zum erwähnten Gasthaus geleitet!«

»Ich kann Sie dahin führen, wenn es recht ist, Herr Richter«, mischte sich die Apothekertochter Anne ein. »Wir haben den gleichen Weg! Die Apotheke meines Vaters ist unweit des Wirtshauses am Markt!«

Von Haugstein musterte Anne mit einem Blick von der Seite. Das Mädchen war ansehnlich und ihre Gesellschaft ihm nicht unangenehm. »Da der Attentäter entkam, sehe ich keine Gefährdung für Leib und Leben von Jungfer Anne und mir und verzichte auf eine bewaffnete Begleitung! Wenn Sie mir den Weg weisen würden, Anne!«

»Sehr gern!« Die Apothekertochter errötete und deutete einen Knicks an. Der Weg führte sie von der Wasserburg über einen Damm zur Straße, die direkt zum Markt von Senftenberg ging.

Nach dem Umtrunk und den Aktivitäten in den Kammern waren noch nicht alle am Frühstückstisch erschienen. Anne hatte sich draußen vor der Tür verabschiedet. Der Untersuchungsrichter rümpfte die Nase.

»Ich bin Christoph von Haugstein, Untersuchungsrichter aus Bautzen. Es geht darum, den Ritter Gunther von Bentheim dingfest zu machen. Wer ist der am meisten Geschädigte?«, fragte er in die Runde.

Karl Brandt nippte am Krug mit Dünnbier. Ihm wäre es am liebsten gewesen, wenn er, sein Ziehsohn, Peter, Friedrich und Hartmut, mit dem er Frieden geschlossen hatte, allein die Verfolgung aufnahmen. Jetzt mischte sich auch noch ein eitler Geck aus der Oberlausitz ein.

»Ich bin wohl der am meisten Geschädigte, Herr Richter. Im Frühsommer diesen Jahres wurden mein Weib, meine Tochter und ein Knecht erschlagen. Das Vieh wurde fortgetrieben. Alle Verdachtsmomente deuten auf Gunther von Bentheim. Der Mann hier, Hartmut Konnewitz, war Mittäter und Zeuge. Er bereut, die Verbrechen nicht verhindert zu haben und ist jetzt auf unserer Seite!«

»Sie waren Mittäter und Waffengefährte des Gesuchten?« Von Haugstein beugte sich über den Tisch und musterte Hartmut scharf. »Dann können Sie mir bei der Ergreifung helfen!«

»Ich weiß nicht, worauf Sie anspielen, Herr Richter«, sagte Hartmut und umklammerte das Handgelenk seiner Angebeteten Katharina.

»Sie können sich am ehesten in diesen ehrlosen Ritter hineindenken! Was wird er als nächstes tun? Wohin wird er sich wenden?«, fragte von Haugstein und starrte sein Gegenüber aus kalten, grauen Augen an.

»Wenn Gunther Kenntnis davon hat, dass Sie ihn vor Gericht stellen wollen, dann wird ihm daran gelegen sein, Zeugen zu beseitigen«, antwortete Hartmut vorsichtig.

»Und die wären?« Von Haugstein ließ nicht locker. Er war in Bautzen und Umgebung berüchtigt für seine Beharrlichkeit.

»Nun, ja, ich glaube die ehemalige Magd von Herrn Brandt, Hanka Wessela, wäre das nächste Opfer«, stotterte Hartmut.

»Und wo finden wir die?« Christoph von Haugstein klopfte ungeduldig auf den Tisch.

»Frauenhaus oder Badestube in der Nähe des Klosters Dobrilugk.«

»Dann sollten wir keine Zeit verschwenden! Ich rekrutiere Sie als Stangenknechte im Auftrag des Landvogtes der Niederlausitz, Hans von Polenz! Sie stehen unter meinem Befehl! Aufbruch in einer Stunde. Gibt es unter Ihnen auch einen Ritter, einen Mann von Adel?«, fragte der Untersuchungsrichter lauernd.

Matthias kam gerade mit Gerda die steile Treppe hinunter, die ins Obergeschoss des Wirtshauses führte und hatte keine Ahnung, wer da unten das Regiment übernommen hatte.

»Matthias von Köckritz, edler Herr. Was kann ich für Sie tun?«

»Sie sorgen dafür, dass nach dem Frühstück alle waffenfähigen Männer draußen auf dem Marktplatz stehen, um mir nach Dobrilugk zu folgen! Die Weiber können meinethalben hier in Senftenberg verweilen.« Von Haugstein nestelte am samtenen Barett. Es saß noch an Ort und Stelle.

»Das wird nicht gehen, Herr von Haugstein, die Damen werden mitkommen wollen«, sagte Matthias verlegen.

Der Untersuchungsrichter wollte sich gerade zum Gehen wenden und wirbelte auf den Absätzen herum. »Weiber auf einem Kriegszug? Um nichts anderes handelt es sich hier, denn wir wissen nicht, wie viele Männer von Bentheim unter Waffen hat! Die beiden Damen mögen sich zur Burg begeben, um dem Weib des Ritters Nikolaus von Polenz in dieser schweren Stunde beizustehen!«

Aus Matthias Gesicht war jede Farbe gewichen. »Was soll das heißen? Ist Nikolaus tot?« Er betrachtete die junge Frau, mit der so viel gemeinsam erlebt hatte, immer noch als ›seine Margarete‹, obwohl er mit Gerda eine Nacht verbracht hatte.

»Hier scheint der Marktweibertratsch in einer langsameren Gangart abzulaufen als in Bautzen! Nikolaus von Polenz wurde von einem Attentäter, der die Wachen überlistete, in den Rücken geschossen. Der Medicus sagt, die Chancen stehen gut, dass er überlebt! Es liegt der Verdacht nahe, dass ebenjener Gunther von Bentheim der Auftraggeber ist.« Der Untersuchungsrichter wandte sich nun endgültig zum Gehen.

Beim Frühstück wurde über die Dreistigkeit des Vorgehens getratscht. Schnell wechselte das Thema zur Bedingung des arroganten Untersuchungsrichters, keine Frauen mitzunehmen.

»Ich werde keinesfalls an das Krankenlager von Nikolaus treten, um für seine Gesundung zu beten«, sagte Gerda fest. »Gunther und Nikolaus haben mich in Ruhland genötigt, mit nach Mückenberg zu kommen, wohl wissend, dass sie mich anschließend der Hexerei anklagen und der verschärften Befragung unterziehen! Ich verstehe auch nicht, welchen Narren meine beste Freundin an dem gefressen hat und an seinem Lager betet und weint!«

»Ich verstehe dich, Gerda«, sagte Matthias und legte seine linke Hand beruhigend auf ihre zitternde rechte. »Es muss ein Übereinkommen geben, von dem wir nichts wissen. Zurück zur Forderung des Richters, den uns Hans von Polenz vor die Nase gesetzt hat. Wir werden dich nicht mitnehmen können, Gerda!« Die Magd mit dem adeligen Vater wollte aufbegehren, aber Matthias hielt sie zurück.

»Es wird mich viel Mühe kosten, den Herrn Richter davon zu überzeugen, dass eine heilkundige ehemalige Nonne mitgenommen wird, welche verletzte Kämpfer versorgen kann«, sagte Matthias.

Alle Blicke wandten sich Katharina zu, die beschämt den Kopf senkte. Wenn Matthias mit dem Vorschlag durchkam, würde sie an der Seite von Hartmut bleiben können.

Sie hatte mit ihm das Lager geteilt, aber ihre Jungfräulichkeit bewahrt. Sie hoffte, dass sie allein durch ihre Anwesenheit Hartmut vor allzu kühnen Aktionen bewahren könnte.

Während Karl Brandt als der erfahrenste Kämpfer hinauseilte, um die Pferde satteln zu lassen, zog Matthias Gerda in eine stille Ecke.

»Um der alten Freundschaft willen! Überwinde deinen Stolz. Geh nicht nach Ruhland, sondern auf die Burg und stehe deiner Gefährtin bei! Finde für mich heraus, was Margarete bewogen hat, dort zu bleiben. Erst wenn ich es weiß, können wir unbeschwert in eine gemeinsame Zukunft gehen, bitte!«, flehte Matthias.

»Ich habe es geahnt, da sind noch Gefühle für Margarete. Sonst würdest du mir nicht diesen außergewöhnlichen Auftrag geben. Wenn ich ablehne – bleibe ich dann in deinem Herzen?«

»Was für eine Frage! Immer und jederzeit! Ich will nur wissen, ob es der Frau, die vorher dort wohnte, gut ergeht. Das ist alles!« Matthias küsste Gerda leidenschaftlich.

»Komm gesund zurück!«, rief sie ihm nach. Gerda machte sich auf den Weg, um herauszufinden, wie es um den Vetter des Landvogtes stand.

Kapitel 26

Gunther und seine Spießgesellen nahmen nicht den direkten Weg nach Dobrilugk, um die Magd Hanka für immer zum Schweigen zu bringen. Der geächtete Ritter wollte sich nach dem Wohlergehen seiner Gefolgsleute Georg und Kilian erkundigen. Er wusste nicht, ob die Spielleute und Gaukler Letzteren überhaupt am Leben gelassen hatten.

Der Spielmann Hanno hatte herausgefunden, dass sich die Witwe Karolina Schulte und die Hebamme Isabella um Georg kümmerten.

Es gab zwei Mitstreiter, darunter der Schwertschlucker, die vorschlugen, den Gefolgsmann des verhassten Ritters zu erschlagen und die Leiche irgendwo im Wald außerhalb Finsterwaldes zu verscharren. Hanno und die Seiltänzerin Aniko waren dagegen. Verteidigung gegen einen Angriff sei eine Sache, argumentierten sie, ein kaltblütiger Mord etwas anderes. Wenn es herauskam, würde wieder einmal einer von ihnen am Strick baumeln, oder noch schlimmer, aufs Rad geflochten werden. Diesen Tod wünschten sie nicht einmal Gunther von Bentheim.

So kam es, dass Kilian zu Georg gebracht wurde, der sich langsam von der Verletzung durch den Armbrustbolzen erholte. Es waren keine lebenswichtigen Organe verletzt worden. Wenn er sich aufrichten wollte, um etwas zu trinken, zwangen ihn die Schmerzen in den lädierten Rippen wieder zurück aufs Lager.

»Kilian?«, keuchte er. Sein Kumpan antwortete nicht. Er war noch bewusstlos. Nicht vom Messerwurf der ungarischen Amazone, sondern weil er unglücklich gestürzt war.

»Nur zwei Fingerbreit höher und etwas tiefer und wir hätten ein Fuhrwerk rufen müssen, das die traurige Gestalt zum Pfarrer bringt«, sagte Isabella. »Hast du gesehen, wie das Messer an die hinter den Männern stehende Zigeunerin weitergereicht wurde?«

»Nein. Du meinst, eine Frau hat …?« Die Witwe Schulte schüttelte den Kopf. »Ich eile in die Küche, um etwas Branntwein zu holen!«, rief sie über die Schulter. Als sie zurückkam, reckte Georg die Nase in die Höhe.

»Kann ich auch etwas aus dem Fläschchen gegen die Schmerzen haben?«, keuchte er.

»Nichts da, das ist hochprozentiger Branntwein zur Reinigung der Wunde deines Kumpans! Ich hole aus der Küche Latwerge mit Theriak. Ein Löffel und du schläfst wie ein Säugling«, sagte Karolina Schulte.

Es schmeckte süß, weil die eingedickte Arznei zu großen Teilen aus Honig bestand. Georg ließ es auf der Zunge zergehen. Wie die Witwe versprochen hatte, wurde er bald in eine samtige Wolke gehüllt. Es war ihm egal, wie es Kilian im Augenblick oder ihm morgen ging. Die Zukunft schien rosig. Bald würden sie wieder mit dem Ritter von Bentheim unterwegs sein.

Christoph von Haugstein hatte zähneknirschend zugestimmt, Katharina als ehemalige heilkundige Nonne auf die Jagd nach Gunther von Bentheim mitzunehmen.

Erste Station war das Landgut des verfemten Ritters westlich von Senftenberg. Ihnen stellte sich nur ein Mann in den Weg. Die stärksten Waffenknechte hatte Gunther mitgenommen.

»Was ist Euer Begehr und wer seid ihr?«, rief der Mann.

»Den Kerl ergreifen, Hände auf dem Rücken fesseln! Hernach in die Scheune und rückwärts aufziehen! Wir haben keine Zeit zu vertrödeln!«, rief Christoph von Haugstein.

Als der mutmaßliche Gutsverwalter sich zur Flucht wandte, ließ Karl Brandt sein Pferd kurz angaloppieren. Die Schlinge des Seiles senkte sich über den Rumpf des Mannes. Der plötzliche Ruck, als sie sich zuzog, brachte ihn zu Fall.

»Alle Achtung, Brandt! Wo gesehen und erlernt?« Der Untersuchungsrichter nickte dem alten Kämpfer aufmunternd zu.

»Zwischen Donau und Theiss in Ungarn erstreckt sich ein weites Grasland. Die einheimischen Hirten fangen so Schafe und Rinder ein.«

Matthias stieg vom Pferd. Er hatte bisher immer geglaubt, sein Ziehvater sei nur bis Prag gekommen.

Gemeinsam mit Hartmut besannen sie sich darauf, als Stangenknechte des Untersuchungsrichters angeheuert worden zu sein und schleiften den Gefangenen in die Scheune.

Von Haugstein blickte sich aufmerksam um, richtete seine Augen nach oben ins Dachgebälk.

»Na, wer sagt es denn? Eine Umlenkrolle, wie praktisch. Herr Brandt! Wenn Sie so freundlich wären, ihr Seil da oben hindurchzuführen? Besten Dank! Wie angewiesen verfahren!«

Katharina hatte strenge Anweisung, sich von der Kampflinie fernzuhalten, aber hier wurde nicht gekämpft. Hier sollte ein Mann gefoltert werden, nur weil er ein Dienstmann des Gunther von Bentheim war. Sie ließ sich vom Seitsitzsattel gleiten und übergab ihr Pferd Friedrich, der draußen wachte. Dann raffte sie all ihren Mut zusammen und lief in die Scheune.

»Lassen Sie mich mit dem Mann reden, Herr von Haugstein! Vielleicht sagt er uns auch so, ohne die Schultergelenke auszukugeln, wohin sich Gunther gewandt hat!«

»Ich habe es geahnt, dass es Ärger gibt, wenn ich gestatte, ein Weib mitzunehmen«, zischte er.

Andererseits konnte er die Tochter des Grafen von Wildenfels nicht einfach zurückscheuchen wie eine Magd.

»Also gut, versuchen Sie ihr Glück, verehrte Katharina! Bedenken Sie, dass wir in Eile sind!«

Die ehemalige Nonne trat dicht an den Gutsverwalter heran. »Wollen Sie für einen Mann, der wegen Mord, Nötigung und Amtsanmaßung gesucht wird, den Kopf hinhalten? Sie können sich großes Leid ersparen, wenn Sie mir sagen, wohin Gunther geritten ist und wie viele Bewaffnete ihn begleiten!«

»Finsterwalde, gnädige Frau! Er hat drei Waffenknechte von hier mitgenommen. Er hatte noch zwei Männer bei sich, die ich nicht kannte. Einer davon war ganz in Schwarz gekleidet und hinkte. Mehr weiß ich wirklich nicht!« Eine Frau, die einem Richter die Stirn bot, musste von hohem Rang sein. Anders konnte der Verwalter es sich nicht erklären.

Als sich Katharina umwandte, kniete eine abgehärmte Frau vor ihr und küsste den Saum des Kleides. »Danke! Sie sind ein von Gott gesandter Engel! Sie haben meinen Mann vor der Tortur bewahrt!«

»Ich war bis vor kurzem Nonne im Kloster Marienstern in Mühlberg, Gott sehr nahe. Ein Engel bin ich deshalb nicht.«

»Wenn das Fräulein von Wildenstein die Freundlichkeit hätte, wieder aufzusitzen! Wie ich bereits erwähnte, wollen wir doch alle nicht, dass der Vorsprung der Verbrecher mit jeder Minute wächst!«, kommentierte von Haugstein in seiner hochnäsigen Art.

»Was wird mit dem Gehöft?«, fragte Karl Brandt. In Kriegszeiten wurde nicht lange disputiert, da flogen schnell mal Fackeln ins Stroh und auf die Dächer.

»Gehört ab sofort Hans von Polenz! Nichts mitgehen lassen! Sie können die Fesseln ihres Mannes jetzt lösen«, rief von Haugstein der Frau zu. »Er bleibt vorläufig Verwalter, bis der Landvogt etwas anderes bestimmt!«

Vor der Wasserburg Senftenberg war die Ordnung wiederhergestellt. Die Zugbrücke war heruntergelassen, aber das Tor verschlossen. Gerda musste nicht den Klopfer betätigen. Die Wachleute auf dem Wehrgang hatten sie bereits misstrauisch beobachtet, als sie über die Brücke kam.

»Was ist dein Begehr, Weib?«, schrie einer der Waffenknechte.

»Ich bin die Zofe von Margarete von Polenz, Gerda Schneider aus Ruhland!«

Ein dritter Mann kam hinzu, lachte und zeichnete mit beiden Händen sich gegenüberliegende Halbkreise mit den Bögen nach außen in die Luft. »Ihr Tölpel! Erkennt ihr sie nicht wieder? Ich habe sie im Keller ohne Kleider gesehen, ihr sie wieder bekleidet, als sie entlassen wurde!«

Gerdas Gesicht war rot überflammt, als endlich das schwere Tor von innen geöffnet wurde.

»Was ist in deinem Korb? Decke ihn auf!«, herrschte sie der bärbeißige Waffenknecht an, der auf der Treppe des Folterkellers gestanden hatte. »Neue Vorschrift nach dem Anschlag auf den Ritter Nikolaus!«

Gerda nahm die karierte Decke beiseite. »Nichts weiter. Kamm, zwei Unterkleider zum Wechseln, Seife«, sagte sie wahrheitsgemäß.

Der Wachmann nahm es sehr genau. Er schaute auch unter der Wechselwäsche nach, fand aber keinen Dolch. »Da du kein Fräulein von Stand bist, übernehme ich das Abtasten selbst!«

Gerda wich erschrocken zurück, wurde aber umgehend an beiden Ellenbogen festgehalten. Sie wollte Einspruch erheben, sie sei die uneheliche Tochter des Grafen von Wildenfels. Die grinsenden Gesellen würden sie nur auslachen.

Der erste Waffenknecht griff mit beiden Händen an die wohlgeformten Brüste. »Im Ausschnitt ist nichts versteckt!«, lachte er. »Außer, was ich gerade in meinen Händen halte!«

»Brauchst du Unterstützung, Knut?«, witzelte der zweite Wachmann.

»Danke, ich komme ganz gut allein klar!«

Als Gerda glaubte, die Untersuchung, die ihr genauso peinlich war wie jene in der Fragkammer, wäre gleich zu Ende, wurde sie angeherrscht: »Schuhe aus, Magd!«

Sie wagte keinen Einwand, wollte nur, dass die Männer sie gehen ließen. Als der erste Waffenknecht ihr Kleid nach oben schob und der zweite ihm dabei half, wurde es Gerda zu viel.

»Plumbo grave manibus fiunt!«, rief sie.

Den Waffenknechten gehorchten die Hände nicht mehr, glitten wie von selbst nach unten und in der Folge auch der Saum des Kleides. Gerda beeilte sich, in die Schuhe zu schlüpfen, den Korb zu ergreifen und zu verschwinden. Der Waffenknecht Knut schaute entgeistert hinterher.

»Seit wann kann eine Magd die Sprache der Pfaffen? Scheiße, unser Landvogt hat eine Hexe laufen lassen! Das war ein Zauberspruch!« Knut bekreuzigte sich.

Gerda musste eine Magd, die gerade an einem Ziehbrunnen stand, nach dem Weg fragen. Sie hastete die Stufen empor und stand mit klopfendem Herzen vor den Gemächern des Vetters des Landvogtes. Wie würde ihre Freundin reagieren? Auf keinen Fall durfte Margarete erfahren, weshalb sie wirklich hier war.

Die Tür knarzte in den Angeln. Durch den Spalt lugte das blasse, übernächtigte Gesicht ihrer Freundin.

»Gerda? Komm rein! Ich dachte, du bist schon wieder auf dem Weg nach Ruhland«, flüsterte Margarete.

»Darf ich fragen, wie es … deinem Mann ergeht?«, flüsterte Gerda.

»Der Medicus und die Apothekerin sagen, er kommt wieder auf die Beine. Das Reiten und die Teilnahme an Turnieren werden ihm bis nächstes Jahr verwehrt bleiben.«

»Aber das sind doch gute Nachrichten! Ich soll dir Grüße von Matthias und all den anderen ausrichten. Sie begleiten den Untersuchungsrichter von Haugstein, um den Attentäter und

Gunther von Bentheim zu ergreifen!«, sagte Gerda und ließ sich auf einen Schemel fallen.

»Ich weiß«, seufzte Margarete. »Was bin ich für eine Gastgeberin! Möchtest du Kräutertee, Wein, Wasser?«

»Wein wäre mir recht, nachdem, was mir auf dem Burghof widerfahren ist«, stöhnte Gerda.

Margarete rief nach einer Magd und ließ einen Krug Wein und zwei Becher bringen.

»Ich habe einen Fehler gemacht, Margarete! Du weißt, ich habe es immer verheimlicht, aber die Waffenknechte begrabschten meinen Leib, weshalb ich ihnen einen Spruch entgegen geschleudert habe. Eine unverzeihliche Dummheit!«, flüsterte Gerda, für den Fall, die Magd lausche an der Tür.

»Genau deshalb habe ich mich in der Fragkammer eingemischt. Ich befürchtete, du murmelst einen deiner Sprüche und der Henker lässt die Peitsche fallen. Sie hätten dich solange gefoltert, bis du zugegeben hättest, auf einem Besen durch die Nacht zu reiten, dich mit dem Teufel zu vergnügen, das gezeugte Satansbalg zu opfern, um Salbe daraus zu kochen!«, flüsterte Margarete ebenso leise und schenkte Wein nach.

»Ich bin auch gekommen, um dir dafür zu danken! Meinst du, die Waffenknechte melden es weiter? Dann wird man mich erneut anklagen und solange festhalten, bis Hans von Polenz und der Richter von Haugstein zurück sind.«

Margarete schaute in das besorgte Gesicht ihrer Freundin. »Herrin über die Burg ist im Moment Margarethe von Dohna. Mit der komme ich klar.« Sie wollte Zuversicht verbreiten.

Gerda rutschte auf dem Stuhl unruhig hin und her.

Sie hatte gehofft, der vorzügliche Rotwein, der fast so lecker schmeckte, wie der von der Ungarin Aniko kredenzte, würde sie in einen anderen Gemütszustand versetzen. Das Gegenteil war der Fall. Sie hoffte, das Thema ›Matthias‹ solange wie möglich umschiffen zu können. Von Zeit zu Zeit huschte Margarete in das Schlafgemach, um nach ihrem Gatten zu sehen. Nikolaus hatte von der Apothekertochter auf Anweisung des Medicus Theriak bekommen und schlief fest.

Es dauerte nicht einmal bis zur Mittagsstunde, als die Magd einen Pagen meldete, der umgehend vorgelassen wurde. »Meine Herrin wünscht Sie beide umgehend zu sprechen! Bitte folgen Sie mir!« Der Page hatte den Zusatz ›meine Damen‹ weggelassen, denn Gerda war ja nur eine Bedienstete der Frau von Polenz.

Margarethe von Dohna empfing sie vor einem Kamin sitzend in einem gepolsterten Stuhl mit hoher Lehne.

»Nehmt Platz, Margarete und Gerda – so war doch der Name?«

Die Angesprochene nickte und machte einen Knicks.

»Ich hoffe, ich kann das leidige Problem mit eurer Hilfe schnell aufklären. Der Wachführer der Waffenknechte war vorhin bei mir und behauptete, du, Gerda, hast seine Männer, die dein Gepäck und dich selbst durchsuchten, mit einem Fluch auf Latein belegt! Sie wären nicht mehr Herr ihrer Arme und Hände gewesen! Du weißt, was es bedeutet?«, fragte Frau von Dohna streng.

»Ja, gnädige Frau. Der Prozess wird wieder aufgenommen und man wird mich erneut der hochnotpeinlichen Befragung unterziehen!« Gerda senkte den Kopf. Sie konnte nichts dafür, dass sie diese Gabe hatte und erst bemerkt, als sie vom Kind zur Frau wurde.

»Möchtet ihr beiden ein Glas Wein oder etwas anderes zur Stärkung?«, fragte die Frau des abwesenden Landvogtes. Sie lebte in der ständigen Sorge, den geliebten Gatten zu verlieren.

Gerade jetzt verfolgte er die Horden der ketzerischen böhmischen Hussiten, welche die Belagerung von Löbau nach kurzer Zeit abgebrochen hatten.

»Nein, danke! Wir hatten schon zwei Becher Wein«, antwortete Margarete mit gerötetem Gesicht.

»Gebt mir eine vernünftige Erklärung, dann sorge ich dafür, dass Gerda deine unbescholtene Zofe spielen darf«, seufzte Margarethe von Dohna. »Ich höre!«

»Meine Mutter, Maria Kürschner, wusste, dass Gerda die uneheliche Tochter des Grafen von Wildenfels ist. Wir wuchsen zusammen auf. Offiziell die Tochter einer Magd, wurde Gerda die gleiche Bildung zuteil, wie ich sie genoss. Dazu gehörte auch Latein. Sie erinnerte sich daran, als die Wachleute sie nach Waffen untersuchten und unziemlich berührten«, sagte Margarete.

»Und deine Darstellung, Gerda?«, fragte Frau von Dohna und nippte am Wein.

»Ich verstehe, dass die Wachleute eintretende Personen befragen und untersuchen. Sie wollen ja nur einen weiteren Anschlag auf das Leben von Ritter Nikolaus oder anderen verhindern. Als sie es übertrieben und unter dem Kleid nach versteckten Waffen suchten, habe ich ihnen auf Latein entgegengeschleudert, sie sollen ihre dreckigen Finger da wegnehmen! Da ich es nicht auf Deutsch gesagt habe, musste es in den Ohren der ungebildeten Waffenknechte wie ein Fluch klingen. Es tut mir leid, werte Frau von Dohna, dass ich mich so unbesonnen verhalten habe«, sagte Gerda.

»Akzeptiert, Gerda. Damit kann ich leben. Im Vertrauen, falls du Gerda, verborgene Fähigkeiten hast, die für mich nach weißer Magie klingen – halte dich künftig zurück. Du verstehst? Ein übereifriger Untersuchungsrichter kann dir ganz schnell einen Strick daraus drehen und dich der schwarzen Magie anklagen. Das Gespräch bleibt unter uns. - Lust, mit mir zu Mittag zu speisen?

Wenn ich mich recht entsinne, gibt es heute Wildschweinbraten mit Wurzelgemüse und Preiselbeeren!«

Margarete und vor allem Gerda atmeten erleichtert auf. Frau von Dohna hatte zwar den Finger auf die Wunde gelegt, würde aber das Geheimnis bewahren.

Kapitel 27

»Euch habe ich doch schonmal gesehen«, rief der Hauptmann, der diesmal seinen Dienst am östlichen Stadttor von Finsterwalde versah. »Otto von Quedlinburg, wenn ich mich nicht irre?«, wobei er den Namen besonders betonte. »Diesmal haben wir keine Markttage, Herr Ritter. – Botho! Die vier Faulpelze in der Wachstube mögen die Spielkarten fallenlassen, zu den Waffen greifen und die Straße sperren, wird's bald! Dann galoppierst du wie ein gestochenes Pferd zum Richter Hartwig. Der Ritter von Bentheim ist eingetroffen, um Rede und Antwort zu dem Tumult an der Gauklerwiese zu stehen!«

Der Angesprochene rannte umgehend Richtung Stadtzentrum. Gunther, Berthold und die neuen Gefolgsleute wollten die Pferde wenden, aber die Wachmänner hatten die laute Stimme ihres Anführers gehört und bereits das Stadttor geschlossen. Dann senkten sie ihre Hellebarden.

Gunther schätzte die Lage ein. Fünf gegen fünf. Natürlich könnte man die Fußsoldaten niederreiten, verbunden mit hohen Verlusten.

Die Hellebarden hatten nicht umsonst Haken, mit denen man einen gepanzerten Reiter vom Pferd holen konnte. Ehe dieser wieder stand und zum Schwert greifen konnte, wäre er längst ein toter Mann.

Hinzu kam, dass er sich nicht auch noch den Markgrafen von Meißen und Kurfürsten von Sachsen zum Feind machen wollte.

»Dürfen meine Männer und ich absitzen, Hauptmann von Bennewitz?«, fragte deshalb Gunther höflich.

»Selbstverständlich, Herr Ritter! Wenn Sie versprechen, die Schwerter in den Scheiden zu lassen, dürfen Sie sogar die Waffen behalten. Sie sind hier in Finsterwalde keines Kapitalverbrechens angeklagt. Es geht nur um die Aufklärung eines Zwischenfalls, bei dem es Verletzte gab«, sagte Thomas von Bennewitz im sachlichen Tonfall.

Die Wachsoldaten der Stadt Finsterwalde blieben trotz der entspannten Lage in Hab-Acht-Stellung. Es dauerte eine ganze Weile, bis der Kurier Botho zurückkam. In seinem Schlepptau hatte er den Secretarius des Richters Hartwig und vier Gerichtsbüttel.

»Heinrich Bürger mein Name«, stellte sich der Secretarius vor. »Wenn Sie mir bitte zum Rathaus folgen würden, Herr von Bentheim! Es geht nur um eine Befragung, keine Anklage, wenn ich meinen Dienstherrn richtig verstanden habe. Die Pferde bitte am Zügel führen!«

Gunther von Bentheim atmete auf. Solange nicht ruchbar wurde, was in Senftenberg vorgefallen war und man nach ihm fahndete, hatte er nichts zu befürchten. Im Gegenteil. Er war hier der Geschädigte. Zwei seiner Männer lagen verwundet bei der Witwe Schulte.

Da sie zu Fuß unterwegs waren, dauerte es eine Viertelstunde, ehe sie den Marktplatz von Finsterwalde erreichten. Die Pferde wurden ihnen abgenommen und von Stallknechten der Stadtverwaltung versorgt. Für die Vernehmung wurde nur Gunther in eine Verwaltungsstube gebeten. Die anderen, darunter auch der Schattenmann, der inzwischen unauffälligere Kleidung trug, mussten auf einer langen Holzbank Platz nehmen.

»Setzen Sie sich, Ritter von Bentheim«, sagte der Richter Leopold Hartwig ohne aufzublicken und sortierte Dokumente, die sich auf seinem Schreibtisch häuften. »Eigentlich hatte ich den Secretarius gebeten, aufzuräumen. Gut, dass Herr Bürger es nicht gemacht hat. Ich würde gar nichts mehr wiederfinden. Nun zu Ihnen, Herr Ritter!« Der Richter blickte den Zeugen aus kalten grauen Augen an. Gunther war es gewohnt, allen Gefahren zu trotzen und scheute auch vor keinem Mord zurück. Aber dieser Mann verstand es, Leute einzuschüchtern, die bisher gegen alles gefeit schienen.

Gunther rückte das Waffengehänge gerade und nahm vorsichtig auf dem angebotenen Lehnstuhl Platz.

»Zwei Markttage im goldenen Oktober in unserer schönen Stadt Finsterwalde, wie geschaffen für friedlichen Handel und Wandel. Leider schleichen hier auch immer wieder Leute umher, die gar keine Waren erwerben wollen, sondern anderes im Schilde führen«, seufzte der Richter. »Warum haben Sie sich am Tor als Otto von Quedlinburg vorgestellt und nicht mit ihrem richtigen Namen?« Der Kopf des Richters schoss nach vorn wie der einer giftigen Viper. Gunther von Bentheim zuckte zurück, hatte sich umgehend wieder unter Kontrolle. Er war schon mit ganz anderen Leuten fertig geworden. Hier wurde in seinen Augen gerade viel Zeit vertrödelt. Die Zeugin Hanka musste mundtot gemacht werden, bevor der von Hans von Polenz bestallte Untersuchungsrichter die Hure vernehmen konnte.

»Verzeihen Sie, werter Herr Hartwig, die kleine Flunkerei am Stadttor. Ich hatte Kunde, dass das entlaufene Weib meines Dienstherrn, Nikolaus von Polenz, hier in Finsterwalde weilt. Ich hatte Order, das Weib zurück nach Senftenberg zu verbringen und wollte wegen dieser Mission unerkannt bleiben. Wie sich herausstellte, hatte ich recht damit getan, denn der uneheliche Sohn des Ritters Konrad von Köckritz weilte ebenfalls hier. Er hatte der Margarete von Polenz beigewohnt und wollte sie ebenfalls zurückhaben. Das ist alles längst geklärt, Herr Richter. Margarete ist im Zuge der Belagerung der Burg Mückenberg wieder in die Arme ihres rechtmäßigen Ehemannes gesunken. Es gab eine Auseinandersetzung mit den Gauklern, die zuvor ebenjenes Weib beherbergten. Dabei wurden zwei meiner Männer verletzt, die sich in der Obhut der Witwe Schulte befinden. Ich bin nur hier, um mich nach dem Befinden der Waffenknechte Georg und Kilian zu erkundigen. Ich hege keine unlauteren Absichten, falls Sie dies vermuten, Herr Richter«, sagte Gunther und atmete nach der langen Rede aus.

»Wenn ich es richtig verstanden habe, dann weilten Sie nur in Finsterwalde, um Ritter Nikolaus von Polenz dessen entlaufenes Eheweib zurückzubringen, notfalls mit Entführung? Die Spielleute und der uneheliche Sohn des Konrad von Köckritz hatten etwas dagegen, weshalb es zu dem Zwischenfall an der Gauklerwiese kam? Unser oberster Dienstherr, der Kurfürst von Sachsen, wünscht, dass derlei Handgemenge rückhaltlos aufgeklärt werden, vor allem, wenn Blut fließt. Ich bin geneigt, Ihnen zu glauben, Herr Ritter von Bentheim, es deckt sich weitgehend mit den Vernehmungen, die wir im Hause der Witwe Schulte durchgeführt haben.«

Es wurde an die stabile Tür aus Eichenholz geklopft. Ehe der Richter ›Herein!‹ rufen konnte, stand der Secretarius im Raum.

»Ein berittener Bote aus Senftenberg, Herr Richter!«, rief Bürger.

Zur Verblüffung von Gunther bat Hartwig den Boten nicht hinein, sondern ging hinaus auf den Flur. Nach wenigen Minuten kehrte er zurück.

»Amtsanmaßung, Anstiftung zum Mord, wobei das Opfer überlebte, und noch einige Dinge mehr wirft man Ihnen in Senftenberg vor, Herr von Bentheim!« Der Richter schüttelte den Kopf.

»Das Entscheidende ist: Man hat dem Boten kein offizielles Dokument mit einem Amtshilfeersuchen mitgegeben. Insofern sehe ich es nur als Empfehlung, Sie festzusetzen. Da Finsterwalde nicht der Gerichtsbarkeit des Hans von Polenz untersteht, werde ich nicht ermitteln und Sie einkerkern. Wenn noch ein Rat gestattet ist: Stellen Sie sich den Vorwürfen, Herr Ritter! Aber nicht hier in Finsterwalde. Die Vernehmung ist abgeschlossen, Sie können gehen!«

Gunther konnte nicht glauben, dass man ihn laufen ließ. Er beeilte sich, seine Männer einzusammeln und auf die Sättel zu steigen. Sie mussten eines der Stadttore passieren, bevor jemand auf die Idee kam, ihn doch noch festzusetzen. Da der Richter Hartwig sich geweigert hatte, den Vorwürfen nachzugehen, sollte ein kurzer Besuch bei den Mitstreitern Georg und Kilian dennoch möglich sein. Sie machten sich umgehend auf den Weg.

Christoph von Haugstein und die ihn begleitenden Männer, sowie Katharina, schlugen nicht den Weg nach Finsterwalde ein, sondern ritten direkt nach Dobrilugk. Früher oder später musste Gunther hier auftauchen, um die einzige Zeugin des Überfalls auf das Gehöft an der Schwarzen Elster mundtot zu machen. Der Wirt der Schänke neben dem Frauenhaus eilte umgehend nach draußen. Da so viele Leute gleichzeitig von den dampfenden Pferden stiegen, witterte er ein gutes Geschäft. Er winkte Stallburschen herbei, damit sie sich um die Reittiere kümmerten.

»Bier, Wein, Rinderbraten, Schweinekotelett? Was wünschen die Herrschaften?«

Von Haugstein winkte ab. »Später, Herr Wirt! Zunächst möchten wir dem Frauenhaus einen Besuch abstatten!«

Der Gastwirt wunderte sich, da er auch eine Dame entdeckt hatte, die gerade vom Seitsitzsattel glitt und von einem stattlichen Waffenknecht aufgefangen wurde.

»Wie Sie wünschen, gnädiger Herr«, sagte der Wirt und verneigte sich. Der gefütterte Umhang und das Samtbarett deuteten darauf hin, dass es sich um einen hohen Beamten handelte.

»Soll der Richter mit unserer ehemaligen Magd bekakeln, wie man dem Verbrecher eine Falle stellt. Ich komme gern auf das Angebot zurück und genehmige mir einen Humpen Bier in der Schänke«, sagte Karl Brandt. »Wer kommt mit?«

Nahezu alle waren dafür, nur Katharina nicht. Sie wollte als ehemalige Nonne der gefallenen jungen Frau beistehen, wenn der umtriebige Richter mit ihr sprach.

»Ich komme mit Ihnen, Herr von Haugstein«, sagte sie fest.

Der Untersuchungsrichter sog die kalte Novemberluft durch die Nasenlöcher ein und ließ sie geräuschvoll wieder aus dem Mund entweichen.

»Ich hätte es mir denken können, werte Katharina von Wildenfels. Nur Ihrer Herkunft ist es zu verdanken, dass ich Sie nicht zurückschicke!« Von Haugstein trat nahe an die ehemalige Nonne heran. »Sie werden mir nicht ins Handwerk pfuschen, verstanden?«, zischte er ihr ins Ohr.

Katharina ahnte, was der der Richter meinte. Sie zog die Kapuze des Umhangs tiefer ins Gesicht, um dem Novembernieselregen zu trotzen. Entschlossen stapfte sie dem Richter hinterher.

Im Frauenhaus wollten die anwesenden Damen gerade ihre wohlgeformten Schenkel dem eintretenden Herren präsentieren, als sie gewahr wurden, dass dieser eine Frau im Schlepptau hatte. Sofort verstummte das Getuschel und eine junge Dirne beeilte sich, die Herrin Irmtraut Wiesel herbeizuholen.

»Darf ich Sie in meine Schreibstube bitten, Herr …?«, sagte Frau Wiesel mit hochgezogenen Augenbrauen.

»Untersuchungsrichter Gernot von Haugstein aus Bautzen, meine Dame. Ich wurde vom Landvogt der Niederlausitz beauftragt, den Fall Gunther von Bentheim zu untersuchen und den Ritter dingfest zu machen. In meiner Begleitung befindet sich Katharina von Wildenfels, die sich nicht davon abbringen ließ, mich in dieses Etablissement zu begleiten. Dabei hege ich keine unlauteren Absichten«, seufzte er.

»Sehr zum Verdruss der in meiner Obhut befindlichen Mädchen«, sagte Frau Wiesel mit einem schiefen Lächeln im Gesicht. »Wenn Sie mir bitte folgen würden!«

Die Schreibstube der Hurenwirtin ähnelte eher einem Verlies als einem Kontor. Es drang kaum Licht durch das kleine Fenster. Auf einem Tisch, auf dem sich Papiere häuften, erhellte eine flackernde Kerze notdürftig den Raum. Die verschlissenen Sitzmöbel reichten gerade, um den eintretenden Gästen jeweils einen Platz anzubieten.

»Darf ich Ihnen etwas anbieten? Ein Gläschen Wein gefällig?«, fragte Frau Wiesel und griff nach einer vor ihr stehenden kleinen Glocke.

Richter von Haugstein hob die Hand. »Sie können gern läuten, Frau Wiesel, aber nicht wegen eines Getränks, sondern um die Hure Hanka herbeizurufen.« Er lehnte sich zurück, aber so langsam, als fürchte er, dass die morsche Lehne des Stuhles nachgeben würde.

Die Vorsteherin des Frauenhauses ließ die Glocke sinken. »Was wünschen Sie von Hanka, wenn die Frage gestattet ist, Herr Richter?«

»Wir borgen uns die Dirne aus. Mehr müssen Sie nicht wissen«, sagte von Haugstein mit versteinerter Miene.

Irmtraut Wiesel streckte sofort die gekrümmte rechte Hand aus und rieb den Daumen über den Zeigefinger.

Das passierte, bevor der Gedanke an Verdienstausfall sich in ihrem Kopf manifestiert hatte. Der Richter schüttelte den Kopf.

»Gott wird es Ihnen vergelten. Sie wirken dabei mit, einen Verbrecher dingfest zu machen und seiner Strafe zuzuführen.«

Katharina rutschte auf ihrem Stuhl unruhig hin und her. Die junge Frau sollte als Lockvogel dienen. Wie der umtriebige von Haugstein das umsetzen wollte, darauf war sie gespannt. Da sie ausdrücklich gewarnt worden war, sich nicht einzumischen, hielt sie den Mund.

Irmtraut Wiesel schwang nun doch die Glocke. Als habe sie geahnt, dass man nach ihr verlangen würde, erschien Hanka Wessela und machte einen Knicks.

»Wir besprechen das nicht hier, sondern drüben im Wirtshaus, dort, wo meine Stangenknechte Quartier genommen haben. Wenn du uns folgen würdest, Hanka?«, fragte von Haugstein mit freundlich lächelndem Gesicht.

Frau Wiesel nickte ihr unmerklich zu. Sie hatte sich damit abgefunden, dass vor ihr kein Ritter saß, der mit Beuteln voller Silber um sich warf, sondern ein gnadenloser Untersuchungsrichter, der sein Amt König Sigismund und dem Vogt der Oberlausitz verdankte und nur Beamter war.

Drüben beim Wirt Krüger ging es hoch her. Er machte den Umsatz der Woche. Die beiden Schankmägde kamen kaum hinterher, um Bier nachzuschenken.

Als Hanka im Gefolge des Richters und der ehemaligen Nonne in die stickige Wirtshausstube trat, sah sie zunächst das vertraute Gesicht von Matthias. Sie lächelte zurück.

Als sie Karl Brandt entdeckte, stockte ihr der Atem. Der Herzschlag setzte einen Moment aus. Sie hatte natürlich gewusst, dass Karl abwesend war, als das Gehöft überfallen worden war.

Sie hatte geglaubt, dass die Männer um Gunther von Bentheim diesen abgefangen und ermordet hatten. Der Mann, bei dem sie in Lohn und Brot gestanden hatte, lebte noch. Karl wischte sich gerade Bierschaum vom grauen Bart. »Schau mich nicht so an, als wäre ich ein Gespenst. Freu dich, dass du überlebt hast. Du wirst dabei helfen, dem Mörder meines Weibes und meiner Tochter eine Falle zu stellen. Darauf trinken wir!«

Hanka war nicht wohl dabei, Karl Brandt und Matthias wieder zu treffen. Sie zupfte am Ärmel des Richters. »Herr von Haugstein, können wir meine Rolle nicht unter vier Augen besprechen, bitte!«

Der Richter aus Bautzen senkte den Blick, wollte den dunklen Augen der jungen Frau ausweichen. Es gelang ihm nicht. Er musste hinschauen. ›Nur eine ehemalige Magd, eine Hure‹, ermahnte er sich.

Hanka hatte einen Plan, wie sie die Gefahr für sich selbst geringer gestalten könnte. Der Anfang war gemacht. Der gestrenge Richter erwiderte ihren Blick.

»Woran hattest du gedacht, Hanka?«, hüstelte von Haugstein.

»Nun ja, zum Frauenhaus gehört auch eine Badestube. Ich lade Sie zum Bade, werter Herr Richter!« Der Aufschlag der langen schwarzen Wimpern wirkte nahezu auf jeden Mann. Hanka verschwieg, dass die Badestube der gesuchte Ritter von Bentheim finanziert hatte.

Als der Untersuchungsrichter aufstand und das rechte Handgelenk der jungen Frau ergriff, kam aus der Gaststube der Kommentar »Angenehme Verrichtung, Herr Richter, hihi!«

Von Haugstein interessierte nicht mehr, wer sich vorwitzig geäußert hatte. Die Aussicht, mit der Frau mit den glänzenden schwarzen Haaren und den unergründlichen Augen Zeit zu verbringen, beherrschte ihn zunehmend.

Im Badehaus angekommen, rief Hanka der hier zuständigen Dirne Elisabeth zu: »Ist noch genügend warmes Wasser im Kessel? Bitte den Zuber auffüllen!« Nebenher beschäftigte sie sich mit der Oberbekleidung des Richters, der es sich gern gefallen ließ. Elisabeth schleppte Eimer um Eimer, um wie gewünscht den Zuber aufzufüllen.

Von Haugstein war nur noch mit der Bruche bekleidet und betrachtete fasziniert, wie Hanka Schuhe, Kleid und Unterkleid abstreifte. Bevor er sie in ihrer ganzen jugendlichen Schönheit bewundern konnte, trat sie hinter ihn und forderte ihn auf, in den Zuber zu steigen.

»Wird noch etwas gewünscht? Schinkenbrot, Käse, Wein?«, ließ sich die Hure Elisabeth vernehmen. Hanka war geneigt, den Kopf zu schütteln.

Richter von Haugstein rief: »Ja, gern!«

Hanka wartete noch ab, bis ihre Kollegin das Gewünschte auf dem Brett in der Mitte des Badezubers bereitstellte. Erst dann beeilten sich ihre Finger, die Schnalle des Gürtels zu lösen, der die Bruche noch hielt. Sie war bereit, abzutauchen, um die Körpermitte des Richters zu verwöhnen. Christoph von Haugstein umklammerte beide Handgelenke und hinderte sie am Abtauchen.

»Ich weiß, was du vorhast, Hanka! Du hast gewonnen! Haushälterin bei mir in Bautzen. Im Gegenzug werde ich versuchen, die Gefahr für dich als Lockvogel so gering wie möglich zu halten. Gesetzt den Fall, du wärest die Tochter eines Ratsherrn oder Händlers, würde ich sogar um deine Hand anhalten. Du darfst jetzt weitermachen!«

Es war mehr, als sich Hanka erträumt hatte. Haushälterin und Geliebte eines angesehenen Richters in der Oberlausitz. Mehr durfte sie als ehemalige Magd und Hure nicht vom Leben erwarten.

Der nicht unattraktive Mann vor ihr im lauwarmen Wasser mochte manchmal arrogant auftreten. Er hatte Gefallen an ihr gefunden. Das war alles, was zählte.

»Darf ich abtauchen, Herr Richter? Mein Flötenspiel wird Sie begeistern«, hauchte sie ihm in den Gehörgang. Die Zungenspitze berührte sanft das Ohrläppchen.

»Nein. Du darfst mich waschen, auch da unten. Wenn ich gereinigt bin, schleichen wir uns nach drüben ins Wirtshaus und teilen das Lager«, stöhnte von Haugstein, da die Waschzuberfee ihre Arbeit ausgerechnet an den empfindlichsten Stellen begann. Für Hanka ein weiteres Kompliment, da die Herren es meist nur eine halbe Stunde mit einer Hure trieben, bezahlten und dann ihrer Wege gingen. Der Richter wollte mit ihr die ganze Nacht verbringen!

Im Wirtshaus nebenan leerten alle bereits den zweiten oder dritten Humpen Bier, bis Karl Brandt dem fröhlichen Zechen Einhalt gebot. »Ich bin einem guten Schluck nicht abgeneigt, aber wenn wir den Ritter, der diesen Titel nicht verdient, ergreifen wollen, brauchen wir morgen einen klaren Kopf. Also bettet eure Häupter in den zugewiesenen Kammern.«

In Abwesenheit des Untersuchungsrichters akzeptierten alle das Machtwort des erfahrensten Kämpfers - auch wenn Karl Brandt keine vornehmen Vorfahren hatte.

Klammheimlich schlich sich Hartmut in die Kammer von Katharina von Wildenfels. Matthias hatte ihm zuvor zugeraunt, dass vor Monaten der Wirt bei ihm und Margarete auch beide Augen zugedrückt hatte.

Karl Brandt war der Meinung, in seinem Alter brauche man nicht mehr so viel Schlaf wie das junge Volk. Er schlich über den Innenhof, um das Wasser abzuschlagen. Dann legte er sich auf die Lauer. Am Hintereingang qualmte eine Fackel in der Halterung.

Obwohl Hanka die Kapuze ihres Umhangs über das lange schwarze Haar gezogen hatte, erkannte Karl sie.

»Sieh an, meine ehemalige Magd hat sich den Richter geangelt«, murmelte er in den grauen Bart. Karl wusste nur noch nicht, ob der Umstand, dass von Haugstein sich in Hanka verguckt hatte, dem Unternehmen förder- oder hinderlich war.

Am nächsten Morgen wurden der Richter und seine Buhlschaft vom lauten Klirren von Stahlklingen, die aufeinander schlugen, geweckt.

»Eines dürfte klar sein, mein Sohn – ich darf dich doch noch so nennen?«, rief Karl Brandt über den Innenhof des Wirtshauses. »Wenn wir auf den Mörder meines Weibes treffen, habe ich das Vorrecht, mich mit ihm zu schlagen! Ich will nur wissen, wie viel dir Bertram von Eschwege beigebracht hat!«, keuchte er. »Wenn ich falle, musst du das Schwein abstechen!«

»Keineswegs, Herr Brandt! Darf ich Sie daran erinnern, dass Sie mein Stangenknecht sind?«, rief von Haugstein. »Der Delinquent ist zu ergreifen und lebendig nach Senftenberg zu schleifen, wo ihm Hans von Polenz den Prozess macht! Habe ich mich deutlich ausgedrückt?«

»Ja«, sagte Karl Brandt. »Es kann im Kampfgetümmel Situationen geben, wo das Dingfestmachen eines Mannes nicht möglich ist, weil seine Mitstreiter danach trachten, die Gerechten daran zu hindern! Um das eigene Leben zu retten, muss manchmal die direkte Lösung gewählt werden. Nichts anderes wollte ich damit sagen, Herr Richter!«

»Das Primat liegt in der Gefangennahme des Gunther von Bentheim!« Von Haugstein ließ sich das letzte Wort nicht nehmen. »Bei Gefahr für das eigene Leben darf ein tödlicher Streich geführt werden, auch wenn ich es nicht gutheiße!«

»Wie ist denn nun die weitere Vorgehensweise, Herr Richter?«, fragte Karl Brandt mit hochgezogenen Augenbrauen.

»Wenn besagter von Bentheim hier auftaucht, wird Frau Wiesel behaupten, Hanka habe sich nach Lindena begeben, um den dortigen Pfarrer zu beglücken. Dieser sei ungeachtet des Keuschheitsgelübtes dem weiblichen Geschlecht sehr zugetan. Wir legen uns hinter der Mauer, welche die alte Kirche umgibt, auf die Lauer und ergreifen den Verbrecher!«, sagte von Haugstein im Brustton der Überzeugung.

Kapitel 28

Margarete hatte sich das Nachtlager mit ihrer Freundin aus Kindertagen geteilt. Noch bevor der erste Sonnenstrahl des neuen Tages ihre Nase kitzeln konnte, schlug sie die Augen auf. Rasch zog sie die Decke höher. Es war November und die Küchenmagd hatte noch nicht das Feuer im Kamin geschürt und neues Holz aufgelegt. Normalerweise hätte Gerda an der Decke gezogen, weil sie an den Füßen fror, aber das passierte nicht. Margarete rieb sich die verschlafenen Augen. Der Platz neben ihr war leer.

Der Steinfußboden war kalt. Margarete ließ die Schuhe links stehen und schlich auf nackten Sohlen zum Abtritt. Dort war Gerda nicht. Als Zofe des Eheweibes des Ritters Nikolaus musste sie weder Holz noch Wasser herbeischaffen. Blieb nur eine Möglichkeit.

Margarete fragte sich, was ihre Freundin da zu suchen habe. Margarete blieb an der Tür zum Schlafgemach ihres Mannes, die nur angelehnt war, stehen. Sie glaubte, ihren Augen und Ohren nicht zu trauen.

Gerda hatte Nikolaus ein zweites Kissen untergeschoben und flößte ihm aus einem Becher etwas ein.

Dies allein hätte man als Geste einer barmherzigen Samariterin werten können, die ihrer Freundin etwas Arbeit abnahm. Gleichzeitig hauchte sie Nikolaus Worte auf Latein ins Ohr.

Auf einem Beistelltisch entdeckte Margarete ein Gläschen so schmal wie eine Ampulle. Gerda angelte ohne hinzusehen mit der linken Hand danach und versuchte, es wieder an sich zu nehmen.

Margarete machte eine ungeschickte Bewegung, geriet mit dem Ellenbogen gegen die Tür, die daraufhin aufsprang. Gerda schreckte auf, fing sich sofort wieder.

»Gut, dass du kommst, Margarete! Schnell, Nikolaus ist erwacht. Er will die Frau, die er liebt, umgehend sehen!«

Margarete war verwirrt. Sie eilte an das Krankenlager ihres Mannes. Bevor sie es erreichen konnte, schoss eine Hand unter der Bettdecke hervor und umklammerte Gerdas linkes Handgelenk.

»Heilige Jungfrau Maria, verlass mich nicht! Bin ich im Himmel?«, krächzte Nikolaus von Polenz.

»Nein, du lebst! Du bist in deinem Bett auf der Burg Senftenberg und erholst dich von einem Attentat«, sagte Gerda, die sich nicht entfernen konnte, ohne die klammernde Hand mit Gewalt abzustreifen.

»Wenn du keine Heilige bist, wer bist du dann?«, hustete Nikolaus.

»Gertrud von Wildenfels, werter Herr! Alle nennen mich Gerda.«

»Hinter dir steht noch ein Weib. Wer ist sie, deine Zofe?« Nikolaus hatte immer noch Mühe zu sprechen, artikulierte sich zusehends deutlicher. Endlich konnte sich Gerda aus dem Klammergriff lösen. Ihr war es nicht gelungen, das kleine Fläschchen auf dem Tisch verschwinden zu lassen. Sie erntete einen bösen Blick ihrer Freundin aus Kindertagen.

Nikolaus von Polenz schien angestrengt nachzudenken. Dabei traten ihm Schweißperlen auf die Stirn. Gerda griff zu einem Tuch, um sie abzutupfen.

»Ihr verwirrt mich, weil ihr euch ähnlich seht wie Schwestern. Bist du nicht die Kürschnerin, das Weib, das mich beim ersten Ehestreit verlassen hat? Langsam kehrt die Erinnerung zurück. Nicht nur das, du hast mich auch mit dem Bastard von Köckritz betrogen, ehrloses Weib! Wenn es mir besser geht, werde ich zum Schwert greifen und ihn stellen! Ich wünsche die Scheidung! Ich werde mich mit Gertrud von Wildenfels vermählen, eine standesgemäße Verbindung!« Nach dieser Anstrengung sank Nikolaus zurück in die Kissen und hustete. Gerda hielt ihm ein Leinentuch vor den Mund und stellte besorgt fest, dass einige rote Blutsprenkel darauf haften blieben.

»Du brauchst Ruhe, um zu genesen, Nikolaus«, hauchte Gerda dem Kranken zu.

Ehe sie reagieren konnte, hatte Margarete das Fläschchen auf dem Tisch an sich genommen.

»Margarethe von Dohna wird sehr interessiert daran sein, was da wohl drin ist. Ich weiß auch schon, wen ich mit der Untersuchung beauftrage!«, sagte Margarete und schwenkte das Fläschchen mit dem Elixier wie eine Trophäe.

»Es passt alles zusammen, Gerda. Ich bin nur erschüttert, warum du mich so hintergehst. Wir waren wie Schwestern, haben gemeinsam gespielt und Streiche ausgeheckt. Nur eines hast du mir verschwiegen: Du kannst Tränke brauen, die eine von dir gewünschte Wirkung erzielen. Es ist nur eine Vermutung, aber ich glaube, du hast Matthias etwas von dem Liebestrank in das Bier gemischt, um ihn für dich zu gewinnen! Du hast dich mit den Waffenknechten der Burg angelegt, weil du fürchten musstest, dass sie das Elixier entdecken, welches du an deinem Körper versteckt hattest! Nur der Plan, Nikolaus näher an mich zu binden, ging schief. Er sah dich als Erste und will dich ehelichen. Wenn er dahinter steigt, wird er in der ständigen Angst leben, du beherrschst auch schwarze Magie, Schadenszauber.« Margarete schüttelte betrübt den Kopf. »Du kannst ihn haben. Nachdem Margarethe von Dohna auf mich eingeredet hatte, glaubte ich, hier in Senftenberg wäre meine Aufgabe im Leben. Ich danke dir für die Aufklärung. Mein Platz ist an der Seite des Mannes, dem ich mich im Sommer auf den Wiesen an der Schwarzen Elster nicht nur aus Wollust hingegeben habe, sondern weil ich ihn liebe. Die Scheidung, von der Nikolaus sprach, ist nur Formsache. Matthias hat mir das Pergament in Mückenberg übergeben, das vom Abt des Klosters Dobrilugk und dem Erzbischof von Magdeburg unterzeichnet wurde. Nikolaus muss es nur unterschreiben.«

Gerda senkte den Kopf. »Als wir einst gemeinsam unterrichtet wurden, musste ich ein ums andere Mal feststellen, dass du die Klügere von uns beiden bist. Du hast es eben wieder bewiesen. Wie nun weiter? Wirst du Waffenknechte herbeirufen, um mich vor Margarethe von Dohna der Hexerei zu bezichtigen?«

»Nein, du wirst mir freiwillig folgen. Das Elixier lasse ich verschwinden. Wir behaupten einfach, Nikolaus habe sich für dich entschieden, weil er sich nach seiner Verletzung nur noch daran erinnerte, dass ich ihn verlassen und anschließend mit Matthias von Köckritz betrogen habe. Wegen des Einsatzes des Liebestranks hasse ich dich, will aber nicht, dass du auf einem Scheiterhaufen brennst!«

»Danke, Margarete! Soviel Großmut durfte ich nicht erwarten. Du willst es wirklich auf dich nehmen, nahe Naundorf ein neues Gehöft aufzubauen? Genau das ist der Plan von Karl und Matthias«, sagte Gerda.

»Ich weiß«, seufzte Margarete. »Ich schaffe das! Noch sind wir nicht am Ziel. Margarethe von Dohna muss mit den neuen Entwicklungen vertraut gemacht werden.«

»Verlass mich nicht, Engelsgestalt Gertrud!«, keuchte Nikolaus.

Margarete durchwühlte ihr Gepäck, an dessen Grund sie den zylinderförmigen, rindsledernen Transportbehälter mit dem Dokument aus Dobrilugk fand. Währenddessen beruhigte Gerda den Verletzten und rief nach einer Magd, damit diese sich während der kurzen Zeit der Abwesenheit um Nikolaus kümmere.

Margarethe von Dohna ließ sich nur ungern beim Frühstück stören. Als ihr die beiden jungen Frauen gemeldet wurden, machte sie eine Ausnahme.

»Ich hatte auf einen Boten aus der Oberlausitz gehofft. Vermutlich braucht mein Gatte jeden Mann für die Verfolgung der böhmischen Ketzer. Nehmt Platz, Margarete und Gerda! Etwas Kräutertee mit Honig und Brot mit Fruchtaufstrich gefällig?«

Margarete war jedes Mal angenehm überrascht, mit welcher Souveränität und Freundlichkeit Frau von Dohna auftrat.

»Da sagen wir nicht nein«, sagte sie lächelnd. Gerda nickte.

»Darf ich auch erfahren, welches Dokument du bei dir führst?«, fragte Margarethe von Dohna mit einem Blick auf den Transportbehälter und klingelte nach einer Magd, um zwei weitere Gedecke auflegen zu lassen.

»Bevor ich die Frage beantworte, gestatte mir, auf die Umstände einzugehen, weshalb wir schon wieder hier auftauchen. Nikolaus ist erwacht, kann sich aber nicht mehr an alles erinnern. Nur noch daran, dass ich ihn verlassen habe und untreu war. Gerda war so freundlich, ihm einige Schlucke mit Wasser vermischten Wein zu trinken zu geben. Jetzt beharrt er darauf, das Dokument mit der Annullierung der Ehe zu unterzeichnen, mich zu verstoßen und anschließend die Verlobung mit Gerda bekannt zu geben!« Margarete öffnete die Rolle und schob das Dokument über den Tisch.

Frau von Dohna vertiefte sich in die Lektüre, während eine Magd den beiden jungen Frauen gesüßten Tee einschenkte.

»Der Abt des Klosters Dobrilugk und der Erzbischof von Magdeburg empfehlen die Auflösung der Ehe wegen Untreue des Eheweibes. Wie kam es zu diesem Gesinnungswandel, liebe Margarete – mal abgesehen davon, dass ich dazu noch Nikolaus hören muss, wenn er wieder bei Sinnen ist?«, fragte die Frau des Landvogtes.

Margarete errötete und nippte am Heißgetränk. »Ich bin nur aus Pflichtbewusstsein hier. Ich wollte meine Freundin Gerda retten, die man nach Mückenberg geschleift hatte und drohte, sie umzubringen. Dann wollte ich verhindern, dass sie unter der Folter Dinge zugibt, die sie vielleicht wirklich beherrscht. Nicht zuletzt hast du mir, werte Margarethe, versichert, dass Nikolaus sich wohlverhalten wird, weil er sonst nicht die Nachfolge als Landvogt antreten kann.«

»Mit anderen Worten: Du wolltest noch einmal versuchen, hier Fuß zu fassen. Das Attentat auf Nikolaus und das erneute Auftauchen von Gerda haben alles verändert. Dir ist klargeworden, dass du Matthias von Köckritz immer noch liebst, es nicht nur eine Sommerliebe war, sondern mehr. Ist das soweit richtig?«, hakte Margarethe von Dohna nach.

»Ja«, stotterte die Angesprochene. Es lag Margarete auf der Zunge, Gerda anzuklagen und das Fläschchen mit dem Elixier vorzuzeigen. Es wäre auf ein Todesurteil für die alte Freundin hinausgelaufen. Margarete wand sich auf ihrem Stuhl. »Es ist mein Wille, Senftenberg ein zweites Mal zu verlassen und die Ehe mit Matthias von Köckritz einzugehen!«

»Und du, Gerda? Ist es dein freier Wille, die Verbindung mit Nikolaus von Polenz einzugehen? Gehe ich richtig in der Annahme, dass es kein Dokument gibt, welches dich offiziell als Tochter des Grafen von Wildenfels ausweist, aber Nikolaus annimmt, dass du von Adel bist?«, fragte die Frau von Dohna mit Nachdruck.

Beide junge Frauen erstarrten. Wozu brauchte man Untersuchungsrichter? Diese Frau war gnadenloser als jeder Robenträger.

»Wir können die eidesstattliche Aussage meiner Mutter Maria Kürschner beibringen, dass Gerda das Kind des durchreisenden Grafen von Wildenfels ist. Eine offizielle Anerkennung der Vaterschaft gibt es leider nicht«, antwortete Margarete anstelle von Gerda.

»Dann wirst du deine Mutter darum bitten und dazu nach Ruhland reisen. Du bekommst von mir einen Kahn, den Weg kennst du ja«, spielte Frau von Dohna auf die Flucht vor fünf Monaten an. »Keine Kutsche, keine Waffenknechte. Ich kann hier niemanden entbehren. Letztendlich werden wir den Grafen von Wildenfels um Anerkennung der Vaterschaft bitten müssen.«

»Vielen Dank, Frau von …, entschuldige, Margarethe.«

»Zuvor haben wir noch etwas zu erledigen«, sagte die Frau des Landvogtes. Einem Bücherregal entnahm sie eine alte Bibel. Der Einband war reich verziert und ihn schmückten vergoldete Lettern. Es war ein von Mönchen auf Pergament handgeschriebenes Exemplar.

»Die Familienbibel derer von Dohna«, erklärte die Hausherrin, wobei sie eine Kerze entzündete und in einem Halter auf dem Tisch platzierte.

»Leg die rechte Hand auf die Bibel, die linke auf dein Herz und schwöre auf die Heilige Schrift, unseren Herrn Jesus, die Jungfrau Maria und alles, was dir heilig ist, dass du niemals Schwarze Magie anwenden wirst.«

Über Ausnahmen würde sie insgeheim noch mit Hans disputieren, wenn er zurück war. Vorstellbar war, die junge Frau mit den besonderen Fähigkeiten bei einem Überfall der Hussiten von ihrem Gelübde befristet zu entbinden.

Gerda trat an den Tisch, legte die rechte Hand auf die Bibel und die linke auf die Brust. »Ich schwöre bei allem, was mir heilig ist, niemals Schwarze Magie, auch Schadenszauber genannt, anzuwenden.« Sie fügte noch ein Vaterunser hinzu. Margarethe von Dohna trat unvermittelt hinzu und hielt ihr ein Kruzifix vors Gesicht. Gerda zögerte keinen Augenblick und küsste das Kreuz. Sie wollte letzte Zweifel bei der Frau von Dohna zerstreuen, denn eine Hexe hätte niemals ein Kruzifix mit den Lippen berührt. Margarete hatte nur ein Fläschchen sichergestellt. Es war jenes mit dem Liebestrank gewesen. Als Gunther und Nikolaus plötzlich auftauchten, um sie nach Mückenberg mitzunehmen, hatte sie geistesgegenwärtig zwei Ampullen in ihrer Gürteltasche versteckt mitgenommen. Der Inhalt der zweiten entfaltete gerade seine Wirkung, hoffte sie. Da es kein Schadenszauber war, sondern das Gegenteil, hatte sie nicht im Vorhinein gegen den Eid verstoßen.

Nikolaus von Polenz war von seinem Lager aufgestanden. Das Laufen und das Atmen fielen ihm noch schwer. Die Schmerzen beim Husten waren wie weggeblasen. Es gelang ihm, bis zum Tisch zu schlurfen. Dort standen ein Krug mit Wasser und einer mit Wein. Der Durst war übermächtig. Nikolaus hätte auch einen Pagen rufen können. Es kam nur ein Krächzen aus seiner Kehle. Mit zitternder Hand mischt er Wasser mit Wein, führte den Becher an die Lippen, trank und verschüttete etwas. Urplötzlich stand die Frau vor ihm, die er als Getrud von Wildenfels kannte.

Sie rückte umgehend einen Stuhl zurecht, auf den sich Nikolaus sinken ließ.

»Wo hast du gesteckt, Gertrud?«, keuchte er.

»Die Frau von Dohna wünschte mich und Margarete zu sprechen.«

»Welche Margarete? Die Kürschnerin? Wo steckt das untreue Weib eigentlich?«

»Sie hat dich wieder einmal verlassen. Was hast du denn erwartet, Nikolaus?«

Kapitel 29

Pfarrer Lorenz als Hirte seiner kleinen Gemeinde in Lindena war sich seiner Vorbildfunktion bewusst. Er konnte nicht sonntags von der Kanzel gegen Unkeuschheit wettern, wenn er selbst heimlich Unzucht trieb. Deshalb war er wenig begeistert davon, dass ein Richter aus der Oberlausitz, der behauptete, vom Landvogt Hans von Polenz beauftragt zu sein, ihm ein dunkelhaariges hübsches Mädchen als Konkubine unterschieben wollte. Christoph von Haugstein beeilte sich zu versichern, dass es nur zum Schein sei. Noch mehr Sorgen bereitete Pfarrer Lorenz, dass eine ganze Gruppe Waffenknechte die Mauer, welche die alte Kirche umgab, umrundete. Nach Süden gab es eine schmale Gasse mit Bürgerhäusern. Im Osten führte hinter einigen Bäumen die Straße nach Dobrilugk. Nach Westen und Norden wuchsen hinter der Steinmauer Strauchwerk und Bäume, was das besondere Interesse von Karl Brandt weckte.

»Ideales Versteck. Das Schnauben der Pferde könnte uns verraten. Peter! Du führst die Pferde an den Zügeln Richtung Sonnenuntergang, mindestens vierhundert Schritte!«

Peter wollte aufbegehren, schloss aber umgehend wieder den Mund, ohne etwas gesagt zu haben. Er war nebst Matthias der unerfahrenste Kämpfer.

Falls Gunther mit ganzer Streitmacht anrückte, brauchte Brandt Männer, die ein Schwert führen konnten. Konsequenterweise hätte er Matthias auch wegschicken müssen. Seinen Ziehsohn, der wie er auf Rache sann, konnte er nicht ausschließen. Katharina hatte man unter deren Protesten gar nicht erst mitgenommen. Weil Gunther das Wirtshaus und das Frauenhaus nahe des Klosters aufsuchen würde, logierte die junge Frau in einem Gasthaus in Kirchhain unter falschem Namen.

»Das ist ein ideales Versteck«, sagte Karl Brandt mit Blick auf das Gesträuch und die Baumgruppe nördlich der Kirchenmauer. »Gleichzeitig müssen wir den Durchlass an der Gasse im Auge behalten. Vorschläge?« Er schaute seine Mitstreiter erwartungsvoll an.

»Ja«, meldete sich Hartmut zu Wort. »Da wir nicht wissen, ob Gunther in zwei Stunden oder erst heute Nacht hier aufkreuzt, sollten wir einen versteckten Posten an der Straße haben, der nahendes Hufgetrappel meldet! Spätestens bei Einbruch der Dämmerung.«

»So machen wir es!«, sagte Karl und stapfte los.

Die Spende an die Witwe Schulte und die Hebamme Isabella in Finsterwalde fiel diesmal weniger üppig aus, als von den Damen erhofft. Sie wussten nicht, dass der Ritter gesucht wurde und es keine finanzielle Unterstützung durch Nikolaus von Polenz gab.

Gunther und Berthold blieb nur, Georg und Kilian baldige Genesung zu wünschen. Man würde auf sie in den nächsten Wochen verzichten müssen. Dabei wusste noch niemand, wie die Zukunft aussah. Im Moment trachtete man danach, eine wichtige Zeugin auszuschalten.

Was sollte dann geschehen? In einem Prozess in Senftenberg alles abstreiten?

Eine andere Möglichkeit bestand darin, dass Gunther mit seinen Männern bis in die Grafschaft Bentheim, weit im Westen, an der Grenze der Burgundischen Niederlande, floh. Im Moment war der verfemte Ritter zu sehr auf die Hure Hanka fixiert. Berthold verzichtete daher darauf, auf Alternativen hinzuweisen.

Sie näherten sich mit großer Umsicht dem Frauenhaus in Dobrilugk. Man konnte nicht ausschließen, dass der von Hans von Polenz beauftragte Untersuchungsrichter bereits hier einen Hinterhalt gelegt hatte. Bisher deutete nichts darauf hin. Gunther ließ seine Männer absitzen und beauftragte Veit und Wulff, den Garten hinter dem Bordell abzusuchen. Jobst nahm das Wirtshaus ins Visier, vor allem die Ställe. Falls die Verfolger hier waren, mussten sie ja irgendwo die Pferde abgestellt haben. Der Wirt Krüger bemerkte, dass jemand herumschlich und schickte einen Knecht los, um zu erkunden, was der Mann sucht.

Der Knecht hatte sofort die Spitze eines Schwertes am Kinn. »Waren hier Männer aus Senftenberg? Wenn ja, wohin sind sie geritten? Im Stall stehen nur zwei Pferde, folglich sind sie weg!« Jobst mochte nicht die hellste Kerze sein, soweit denken konnte er auch.

Der Knecht machte sich fast in die Bruche. »Nicht nur Männer, ein Weib war auch dabei«, stotterte er. »Sind wieder weg, ich glaube nach Süden! Mehr weiß ich wirklich nicht, Herr!«

Jobst ließ das Schwert sinken. »Wir bekommen es heraus, keine Sorge. Im Süden liegt Lindena, nicht wahr?«

»Ja, Herr!« Der Knecht beeilte sich, Land zu gewinnen, bevor der raubeinige Geselle noch schlechte Laune bekam und mit dem Schwert zuschlug.

Jobst wollte nebenan Bericht erstatten, erhielt aber von Berthold die Auskunft, der Ritter wäre im Inneren des Frauenhauses verschwunden, um die Herrin über dieses Bordell zu befragen.

Gunther musste diesmal keine blanke Klinge ziehen, um seiner Frage nach dem Verbleib der Hure Hanka Wessela Nachdruck zu verleihen. Frau Wiesel wirkte auch so verunsichert. Irgendetwas stimmte hier nicht.

»Hanka? Die hat sich zu ihrem Geliebten geschlichen, dem Pfarrer Lorenz in Lindena«, sagte Frau Wiesel auftragsgemäß. Sie wollte Gunther ein verstecktes Handzeichen geben, dass Gefahr drohe, besann sich dann darauf, dass niemand lauschte. Sie trat näher an den Ritter heran und hauchte ihm ins Ohr: »Weil Sie uns das Badehaus geschenkt haben, im Vertrauen, Herr Ritter, Hanka ist tatsächlich in Lindena. Der Richter von Haugstein hat sich in die Hure verliebt und wird alles tun, damit Sie gar nicht erst in das Pfarrhaus gelangen, wo sie vorgibt, mit dem Pfarrer das Lager zu teilen!« Irmtraut Wiesel bekreuzigte sich. Was hatte sie nur getan? Von Haugstein würde zurückkehren und sie zurecht verdächtigen, sie habe den Mann gewarnt.

Der Untersuchungsrichter schüttelte den Kopf. Karl, Matthias, Hartmut und Friedrich wechselten verständnislose Blicke. Ausgerechnet Peter, der die Aufsicht über die Pferde gegen ein paar Groschen einem jungen Burschen anvertraut hatte, war es, der sich in die Lage des Seelenhirten versetzte. »Der Herr Pfarrer wird niemals Unzucht auf geweihtem Boden betreiben, sei es auch nur zum Schein, sondern sich von den Dorfbewohnern möglichst ungesehen mit der Dame in sein Haus begeben!«

»Wie war dein Name? Peter? Helles Köpfchen, merke ich mir«, sagte von Haugstein. »Räumt auf und gebt das Werkzeug wieder ab!«

»Da sich sowohl der Herr Pfarrer als auch meine ehemalige Magd noch im Gotteshaus befinden, bin ich stillschweigend davon ausgegangen, dass der Hinterhalt hier zu legen ist«, verteidigte sich Karl Brandt.

»Wieso bist du Tunichtgut überhaupt hier und nicht bei den Pferden und wie kamst du auf die Idee mit dem Pfarrhaus?«, schnauzte er den Freund seines Ziehsohnes an.

»Ganz einfach – ich bin daran vorbeigekommen!« Peter Töpfer grinste über beide Ohren. »Ich sollte die Pferde vierhundert Schritte wegführen. Genau da liegt die Wohnung des Pfarrers. Eine Nachbarin meckerte, die Pferde würden den Zugang zum Pfarrhaus vollscheißen, woraufhin ich sagte, der Herr Lorenz wäre eingeweiht. Der Sohn der Nachbarin hütet die Pferde, bis ich zurück bin.«

»Du bist und bleibst ein Schlitzohr, Peter! Ein ums andere Mal habe ich mich geärgert, dass du Matthias von der Arbeit abgehalten, ihn sogar ermuntert hast, Mägden nachzustellen. Vielleicht hat der Richter recht und du bist doch noch zu etwas zu gebrauchen! Wenn der Hinterhalt am Pfarrhaus gelegt werden soll, müssen die Pferde dort auch wieder weggebracht werden«, stellte Karl Brandt fest.

»Richtig«, mischte sich der Richter ein. »Und weil der Peter so ein pfiffiges Bürschchen ist, übernimmt diese Aufgabe besagter Nachbarsjunge und Herr Töpfer den Posten an der Dorfstraße!« Die Ansage duldete keinen Widerspruch. Man einigte sich darauf, dass an drei verschiedenen Stellen Beobachtungsposten eingerichtet wurden, die sich mittels des Rufes eines Waldkauzes verständigen sollten, wenn Gunther nahte.

Von Bentheim dachte nicht daran, in die offene Falle zu reiten. Der Warnung durch Frau Wiesel hätte es nicht bedurft. Es roch geradezu nach einem Hinterhalt. Deshalb ließ er zwischen Dobrilugk und Lindena haltmachen. »Wenn der Herr Pfarrer ein Schäferstündchen abhalten möchte, was ich noch bezweifle, dann nicht in dieser alten Kirche, sondern eher in seinen Gemächern. Wie geht es deinem Fuß, Wernher?«, fragte er den Schattenmann.

»Die Ferse schmerzt noch, aber mit der Bandage geht es schon. Weshalb fragst du?«

»Du und Berthold, ihr seid die Geschicktesten. Ihr werdet die Posten ausschalten, die ohne Zweifel platziert worden sind. Wir werden zu Fuß nachrücken«, sagte Gunther.

Berthold gefiel es nicht. Selbst wenn man den ersten Posten überraschte, dann ermordete oder fesselte, bestand die Gefahr, beim zweiten oder dritten Beobachter ins offene Messer zu laufen. Wieder einmal dachte er darüber nach, weit im Westen in der Grafschaft Bentheim ein neues Leben zu beginnen. Das ging nur in der Begleitung und mit der Empfehlung des Ritters.

»Sie werden einen Horchposten vorn an der Straße haben. Deshalb schlage ich vor, den beiden Pferden jeweils Lappen um die Hufe zu binden«, sagte Berthold, in Gedanken immer noch abwesend.

»Einverstanden, macht das!« sagte Gunther, wohl wissend, dass es den beiden Männern das Leben kosten konnte. Im Falle von Wernher war das sogar einkalkuliert. Der könnte nach seinem Ableben dem Untersuchungsrichter nichts mehr über Planung und Durchführung des Attentates auf Nikolaus von Polenz erzählen. Einen Moment überlegte Gunther, jemand anderen auf die gefährliche Mission mitzuschicken. Er verzichtete nur ungern auf so einen klugen Kopf wie Berthold. Andererseits hatte der ehemalige Dieb und Trickbetrüger keine Erfahrung im Schwertkampf, das Scharmützel in Finsterwalde einmal ausgenommen. Wernher und Berthold warteten auf den Sonnenuntergang und ritten dann nach Süden.

»Nein, auf keinen Fall! Dafür haben wir nicht genug Männer!« Christoph von Haugstein schüttelte den Kopf so heftig, dass sein geliebtes Samtbarett gefährlich zur Seite rutschte und beinahe im Straßendreck gelandet wäre.

Matthias war mit einem neuen Taktikvorschlag zu ihm gekommen, der vorsah, nun doch einen Hinterhalt an der Kirche zu legen.

»Falls Gunther mit allen Männern anrückt, was ungewiss ist, dann können wir ihn von vorn und hinten angreifen«, hakte Matthias nach.

»Und wer soll von vorn angreifen, sprich, am Pfarrhaus?«, ereiferte sich der Richter, der sein Barett geradegerückt hatte. »Wir beide etwa?«

»Können Sie eine Klinge führen, Herr Richter?«

»Um mich bei einem Überfall zu verteidigen, schon – aber ich bin kein Ritter!«

»Mein Ziehsohn musste die Ausbildung abbrechen. Wir stellen euch den erfahrenen Waffenknecht Friedrich zur Seite. Hartmut und ich übernehmen den Hinterhalt an der Gasse«, mischte sich Karl Brandt ein.

»In Ordnung, dann machen wir es so, obwohl mir nicht wohl dabei ist.« Von Haugstein hatte keine Lust mehr, sich mit diesen naseweisen Knappen und Waffenknechten anzulegen. Ihm ging es nur darum, die dunkelhaarige Schönheit, in die er sich verliebt hatte, um jeden Preis zu schützen. Dabei beschlich ihn der Verdacht, dass der Gesuchte womöglich unnötiges Blutvergießen vermeiden würde. In den Augen des Richters machte es überhaupt keinen Sinn, dass sich Gunther zu erkennen gab. Denn bei einem offenen Angriff hätte er nur einen weiteren Anklagepunkt gegen sich. Die Zeugin Hanka konnte man immer noch auf dem Weg nach Dobrilugk oder zum Prozess nach Senftenberg aus dem Hinterhalt erschießen. Christoph von Haugstein kroch ein kalter Schauer über den Rücken. Wenn diese Nacht vorüber war, dann war es noch lange nicht vorbei. Erst, wenn er Hanka hinter den Stadtmauern von Bautzen wusste.

»Lassen wir uns überraschen«, sagte Matthias.

»Falsch! Wir müssen sie überraschen!« Der Richter musste das letzte Wort haben.

»Binden wir die Pferde hier an?«, flüsterte Wernher, der Schattenmann, der wieder seine schwarze Kleidung trug und in der hereinbrechenden Nacht nahezu unsichtbar war.

»Nein, ich führe sie am Zügel, und du schleichst dich an. Falls sie einen Horchposten vor der Kirche platziert haben, haust du ihm auf den Hinterkopf und wir fesseln ihn dann gemeinsam«, sagte Berthold leise. Wernher fuhr mit der Handkante über die Gurgel.

»Nein. Für den Fall, wir werden alle festgesetzt und angeklagt, dürfen sie uns keinen Meuchelmord nachweisen«, flüsterte Berthold.

Peter glaubte, etwas gehört zu haben. Vielleicht war auch nur eine Katze, ein Marder oder anderes Tier gewesen. Er richtete sich etwas auf. Als wieder ein Rascheln zu vernehmen war, konnte er weder den vereinbarten Warnruf, den Schrei eines Waldkauzes, ausstoßen, noch sich umdrehen. Ein harter Schlag auf den Hinterkopf sorgte dafür, dass er nichts mehr spürte.

Nachdem Peter Töpfer verschnürt war, beratschlagten sich die beiden Späher.

»Nicht weiter als bis zur Kirche«, zischte Berthold. »Wenn dort alles sauber ist, gehen wir zurück zu unserem schlummernden Gefangenen und warten auf Gunther!«

Als sie in der Gasse Geräusche hörten, zogen Karl und Hartmut so leise wie möglich die Schwerter aus der Scheide. Sie lauerten hinter dem Tor in der Mauer der Kirche. Hartmut erkannte im Mondlicht den einen Mann aus Finsterwalde wieder und brannte darauf, diesen gefangen zu setzen.

Karl hatte einen Schatten bemerkt und zupfte seinem Mitstreiter am Ärmel. »Da ist noch einer. Wegen der schwarzen Kleidung kaum erkennbar«, flüsterte er.

Die beiden Spione, die Gunther entsandt hatte, machten keine Anstalten, weiterzugehen. Um ihnen in den Rücken zu fallen, hätten sie in Richtung des Pfarrhauses schleichen müssen.

Hartmut hielt es nicht mehr an seinem Platz. Er wollte sein Schwert, das er in Finsterwalde eingebüßt hatte, wiederhaben. Schuld daran war der Kerl, der nur sechs Schritte entfernt war.

Ehe Karl Brandt ihn zurückhalten konnte, öffnete Hartmut das in den Angeln knarzende Tor und stürmte auf den Gefolgsmann von Gunther zu.

Berthold wollte sich genau wie Wernher zur Flucht wenden, aber es war zu spät. Hartmut sprang auf die Gasse. Er stellte sich seitlich, um seinem Gegner wenig Trefferfläche zu bieten. Unmissverständlich richtete er die Spitze seiner Klinge in Richtung der Brust des Feindes.

Berthold erkannte die Finte und konnte dem Hau ausweichen. Da sich sein Gegner durch dieses Manöver in eine berechenbare Position gebracht hatte, konnte er den folgenden Hieb mit seinem Schwert abgleiten lassen und auch diesmal ausweichen. Berthold senkte seine Klinge herab, um sie aus dieser Position als Unterhau hinausfahren zu lassen und dann als Stich zu setzen. Da Hartmut ahnte was folgen würde, machte er einen Schritt zur Seite an und ging in die Schrankhut. Auch, um mit einem Krumphau die Hand des Kämpfers zu treffen. Es war ein gewagter Versuch und eher ungewöhnlich für einen Kampf. Aber genau das hatte sein Gegner nicht erwartet. Hartmut führte den Schlag nicht sauber genug aus. Er traf anstelle der Hand die Klinge. Der Kampf war entschieden, da dem anderen das Schwert aus der Hand glitt.

»Mein Schwert habe ich – das Pferd hole ich mir auch noch zurück, du Bastard!«

Der kurze Kampf war beendet, der Gegner jedoch noch nicht dingfest gemacht. Das erledigte Karl Brandt, der die Verfolgung des Schattenmannes aufgegeben hatte. Berthold spürte die Spitze eines Dolches in der Lendengegend. »Hände auf den Rücken!« Karl schlang in Windeseile Seile um die Handgelenke und verknotete sie. »Der andere hinkt! Wenn du dich beeilst, holst du ihn ein! Bei der Gelegenheit kannst du gleich nachschauen, was die Bastarde mit Peter gemacht haben!«, rief Karl dem davoneilenden Hartmut zu.

Christoph von Haugstein hatte aus der Ferne leisen Kampflärm gehört und schickte Friedrich vor, um zu erkunden, was da an der Kirche vorging.

»Übernimm den Gefangenen!«, keuchte Karl. »Ich eile Hartmut nach, der den anderen stellen soll!«

»Soll ich nicht lieber? Ich bin schneller«, begehrte Friedrich auf und spielte auf den Altersunterschied an.

»Ist meine Sache. Wenn der Mörder meines Weibes hier auftaucht, will ich zur Stelle sein!«

Der Schattenmann übersah die Wurzel einer Linde, strauchelte und schlug lang hin. Hartmut war mit zwei schnellen Sätzen bei der liegenden Gestalt und warf sich auf sie. Plötzlich spürte er einen scharfen Schmerz am Oberarm. Der Schwarz Gekleidete hatte einen Dolch in der Hand. Bevor dieser erneut zustoßen konnte, umklammerte Hartmut dessen rechtes Handgelenk und schlug mit der behandschuhten Faust hart auf das Kinn. Karl war umgehend zur Stelle, um notfalls eingreifen zu können. »Der dunkle Fleck, bist du verwundet?«

»Ja«, stöhnte Hartmut. »Dafür ist der zweite Mann auch erledigt. Nicht tot, nur bewusstlos!«

Karl Brandt lief weiter zur Straße in Erwartung des Eintreffens von Gunther. Der Todfeind war nahe, er konnte es fast spüren.

Der Gedanke an Rache ließ ihn jede Vorsicht vergessen. Er hatte nicht einmal eine Hellebarde dabei, um den Reiter vom Pferd zu zerren.

Gunther von Bentheim ließ halten und absitzen. Er hoffte, dass seine Taktik aufgegangen war, und seine Späher nicht nur für Unruhe, sondern auch dafür gesorgt hatten, die Streitmacht der Jäger aufzusplittern. Der Mond lugte ab und zu hinter vorbeiziehenden Wolkenfetzen hervor. Man konnte mehr als nur die sprichwörtliche Hand vor den Augen erkennen. Die Kirche von Lindena war jetzt ganz nahe. Vor einer Linde, die ihre letzten Blätter abgeworfen hatte, stand ein Racheengel, das Schwert zum Nachthimmel gereckt.

»Komm her, du feiger Mörder, und stell dich!«, schrie Karl Brandt, der das Hufgetrappel gehört hatte.

Gunther überlegte einen Moment, den Mann, der das Gold aus Prag irgendwo versteckt hielt, einfach niederzureiten. Dann würde man sich um die nächsten kümmern, um anschließend im Pfarrhaus das finale Gefecht zu gewinnen und die Zeugin Hanka zu entführen.

Gunther entschied, dass es im Dunkeln ein zu großes Risiko war. Womöglich hatte der Untersuchungsrichter irgendwo Heckenschützen mit Armbrüsten platziert. Da kam ihm der entscheidende Gedanke. Warum wie in diesen Heldenepen immer Mann gegen Mann kämpfen?

»Jobst! Armbrust spannen und bereithalten!«

Dann ritt Gunther mit gezogenem Schwert der Linde entgegen. »Wo hast du alter Gauner das Gold versteckt, das ich suchte? Hat Spaß gemacht, dein Weib und deine Tochter zu schänden, bevor wir ihnen die Gurgeln durchschnitten! Wir hätten es auch gern mit der Magd Hanka getrieben, aber das Weib hatte sich versteckt!« Gunther zügelte sein Pferd.

Karl trat aus dem Schatten und wurde vom Mondlicht beschienen. Genau das hatte Gunther mit seiner Provokation bezweckt. Er gab dem Waffenknecht ein Zeichen, der den Abzug betätigte. Der Bolzen durchschlug das Kettenhemd von Karl Brandt, der zu Boden stürzte.

»Sollten wir nicht Berthold und Wernher da raushauen?«, fragte Veit besorgt.

»Zu gefährlich, wir ziehen uns zurück!«, befahl Gunther.

Kapitel 30

Margarete hatte sich von der Frau von Dohna einen Kahn erbeten und stakte flussabwärts ihrer Heimatstadt Ruhland entgegen. In der Nähe von Naundorf machte sie halt, trank etwas Kräutersud mit Honig und aß ein Käsebrot. Hier hatte sie Matthias kennengelernt. Gerda und Nikolaus hatten für Verwirrung gesorgt. Jetzt war sie sicher, dass tief in ihr die Zuneigung zu Matthias von Köckritz schlummerte, die nur zu neuem Leben erweckt werden musste. Nicht nur Zuneigung, sondern Liebe. Warum hatte sie sich so leicht blenden lassen von der Aussicht, an der Seite des künftigen Landvogtes über Macht und Einfluss zu verfügen? Nikolaus hatte mehrfach sein Gesicht gewechselt. Erst die Anklage von Gerda im Folterkeller und seine zynischen Bemerkungen. Dann schien er wie ausgewechselt, war die Sanftmut in Person, um sie nach dem Attentat zu verstoßen und wie eine Fremde zu behandeln.

An der Brücke über die Schwarze Elster in Ruhland machte sie den Kahn fest. Margarethe von Dohna hatte ihr aufgetragen, eine eidesstattliche Erklärung ihrer Mutter beizubringen, dass Gerda die uneheliche Tochter des Grafen von Wildenfels sei. Margarete löste das Seil.

Das musste warten. Etwas anderes war ihr im Moment wichtiger. Wenn sie sich beeilte, konnte sie in zwei Tagen in Dobrilugk sein. Den Weg kannte sie.

»Zwei Gefangene, sehr gut«, lobte von Haugstein seine Waffenknechte auf Zeit. »Damit haben wir den zu Ergreifenden entscheidend geschwächt und bei der Gelegenheit gleich den Attentäter von Senftenberg dingfest gemacht!«

»Was wird mit meinem Ziehvater? Ich spüre noch seinen Puls! Schnell, eine Trage, und dann auf nach Dobrilugk!« Matthias hoffte darauf, dass es im Kloster einen heilkundigen Mönch oder sogar Wundarzt gab. Zudem konnte man Katharina, die in Kirchhain wartete, hinzuziehen.

Zwischenzeitlich hatte man Peter von seinen Fesseln befreit. Er musste sich schütteln. Sein Schädel brummte immer noch. Friedrich verband die Schnittverletzung von Hartmut am Oberarm. Hanka kam mit dem Pfarrer herbeigeeilt, der mitgedacht und eine Krankentrage dabeihatte. »Der nächste Medicus ist weit weg, daher kümmere ich mich um die Wehwehchen der Dorfbewohner, so gut es eben geht«, sagte Pfarrer Lorenz. »Drei Semester Medizin, bevor ich mich der Theologie widmete«, fügte er erklärend hinzu. »Wir müssen das Kettenhemd abnehmen, damit ich die Wunde untersuchen kann!«

Mit vereinten Kräften befreite man den bewusstlosen Karl Brandt vom schweren Kettenhemd, das gegen Schwerthiebe und Dolchstöße schützte, aber von Armbrustbolzen durchschlagen wurde.

»Jetzt hilft nur noch Beten«, sagte der Pfarrer Lorenz. »Bruder Johannes hat als Wundarzt in den Kriegen so viel Leid erlebt, dass er beschloss, sein restliches Leben als Mönch in Dobrilugk Gott zu weihen.« Genau das war die Hoffnung von Matthias gewesen.

Die Gefangenen wurden mittels eines Seiles miteinander verbunden. Das Ende des Strickes wurde am Sattelzeug des Pferdes von Friedrich festgemacht. Auf Befehl des Richters bildete Peter Töpfer die Nachhut. Wegen des Transportes des Schwerverletzten kam man nur langsam voran. Nach zwei Stunden schlug Christoph von Haugstein mit der Faust gegen das Tor des Klosters.

»Öffnet im Namen des Landvogtes der Niederlausitz! Ich bin Richter von Haugstein!«

Matthias schüttelte den Kopf. Bei seinem letzten Besuch hatte er noch einen Türklopfer betätigen müssen. Jetzt gab es einen Klingelzug. Er zog zum Erstaunen des Richters an der Schnur. Innerhalb der Klostermauern ertönte ein helles Glöckchen. Es dauerte aber noch geraume Zeit, bis man die Schritte eines Mönches hörte, der das Sichtfenster ein Spalt breit öffnete. »Wer macht hier nachts so einen Lärm?«

»Matthias von Köckritz, Freund von Bruder Michael. Ich wurde zuletzt vom Abt persönlich empfangen!«

»Ah, ich erinnere mich! Das Pärchen mit dem Scheidungsansinnen und Heiratsabsichten. Wo ist denn die hübsche Braut abgeblieben?«, fragte der neugierige Mönch.

»Ja, das wüsste ich auch gerne«, stammelte Matthias. »Mein Ziehvater wurde schwer verwundet. Weckt bitte Bruder Johannes, jetzt!«, flehte er.

Das Tor wurde geöffnet und sie konnten den Verwundeten ins Kloster tragen. Karl Brandt wurde auf einen Tisch gelegt. Der ehemalige Wundarzt, der jetzt eine Mönchskutte trug, ließ weitere Kerzen aufstellen. Mittels einer Zange entfernte er den Bolzen, der im Oberkörper des Schwerverwundeten steckte. Die Blutung wurde umgehend mittels einer Kompresse gestillt. Karl bäumte sich ein letztes Mal auf. »Das Geheimwort lautet ›Vischrad‹«, keuchte er mit letzter Kraft. Dann wurden seine Augen starr.

Matthias sank auf die Knie und faltete die Hände zum Gebet. Alle Anwesenden, auch die hinzugeeilten Bruder Michael und der Abt knieten auf dem kalten Steinfußboden. Matthias rechte Hand umklammerte den Schwertgriff. Nach dem Gebet für seinen Ziehvater stand er auf. »Tod dem Mörder meines Vaters!«

Peter Töpfer konnte wieder einmal seinen Mund nicht halten.

»Ich war noch gefesselt, konnte aber im Mondschein erkennen, dass dein Ziehvater bereit war, Gunther zum Zweikampf zu fordern. Der verhöhnte ihn, ich konnte nicht verstehen, was er sagte, aber es war ein Waffenknecht, der den Bolzen abfeuerte, der deinen Ziehvater tödlich verletzte!«

»Halt die Klappe, Peter! Hast du nicht schon genug Unheil angerichtet? Deine Avancen gegenüber Margarete, die dazu führten, dass sie in ein Kloster musste und entführt wurde? Jetzt willst du auch noch behaupten, Gunther von Bentheim, das Scheusal, wäre unschuldig?« Matthias spuckte aus.

»Ruhig Blut, Matthias, das gehört sich nicht auf geweihtem Boden.« Der Abt klopfte ihm auf die Schulter. »Der junge Mann hat es sicher nicht so gemeint. Wer den Befehl zum Schießen gab, ist der Schuldige. Du wirst ihn stellen und niederringen. Vielleicht ist auch Gottes Wille, dass dieser Gunther von einer weltlichen Justiz verurteilt wird!«

»Dem kann ich nur zustimmen, hochverehrter Abt«, sagte von Haugstein. »Genau deshalb bin ich hier.«

»Können wir den Leichnam meines Ziehvaters hier beisetzen?«, fragte Matthias mit Tränen in den Augen.

»Selbstverständlich«, sagte der Abt. »Bruder Michael! Du organisierst die Trauerfeier für den Kämpfer im Namen Gottes, der den böhmischen Ketzern die Stirn bot!«

»Jawohl, ehrwürdiger Abt!« Der Mönch entfernte sich mit gesenktem Haupt und bereitete alles für eine erste Totenmesse vor.

»Bis es soweit ist, müssen wir herausfinden, was der Verbrecher als nächstes vorhat«, bemerkte von Haugstein leise und bekräftigte damit, dass man sich in den nächsten Stunden und Tagen nicht nur aufs Beten beschränken würde. Zunächst musste man sich mit dem Naheliegenden beschäftigen. Der Abt stimmte sofort zu, einen Raum als Gefängniszelle zur Verfügung zu stellen. Darüber hinaus würde er eigene Waffenknechte zur Bewachung abstellen, was der Richter sehr begrüßte. Da die Stunde schon fortgeschritten war, bezogen sie gleich hier Quartier.

Karl Brandt wurde in einem Nebenraum des Refektoriums aufgebahrt. Es wurden weitere Kerzen angezündet. Matthias übernahm mit Friedrich die erste Totenwache. Ihnen würden der Richter, der sich ebenfalls bereiterklärt hatte, und Hartmut folgen.

Zum Entsetzen des Wirtes Krüger hatte man seine Gastwirtschaft zur Festung erklärt. Gunther von Bentheim fehlte sein Berater Berthold.

Er ließ es sich nicht anmerken und gab wie gewohnt ohne zu zögern Befehle. »Veit! Du behältst das Kloster im Auge. Ich hoffe mal, die halten die erste Totenmesse für den Dieb von Prag ab. Am liebsten würde ich das Kloster berennen, weil der Abt überall herumposaunte, ich habe bei der Schlacht bei Aussig den Hussiten in die Karten gespielt. Leider haben wir dafür nicht genug Männer.«

»Worauf genau soll ich achten?«, fragte etwas einfältige Waffenknecht.

Gunther haute mit der behandschuhten Hand auf den Tisch, sodass die Bierkrüge wackelten, die der Wirt herbeigeschleppt hatte.

»Die Hure Hanka darf nicht in einem Männerkloster übernachten, du Narr! Soll heißen, sie werden sie umgehend zurück ins Frauenhaus oder nach Kirchhain bringen. Du legst dich auf die Lauer. Sobald die Dirne im Mondlicht auftaucht, schießt du sie ab! So kann unser Ausflug nach Lindena noch zu einem krönenden Abschluss gebracht werden!«

Veit hätte sich am liebsten hingelegt, gehorchte aber der Anweisung.

»Der Abt hat unmissverständlich dargelegt, dass ein sündiges Weib nicht in seinem Kloster nächtigen darf«, sagte von Haugstein und legte den Arm um die zitternde Hanka. Sie war der Lockvogel und die Zielscheibe gewesen. Jetzt war ihr ehemaliger Brotgeber tot. Ihre Augen schwammen immer noch in Tränen. Sie hörte die Stimme ihres neuen Gönners wie durch Watte.

»Es besteht die Gefahr, dass sich Gunther im naheliegenden Wirtshaus verschanzt hat. Genau wissen wir es nicht. Der Weg bis zum Gasthaus, in dem Katharina untergebracht wurde, ist zu weit und ohne Fackel nicht zu bewältigen. Wir nutzen einen Hinterausgang und schleichen uns im Dunkeln hinüber zum Frauenhaus. Ich übernehme selbst deine Bewachung. Wenn ich meine Totenwache an der sterblichen Hülle von Karl Brandt antreten muss, schicke ich dir Matthias. Ich will dich lebendig in Bautzen haben!«

Hanka schmiegte sich an den Richter. Er mochte arrogant auftreten. Entscheidend war, er hatte ein Herz für sie.

Der Waffenknecht Veit hielt es für möglich, dass die Hure durch einen Hinterausgang das Kloster verließ.

Insofern musste er nur den Eingang des Frauenhauses und die Straße nach Kirchhain beobachten.

Es dauerte auch nicht lange, bis sich zwei Schatten von der Mauer des Klosters hinüber zum Frauenhaus bewegten. Veit zögerte einen Moment. Gerade jetzt schob sich eine Wolke vor den Vollmond. Es bestand die Gefahr, dass die beiden Gestalten, die er kurz zu erkennen geglaubt hatte, davongehuscht waren, bevor die Szenerie erneut beleuchtet wurde.

Veit hatte Glück. Der Wind pustete die störende Wolke weg. Es gab nur das Problem, dass die Silhouette eines Mannes die kleinere Gestalt verdeckte. Er musste jetzt schießen, auch wenn die Gefahr bestand, den Mann, den er nicht kannte, zu treffen.

Christoph von Haugstein griff sich ans Ohr. Ein Geschoss war in die Holzwand eingeschlagen und ein Splitter hatte sein Ohrläppchen verletzt. Hanka sah das Blut nicht, aber sie hatte ein ausgezeichnetes Gehör. Sie riss den Richter zu Boden. Der zweite Bolzen schlug knapp oberhalb von ihnen ein.

»Wenn wir um Mitternacht beschossen werden, heißt das, von Bentheim hat das Wirtshaus besetzt!«, keuchte von Haugstein. Er klopfte im Liegen an die Tür. Frau Wiesel war noch wach und öffnete die Pforte. Sie wunderte sich, dass ein Pärchen auf allen Vieren über ihre Schwelle kroch. Gerade rechtzeitig schloss sie die Tür. Veit hatte die Armbrust erneut gespannt. Das dritte Geschoss schlug wiederum nur ins Holz ein. Der Waffenknecht fluchte leise vor sich hin. Er hätte den Ritter gerne mit der Nachricht geweckt, die Zeugin erledigt zu haben. Unter diesen Umständen ließ er Gunther lieber schlafen.

Margarete hatte wie geplant am zweiten Tag den Mittellauf der Kleinen Dober erreicht.

Jetzt ärgerte sie sich, mittags eine längere Pause eingelegt zu haben, weil die Arme vom ewigen Staken schmerzten. Es wurde Nacht und sie wagte es nicht, im Kahn zu schlafen.

Es war fast die gleiche Stelle wie jene im Sommer, als sie vom Ritter Heinz von Waldow und seiner Bande überrascht worden waren. Die ganze Fahrt hierher war für sie wie eine Reise in die Vergangenheit gewesen. War das erst fünf Monate her?

Ihr kam es vor, als wäre es in einem früheren Leben passiert. Nach dem unerfreulichen Zwischenspiel in Senftenberg, bei dem vor allem der Verrat ihrer einst besten Freundin Gerda schmerzte, wollte sie nur noch an die Zukunft mit Matthias denken – wenn der sie noch liebte.

Margarete machte den Kahn fest. Nebel kroch über die feuchten Wiesen am Bachlauf. Es sollte ihr Vorhaben, das Wirtshaus, in dem der Richter, Matthias, Karl und die anderen logierten, unerkannt zu erreichen, eigentlich erleichtern. Gleichzeitig stolperte sie über jede Bodenwelle. Einmal geriet sie vom Weg ab und wäre beinahe in die Furche eines frisch gepflügten Feldes gestürzt. Margarete hielt kurz inne und schnaufte durch. War es wirklich eine so gute Idee, da mitten in der Nacht hineinzuschneien? Gunther wollte die Zeugin Hanka beseitigen, die wiederum im Frauenhaus lebte. Wenn man die junge Frau schützen wollte, lag es nahe, sich direkt daneben einzuquartieren.

Veit wartete ungeduldig auf seine Ablösung. Den Zwischenfall mit der Frau und dem Mann, die er mit drei Schüssen knapp verfehlt hatte, würde er geflissentlich verschweigen. Natürlich könnte er Alarm schlagen und dafür sorgen, dass zwei Männer durch den Gang schlichen, der Wirtshaus, Badehaus und Bordell miteinander verband, und die beiden gefangen nahmen. Wenn das Pärchen dort übernachtete, konnte man morgen früh immer noch nachsehen.

Hanka hatte den gleichen Gedanken und machte ihren Galan darauf aufmerksam, dass Gunthers Männer durch den überdachten Gang jederzeit hier eindringen könnten. »Der auf uns geschossen hat, weiß, dass wir hier drin sind!« Sie tupfte mit einem Leinentuch Blut von Ohrläppchen und Hals ihres Geliebten.

»Wer hat noch einen Schlüssel zur Tür des Ganges?«, fragte von Haugstein. Stillschweigend ging er davon aus, dass der Durchgang verschlossen war. Falls Gunthers Männer den Zweitschlüssel bereits an sich genommen hatten, dann war es keine gute Idee, mit Hanka hierher zu kommen.

Die ehemalige Magd weckte die Hure Elisabeth, die ebenfalls einen Schlüssel verwahrte. Gemeinsam verbarrikadierten sie die Pforte mittels Brettern und Möbeln und versuchten dabei, so wenig Lärm wie möglich zu machen.

Veit wartete immer noch auf seine Ablösung. Die Kälte kroch in seine Glieder und er hüpfte auf und ab. Als sich aus dem wabernden Nebel eine weibliche Gestalt löste, glaubte er zunächst an ein Trugbild. Er hatte zum Abendessen einen Humpen Bier getrunken, aber das war Stunden her. Welches Weib war so blöd, hier nachts allein herumzugeistern? Es sei denn, sie hatte übernatürliche Kräfte und fürchtete nichts. Er bekam es mit der Angst zu tun und verkroch sich. ›Eine Hexe, um mich, Gunther und die anderen zu verderben!‹, dachte er und vergaß, die Armbrust erneut zu spannen.

Die Ablösung hieß Jobst und riss in dem Moment die Tür auf, als sich Margarete anschickte, vorsichtig zu klopfen. Beide schraken zurück, weil sie jemand anderen hinter der Tür erwartet hatten. »Hereinspaziert, schöne junge Frau! Ich bin der neue Schankknecht des Wirtes Krüger und wollte mich gerade zu Bett begeben!«, sagte der Waffenknecht geistesgegenwärtig.

Gleichzeitig überlegte er, wer die Frau, die er noch nie gesehen hatte, sein mochte und was sie hier suchte.

Den Beschreibungen zufolge, die er gehört hatte, könnte es sich bei der nächtlichen Besucherin um das Weib des Nikolaus von Polenz handeln, vom dem man nicht wusste, ob er den Anschlag überlebt hatte.

Margarete war mulmig zumute. Da sich der junge Mann als Schankknecht des Herrn Krüger vorgestellt hatte, trat sie ein. »Ist noch ein Zimmer frei? Ich bin nach der langen Reise rechtschaffen müde«, gähnte sie. Als sie in ihrem Rücken ein Geräusch hörte, war es zu spät. Ihre Arme wurden von Veit brutal auf den Rücken gedreht. »Ich nehme es auf mich, Gunther zu wecken! Bevor du endlich den Dienst draußen in der Kälte antrittst – hast du eine Ahnung, welches Vögelchen uns ins Netz geflattert ist?« Eine Hexe hätte einen Zauberspruch gemurmelt. Inzwischen war Veit überzeugt davon, dass die junge Frau einfach nur eine Lagerstatt suchte und an die Falschen geraten war.

»Wenn mich nicht alles täuscht – Margarete von Polenz, Eheweib des Mannes, der unseren Ritter verfemt hat. Schade, dass ich nicht das Glück habe, Gunther zu wecken und ein Lächeln auf sein Gesicht zu zaubern!«, sagte Jobst.

»Viel Spaß da draußen!«, lachte Veit und schob die gefesselte Margarete in die Gaststube, die nur noch von zwei Kerzen notdürftig erhellt wurde. Er nötigte die Gefangene auf einen Stuhl und fesselte ihre Fußgelenke an die Stuhlbeine. Dann machte er sich auf den Weg, den Ritter zu wecken.

Gunther von Bentheim war wenig erbaut davon, aus seinen Träumen von einer Gerichtsverhandlung, bei der er mangels an Beweisen freigesprochen wurde, gerissen zu werden.

»Ich hoffe, du hast einen guten Grund, Veit, mich um diese unchristliche Zeit aus dem Schlaf zu reißen«, grunzte er.

»Das will ich meinen, Herr Ritter, sonst hätte ich es nicht gewagt. Sie ahnen nicht, welches Vögelchen uns nachts ins Netz geflattert ist!«, sagte Veit voller Stolz. Er hätte in dieser Nacht noch viel mehr erreichen können, aber das musste er Gunther nicht auf die Nase binden.

Der Ritter erleichterte sich zunächst in einen Nachttopf, der unter dem Bett stand und kleidete sich dann an.

Als er dann immer noch schlaftrunken die Treppe nach unten stolperte, traute er seinen Augen kaum.

»Diesmal mussten wir dich nicht entführen, du bist von selbst gekommen. Was verschafft uns die Ehre deiner Anwesenheit, werte Margarete?«, höhnte von Bentheim. »Ach, ja, beinahe hätte ich vergessen zu fragen, ob du nun Witwe bist oder nicht?«

»Es tut mir leid, dich enttäuschen zu müssen, Gunther. Dank der Tränke der Hexe Gerda geht es Nikolaus blendend. Danke, das von dir veranlasste Attentat öffnete mir die Augen. Jetzt weiß, wohin ich gehöre!«, schleuderte ihm Margarete entgegen.

»Du warst schon immer ein vorlautes Weibsstück, Margarete! Weil du eine wertvolle Geisel bist, werde ich meine Männer anweisen, dich nur zu bewachen und nicht zu schänden. Du bekommst ein eigenes Zimmer! Veit! Schaffe sie nach oben und verriegele die Tür. Wer steht jetzt draußen? Jobst? Er soll ein Auge auf das Fenster haben. Nicht, dass sich die holde Margarete noch abseilt.«

Gunther klopfte sich auf die Schenkel. Niemand lachte mit. »Ich lege mich wieder hin. Nur wecken, wenn die Bande des Richters von Haugstein Brandpfeile aufs Dach schießt. In dem Fall muss dafür gesorgt werden, dass sie Margarete zu sehen bekommen.«

»Es ist keineswegs sicher, dass ich eine wertvolle Geisel bin«, wandte Margarete ein.

»Ich weiß nicht, ob Matthias mich noch liebt und der Richter wird überrascht sein, mich hier vorzufinden. Wenn er mich an deiner Seite sieht, muss er zunächst glauben, ich mache mit euch gemeinsame Sache.«

»Soll ich ihr einen Lappen in den Mund stopfen?«, fragte Veit.

»Nur, wenn sie in ihrer Kemenate weiterzetert. Stricke, Säcke und ähnliches aus dem Raum entfernen und Jobst auf das Fenster hinweisen!«, gähnte Gunther.

»Jawohl, wird gemacht!«, sagte Veit und schubste die Gefangene die Treppe hinauf, nachdem er ihre Fußfesseln entfernt hatte. Der Waffenknecht schaute sich aufmerksam um, fand aber nirgendwo einen Strick, mit dem sich Margarete hätte abseilen können. Sicherheitshalber nahm Veit zwei Bettbezüge aus einer Truhe mit, die man zusammenknüpfen konnte.

»Noch ein Schlummertrunk gefällig, werte Geisel?« Veit wollte die Gefangene verhöhnen, sie nahm es für bare Münze.

»Ja, ich bin nach dem Staken des Kahnes unendlich durstig. Es wäre sehr freundlich von Ihnen, zumal Sie sich ursprünglich als Schankknecht vorgestellt haben.« Margarete hatte in ihrem jungen Leben gelernt, auch den ausweglosesten Situationen etwas abzugewinnen.

Eine der Schankmägde war geflohen, eine zweite noch im Haus. Gunther hatte strenge Anweisung gegeben, das Weib nicht anzurühren. Da Veit den Wirt nicht wecken wollte, schlich er zur Kammer der Magd. Helena lebte in der ständigen Angst, die Waffenknechte würden die Weisung ihres Anführers missachten und ihr nachstellen. Deshalb öffnete sie die Tür nur einen Spalt breit.

»Sie wünschen, Herr Waffenknecht?«, fragte Helena schlaftrunken.

Mit ihren vollen Brüsten und den ausladenden Hüften entsprach sie eher dem gängigen Schönheitsideal als die schlanke Margarete. Das weckte bei den wenigen Männern, die Gunther noch hatte, Begehrlichkeiten.

»Keine Sorge, Helena, ich will dir nicht zu nahetreten. Wir haben einen Gast. Die Dame wünscht etwas Wasser und Wein. Ich begleite dich zu ihrer Kammer«, sagte Veit.

»Gast ist gut, Gefangene trifft es wohl eher«, murmelte Helena, warf sich einen wollenen Umhang über das Unterkleid, schlüpfte in die Schuhe. In der Schankstube füllte sie Wein und Wasser in jeweils zwei Krüge, stellte dazu einen irdenen Becher auf ein Tablett und balancierte es wieder nach oben. Veit schloss die Tür auf. »Keinen Wortwechsel, verstanden?«, knurrte er.

Er hatte ebenfalls Durst bekommen, huschte nach unten, um sich ein Bierchen zu genehmigen.

»Der Wachhund ist weg! Schankmagd, ich hatte keine Ahnung, wer das Wirtshaus besetzt hat. Wo sind die anderen, der Richter von Haugstein, Matthias von Köckritz, Karl Brandt und ihre Mitstreiter?«, fragte Margarete leise.

»Ich bin Helena. Die, von denen du sprachst, sind alle drüben im Kloster. Der Wirt hat etwas aufgeschnappt. Sie halten dort Totenwache für einen Gefallenen. Deshalb ist sich der Herr Ritter so sicher, nicht angegriffen zu werden, bis der Mann beerdigt wurde«, sagte Helena.

Margarete blieb das Herz stehen. Totenwache für wen? Hoffentlich nicht für Matthias!

»Und du weißt nicht, wer …?«

»Hatte ich nicht gesagt, keine Unterredung?«, schnauzte Veit, der wieder aufgetaucht war.

»Ich wollte nur wissen, wer im Kloster morgen beigesetzt werden soll. Ich möchte für seine Seele beten«, fauchte Margarete ihren Bewacher an.

»Karl Brandt wollte in Lindena meinen Herrn zum Zweikampf stellen. Der dachte gar nicht daran, provozierte ihn, sodass der alte Mann ins Schussfeld kam. Ich musste nur abwarten, bis eine Wolke, die sich vor den Mond geschoben hatte, weg war und hatte dann im fahlen Licht ein kaum zu verfehlendes Ziel«, prahlte Veit. »Der Bolzen durchschlug das Kettenhemd!«

Margarete kroch ein Schauer über den Rücken. Ihr Bewacher brüstete sich mit einem Mord! Gleichzeitig war sie etwas erleichtert, dass nicht der Name Matthias von Köckritz gefallen war. Mit zitternder Hand mischte sie Wasser mit Wein und trank einen Schluck.

»Wenn ihr mich jetzt bitte allein lassen würdet, ich möchte für die Seele des Verstorbenen beten!«

Der Waffenknecht respektierte den Wunsch der Geisel, schickte die Schankmagd ins Bett und verschloss sorgfältig die Tür zur Kammer. Dann machte er sich auf den Weg zu seinem Kumpan Jobst, der draußen in der Novemberkälte Wache schob.

Am nächsten Morgen bedeckte Raureif die Wiesen zwischen Dober, dem Kloster und dem Wirtshaus. Gunther von Bentheim hatte eine Nacht darüber geschlafen und war zu der Erkenntnis gelangt, dass er für eine erfolgreiche Verteidigung des Wirtshauses nicht genügend Männer hatte. Geschützt durch die Befestigungsanlagen einer Burg wäre es etwas anderes gewesen.

Er hatte sich gerade angezogen und sein Wasser abgeschlagen, als Veit mit dunklen Augenringen vorstellig wurde. »Entschuldige bitte, Gunther, dass ich dir gestern nicht alles gesagt habe! Während meiner Wache schlichen zwei Gestalten vom Kloster zum Frauenhaus. Ich habe drei Schüsse abgefeuert, vielleicht auch jemand leicht verletzt. Der Verdacht liegt nahe, es handelte sich um den Richter von Haugstein und die Zeugin Hanka. Gleich nach meiner Wache an der Tür der Geisel Margarete habe ich den überdachten Gang erkundet, der Wirtshaus, Badestube und Frauenhaus miteinander verbindet. Am anderen Ende ist die Tür verschlossen und vermutlich verbarrikadiert!«

Nach der Gefangennahme von Berthold und dessen ungewissem Schicksal hatte Gunther keinen besseren Berater als Veit. Der Einäugige unter den Blinden.

»Ich habe meinen Entschluss gefasst! Wir sind zu wenig für ein offenes Gefecht oder die Verteidigung des Wirtshauses! Sie werden erst Karl Brandt beisetzen und dann hier angreifen. Das verschafft uns einen Vorsprung von einigen Stunden! Wir ziehen sofort ab, bevor die Verfolger etwas merken, nehmen die Geisel mit!« Alle starrten den Ritter mit offenen Mündern an.

Matthias war es gelungen, noch vor dem Morgengrauen mit Hanka unbemerkt zum Kloster zu gelangen. Die Sünderin wurde in den Gartenpavillon gebracht, damit die Mönche nicht in ihrer Andacht gestört wurden. Richter von Haugstein dankte Matthias und überlegte gleichzeitig, wer bei der Trauerfeier für Karl Brandt entbehrlich war. Friedrich hatte keine besondere Beziehung zum Toten und wurde daher mit zwei Aufgaben betraut: Er sollte auf Umwegen Katharina von Wildenfels aus Kirchhain zurück zum Kloster holen und gleichzeitig ausspähen, was Gunther von Bentheim mit seiner dezimierten Mannschaft vorhatte.

Christoph von Haugstein hatte vieles zu bedenken. Er wollte vorsichtig beim Abt nachfragen, ob man für die sündige Hanka nicht Papiere auf eine Patriziertochter Johanna Lerche ausstellen könne.

Nach der Beisetzung des Karl Brandt sollte das Wirtshaus von zwei Seiten angegriffen werden.

Frontal von der Straße als Ablenkungsmanöver und gleichzeitig durch den Gang zum Badehaus, dessen Tür er selbst verbarrikadiert hatte. Von Haugstein wusste, dass Gunther nur wenige Männer hatte. Am liebsten hätte er den Sturmangriff jetzt sofort befohlen. Der Abt hatte angewiesen, Waffenruhe bis zur Beisetzung des Karl Brandt zu halten. Dem musste er sich fügen. Das Kloster stellte bereits zwei Zellen und Waffenknechte für die Bewachung der Gefangenen.

Der Wirt Krüger hatte eine Dolchspitze am Doppelkinn. Er schlotterte am ganzen Leib. Bisher war er froh gewesen, dass er und die Schankmagd die Besetzung des Gasthauses unbeschadet überstanden hatten.

»Ich brauche zusätzlich ein Pferd und einen Seitsitzsattel für unsere Geisel!«, knurrte Gunther.

»Ja, findet ihr im Stall!«, keuchte Krüger.

»Besten Dank! Bezahlung gibt es diesmal keine. Wir borgen uns das Pferd nur aus. Und falls du oder deine Schankmagd auf die blödsinnige Idee kommen solltet, zum Kloster zu eilen, dann sei gewiss, ein Armbrustbolzen meiner Nachhut würde euch niederstrecken!«

Das hatte Gunther keineswegs vor, aber der Wirt hatte Mühe, sich nicht einzunässen.

Margarete wurde geweckt, zum Hinterhof getrieben und musste aufsitzen. Dann wurden ihre Handgelenke erneut gefesselt.

»Wulff! Du bist mir persönlich verantwortlich, dass die Dame nicht ausbüxt. Leider ist das schon einmal passiert, aber da hatte sie Unterstützung von einem Verräter aus den eigenen Reihen«, rief Gunther und reckte das Schwert als Zeichen zum Aufbruch nach oben. »Möglichst leise, Männer, nur Schritttempo«, ermahnte er seine Männer.

Friedrich wollte wie angewiesen über Schleichwege nach Kirchhain laufen, da hörte er Hufgetrappel. Er warf sich hinter einen Busch. Im Nebel konnte er gerade noch erkennen, dass es sich um Gunther und seine Bande handeln musste, die vom Hinterhof des Wirtshauses nach Osten flohen. Der Auftrag, die ehemalige Nonne Katharina abzuholen, musste warten. Es gab jetzt Wichtigeres zu tun. Auch wenn er dazu die Trauerfeier stören musste.

Der Mönch, der ihn einließ, war wenig erbaut davon, den Waffenknecht sobald wiederzusehen.

»Die Andacht für den Gefallenen hat gerade begonnen! Wollen Sie wirklich in die Abteikirche, um zu stören?«

»Es muss sein, Mönchlein! Es pressiert! Einer der gesuchtesten Verbrecher der Niederlausitz flieht gerade!«, rief Friedrich aufgebracht.

Der Waffenknecht, der ursprünglich zur Schar des Ritters Heinz von Waldow gehörte, schlich zur Abteikirche und bekreuzigte sich. Er wollte sich unauffällig nach vorn bewegen, um den Richter zu informieren, aber es gelang ihm nicht wirklich. Viele Augenpaare verfolgten ihn.

Er nahm auf einer Bank hinter dem Richter Platz, faltete die Hände zu einem Gebet. Dann beugte er sich nach vorn. »Sie sind weg, Herr von Haugstein. Richtung Osten, mit einer weiblichen Geisel. Ich konnte nicht genau erkennen, wer sie ist. Ich glaube, es handelt sich um Margarete von Polenz.«

Das Letzte hatte Matthias mitgehört.

Er hatte Margarete bereits abgeschrieben und jetzt behauptete der Waffenknecht, sie befände sich wieder einmal in der Gewalt des Gunther von Bentheim? Wie konnte das geschehen? Warum war sie von Senftenberg hierher geeilt? Er hatte keinen Zweifel daran, dass Friedrich die Wahrheit sagte. Er und der Waffenknecht hatten Margarete zum Kloster Mühlberg gebracht.

Der Abt des Klosters Dobrilugk, der die Zeremonie persönlich leitete, runzelte die Augenbrauen ob der Störung, ließ sich nicht beirren und hob beide Arme. »Friede allen, die Gott fürchten! Möge die Seele des Kämpfers gegen das Ketzertum in Böhmen in den Himmel aufsteigen und im ewigen Frieden ruhen.«

Dann wurde der Sarg nach draußen getragen und auf dem Friedhof in eine zuvor ausgehobene Grube abgesenkt. Jeder trat an das offene Grab, murmelte ein Gebet und warf etwas Erde auf den Sarg. Matthias hatte Tränen in den Augen. Hier wurde der Mann beerdigt, den er lange Zeit seines Lebens für seinen Vater gehalten hatte, bis er erfuhr, wer sein Erzeuger war.

Katharina von Wildenfels war nach draußen geeilt, weil sie jeden Moment damit rechnete, abgeholt zu werden. Als sie vier Reiter näher kommen sah, blieb ihr Herz einen Moment stehen. ›Nicht schon wieder!‹ Noch mehr verwirrte sie, als sie Margarete zu erkennen glaubte. Ihrer Freundin aus Klostertagen hatte man einen Schal über die Handgelenke geworfen und verknotet. Katharina hegte keinen Zweifel, dass darunter noch eine Handfesselung war. Gunther und seine Schergen wollten beim schnellen Ritt durch Kirchhain nur vermeiden, dass jemand das Seil sah und es meldete. Sie erwachte aus der Starre, sprang hinter einen Zaun und warf sich bäuchlings in einen Haufen Laub, den ein Knecht liegengelassen hatte.

Als sich die Reiterschar rasch gen Osten entfernte, raffte sie sich auf und rannte so schnell sie konnte in die entgegengesetzte Richtung.

Kapitel 31

Gunther von Bentheim hatte keinen Plan, wo er sich verkriechen sollte. Am liebsten wäre ihm eine befestigte Anlage gewesen. Mit Margarete von Polenz hatte man ein Pfand, eine Verhandlungsbasis. Ihr Leben gegen seines und das der verbliebenen vier Waffenknechte. Die Flucht in die weit entfernte väterliche Grafschaft war im Moment noch keine Option, obwohl Gunther auch darüber nachdachte. Er ließ zwischen Kirchhain und Finsterwalde haltmachen, um die Geisel zu befragen. Margarete nutzte ihm nur etwas, wenn sie jemand sehr viel bedeutete.

»Ein Schluck Wein mit Wasser vermischt? Entschuldige die Umstände, aber du bist uns zugelaufen, diesmal haben wir dich nicht entführt.«

Margarete wollte zunächst den Kopf schütteln. Sie spürte den Durst und nahm nun doch dankbar die Feldflasche an.

»Warum bist so schnell von Senftenberg nach Dobrilugk geeilt?«, wollte Gunther wissen.

»Das ist eine lange Geschichte«, schniefte Margarete, die jetzt gern ein Tuch gehabt hätte, um sich den Mund abzutupfen.

»So viel Zeit haben wir nicht. Fasse es in einigen wenigen Sätzen zusammen!«, forderte der verfemte Ritter sie auf.

»Meine ehemalige Freundin Gerda hat mittels Liebestränken, die sie heimlich aus Ruhland mitgenommen hatte, sowohl Matthias von Köckritz als auch Nikolaus von Polenz verwirrt. Matthias verliebte sich in Gerda, dann eilte sie auf die Burg Senftenberg, um Nikolaus enger an mich zu binden. Als er nach seiner schweren Verletzung und Operation erwachte, sah er Gerda zuerst, hielt sie für einen Engel, will sie jetzt als Gertrud von Wildenfels ehelichen. Dazu muss er nur das Dokument unterschreiben, das der Abt von Dobrilugk und der Erzbischof ausstellen ließen und ich dabeihatte. Dann hat er mich verstoßen. Ich bin mit einem Kahn hierher gestakt und glaubte, im Gasthaus Matthias und den Richter vorzufinden. Stattdessen öffnete einer eurer Waffenknechte die Tür.« Margarete trank noch einen Schluck des Wasser-Wein-Gemisches.

»Zusammengefasst kann man sagen: Nikolaus und ich lagen gar nicht so verkehrt mit der Anklage wegen Hexerei. Mein ehemaliger Dienstherr, der leider überlebte, hält Gerda für eine Grafentochter, obwohl die Vaterschaft nicht anerkannt wurde, mithin für eine bessere Partie als du es bist, die Tochter eines Kaufmanns.« Gunther wollte noch etwas hinzufügen, wurde aber von Veit unterbrochen: »Es nähert sich eine größere Schar Reiter, geschätzt dreißig Mann! Wir sollten umgehend tiefer im Wald verschwinden!«

»Steh auf, Margarete! Wir wissen nicht, mit wem wir es zu tun haben! Von Haugstein, dein Matthias und ihre Mitstreiter können es nicht sein, denn die Reiter kommen von Osten und sind viel mehr!« Margarete hatte erhebliche Mühe, mit gefesselten Händen aufzustehen. Gunther reichte ihr die Hand. »Komm schon, oder willst du in die Hände von Raubrittergesindel fallen?«

Margarete wusste in dem Moment nicht, welches das schlimmere Schicksal war.

»Veit! Du bleibst im Gebüsch nahe des Weges und meldest mir das Wappen des Anführers!«, befahl Gunther.

Sie führten die Geisel und die Pferde tiefer in den Wald hinein. Dabei mussten sie nicht darauf achten, so leise wie möglich zu sein. Die herannahende Schar war laut genug.

Es dauerte auch nur wenige Minuten, bis Veit zu ihnen stieß. »Auf der Fahne und den Schilden das Wappen derer von Waldow!«, meldete er. Auch wenn er bisher nur seinen Dienst auf dem Landgut des Ritters versehen hatte, einige wichtige Grundkenntnisse hatte er. Dazu gehörte auch, herannahende Reiter anhand ihres Wappens zu erkennen und in Freund und Feind einzuteilen.

Gunther von Bentheim schlug die flache rechte Hand auf den Oberschenkel und lachte. Veit, Wulff, Jobst und Lieberecht warfen sich verständnislose Blicke zu. Margarete sah auch keinen Grund zur Heiterkeit.

»Egal, was der alte Gauner vorhat. Heinz von Waldow hat soeben seine kleine Burg Sallgast entblößt. Nach meiner Rechnung dürften dort nur noch sehr wenige Waffenknechte auf den Zinnen stehen, nachts vielleicht nur drei. Unsere Chance! Manchmal hat man auch Glück im Leben!«

»Du willst nicht ernsthaft mit uns vier eine Burg einnehmen, Gunther? Zumal wir auch noch die Geisel bewachen müssen?«, ereiferte sich Veit.

»Warum denn nicht? Mit einer List ist das nicht unmöglich. Hinten ist die Wasserburg lange nicht so gut befestigt, wie es vorn aussieht. Wie gesagt, eine List und drei Leitern reichen.«

Gunther war sich sicher, dass es klappen konnte. Gleichzeitig machte er sich Gedanken, warum Heinz von Waldow mit ganzer Mannschaft abrückte.

So spät im Jahr würde er keinen Beutezug in die Oberlausitz unternehmen.

Bei einem Besuch eines befreundeten Ritters nur wenige Getreue mitnehmen. Blieb nur, dass ihn jemand um Unterstützung bei einer Fehde gebeten hatte.

»Auf die Pferde! Wir machen Rast bei Finsterwalde!«, befahl Gunther.

Friedrich war nach der Beisetzung von Karl Brandt wiederum beauftragt worden, Katharina von Wildenfels abzuholen. Sie stolperte ihm auf der Straße direkt in die Arme.

»Nicht so stürmisch, Verehrteste! Hartmut wird erfreut sein, Sie wiederzusehen!«, stammelte der Waffenknecht verlegen.

»Gunther und seine Spießgesellen …« Die ehemalige Nonne musste erst nach Luft schnappen. »Sie haben Margarete und fliehen nach Osten!«, keuchte sie. Friedrich ergriff ihr Handgelenk. Es bedurfte nicht mehr des Alarms. Christoph von Haugstein hatte bereits angewiesen, alles für den sofortigen Aufbruch fertig zu machen. Die Pferde standen bereit.

»Was will der Delinquent im Osten? Nach Finsterwalde? Ich hätte ein offizielles Amtshilfeersuchen schicken müssen, leider hatte ich dafür keine Zeit«, musste von Haugstein eigene Fehler eingestehen. Am besten war, er wurde persönlich vorstellig und überzeugte die Stadtoberen und den dortigen Richter von der Gefährlichkeit des Mannes, der eine Geisel bei sich hatte.

Als sich die Unruhe wegen des Begräbnisses wieder gelegt hatte und der normale Klosteralltag seinen Gang nahm, klopfte Berthold an die Tür seiner Zelle bis die Knöchel schmerzten.

»Öffnet! Ich will beichten, Buße tun und in euren Orden eintreten! Ich bin ein reuiger Sünder! Gott wird mir vergeben, wenn ich ihm den Rest meines erbärmlichen Lebens weihe!«

So ging es eine ganze Weile, bis der Mönch Rutger vorbeikam und das Sichtfenster der Zelle öffnete.

»Schweig still! Du störst die Andacht meiner Brüder! Du kannst auch in deiner Zelle Buße tun und um Vergebung deiner Sünden beten!«

»Bitte, Bruder! Holt den Abt oder wenigstens den Prior oder einen seiner Stellvertreter! Ich will in euren Orden der Zisterzienser eintreten. Nur so habe ich eine Chance auf das Himmelreich!«, flehte Berthold. Der Mönch Rutger sah in einiger Entfernung Bruder Michael, der als Secretarius des Abtes höchstes Ansehen genoss. Sie beide verband, dass sie einst Waffenknechte gewesen waren, viel Leid erlebt und Mönche wurden.

»Bruder Michael, ein Gefangener behauptet, er will in den Orden eintreten und sein bisheriges Leben hinter sich lassen. Beurteile bitte die Ernsthaftigkeit des Anliegens.«

»Keine leichte Entscheidung, Bruder Rutger! Ist der Gefangene nicht ein Dieb und Trickbetrüger aus Elsterwerda, der sich Gunther von Bentheim angeschlossen hat? Hier ist äußerste Vorsicht angebracht! Es spricht aber nichts dagegen, ihn herumzuführen, ihm alles zu zeigen und mit den Regeln des Ordens vertraut zu machen. Selbstverständlich nur in Begleitung von ein, zwei Waffenknechten!«, sagte Bruder Michael und deutete ein Kopfnicken an.

Bruder Rutger holte den Schlüssel für das Türschloss der Zelle und bat einen Waffenknecht, ihn zu begleiten. »Du hast Glück, Gefangener. Bruder Michael, der Secretarius des Abtes, hat zugestimmt, dir alles zu zeigen und die Regeln des Ordens zu erläutern. Bei einem Fluchtversuch hast du einen Spieß im Rücken. Das Haupttor ist ohnehin verschlossen.«

»Verstanden«, sagte Berthold, dachte aber gleichzeitig darüber nach, dass es ein weniger gut bewachtes Hintertürchen geben könnte.

Vielleicht gelang es ihm ja, den Rundgang bis auf den Klostergarten auszudehnen und Ausschau zu halten. Gleich heute zu fliehen, erschien Berthold aussichtslos. Man würde ein besonderes Auge auf ihn haben. Der Mönch hatte ihn gewarnt. Zuerst musste er das Vertrauen der Kuttenträger gewinnen. Die würden binnen einiger Tage mit der Wachsamkeit nachlassen, hoffte er.

»Das ist das Refektorium. Hier nehmen wir die gemeinsamen Mahlzeiten ein. Ohne Tischgespräche, obwohl es kein zwingendes Schweigegelübde gibt«, erklärte der Mönch. »Viel wichtiger sind jedoch die gemeinsamen Gebete, entweder in einem Andachtsraum oder drüben in der Abteikirche, die ich dir als nächstes zeigen werde.«

»Ein beeindruckendes Bauwerk, vor allem der hohe Glockenturm.« Berthold heuchelte Interesse.

Nachdem sie in der Kirche gebetet und Berthold mitgemurmelt hatte, ging es mit dem Rundgang weiter. »Könntest du dir vorstellen, später einmal als Schreiber zu arbeiten?«, fragte Bruder Rutger. Sie warfen einen Blick in das Scriptorium des Klosters Dobrilugk. Mindestens zwei Dutzend Mönche standen über Schreibpulte gebeugt und malten im Licht flackernder Kerzen sorgfältig Buchstabe um Buchstabe auf Pergament.

»Nein, da bekommt man im Laufe der Jahre einen krummen Buckel und schwache Augen – wenn mir ein offenes Wort als Mann, der noch nicht Novize ist, gestattet ist«, sagte Berthold. Wenn er fliehen wollte, brauchte er eine Tätigkeit nahe der Tore, zumindest der Mauer.

»Wo liegen dann deine Fähigkeiten?«, wollte Lutger wissen.

»Ich habe meiner Mutter als Knabe im Garten geholfen. Ich weiß, ich habe mich bisher nicht gerade als Gärtner oder Bauer hervorgetan, könnte mir aber eine Tätigkeit im Klostergarten vorstellen.«

»Wir tragen dein Anliegen, in unseren Orden einzutreten, morgen dem Abt vor. Er wird nochmals die Ernsthaftigkeit prüfen und dann bist du übermorgen Novize auf Probe. Vielleicht legt der Abt auch fest, dich nur als Laienbruder zu beschäftigen. Dem möchte ich nicht vorgreifen«, sagte Bruder Rutger mit feierlicher Stimme. »Max, bring den reuigen Sünder zurück in seine Zelle«, wandte er sich an den Waffenknecht.

Berthold hoffte, binnen einer Woche wieder zum Ritter Gunther von Bentheim zu stoßen. Wenn er nur wüsste, wo der sich verschanzt hatte.

Der Richter von Haugstein hatte in Kirchhain Passanten befragt, die übereinstimmend sagten, fünf Reiter und eine Frau wären im Galopp Richtung Osten vorbeigerauscht. Dort lagen Finsterwalde und Sallgast. Obwohl der Hinweis auf den Landvogt Hans von Polenz hier nichts mehr galt, trat der Richter aus der Oberlausitz so überzeugend auf, dass man ihn und seine Waffenknechte umgehend zum Rathaus geleitete. Dort wurde Christoph von Haugstein ohne Voranmeldung beim Amtskollegen Hartwig vorgelassen. Ursprünglich hatte von Haugstein vorgehabt, dem anderen Richter die Leviten zu lesen. Vermutlich war das keine gute Idee. Die Stadtoberen von Finsterwalde würden ihm jegliche Unterstützung entziehen. Er begann mit einer Entschuldigung.

»Ich habe es verabsäumt, Ihnen ein offizielles Amtshilfeersuchen zustellen zu lassen. Ich werde heute persönlich vorstellig, um nochmals eindrücklich vor dem Verbrecher Gunther von Bentheim zu warnen, der in Senftenberg wegen Mord, Anstiftung zum Mord, Amtsanmaßung und anderer Verbrechen angeklagt wurde. Wir haben ihm in Lindena eine Falle gestellt, konnten dort aber nur zwei Männer ergreifen, darunter den Attentäter auf das Leben des Nikolaus von Polenz«, seufzte von Haugstein.

»Wenn sich dieser Verbrecher in den Mauern dieser Stadt befindet und Sie Kenntnis davon haben, dann …« Von Haugstein wurde unterbrochen.

»Ihr gesuchter vermeintlicher Verbrecher wurde wegen einer Auseinandersetzung mit Gauklern und Spielleuten vorgeführt. Wir haben Zeugen befragt, darunter auch die geschädigten Waffenknechte Georg und Kilian, und sind zu der Überzeugung gelangt, dass gegen den Herrn von Bentheim in Finsterwalde nichts vorliegt, was eine Inhaftierung rechtfertigt«, sagte Hartwig im Brustton der Überzeugung. »Hier befindet er sich jedenfalls nicht!«

»Ich stelle hiermit im Auftrag des Landvogtes Hans von Polenz und König Sigismund mündlich ein offizielles Amtshilfeersuchen. Es wird in Schriftform nachgereicht. Falls der Delinquent hier auftaucht, ist er dingfest zu machen und uns zu übergeben. Allein der Anschlag auf das Leben des Vetters des Landvogtes reicht aus, um die Anklage zu untermauern. Wie ich schon sagte, haben wir den Attentäter und einen Mitstreiter dingfest gemacht. Sie wurden vorübergehend streng bewacht im Kloster Dobrilugk untergebracht.« Christoph von Haugstein straffte sich. »Ich hoffe, ich habe mich deutlich genug ausgedrückt, werter Amtskollege!«

Gunther, seine Spießgesellen und die Geisel Margarete hatten in einem Wäldchen nahe Sallgast Position bezogen. Für eine Erkundung der vermutlich kaum bewachten Burg war es zu spät. Die Sonne ging bereits unter. Man würde wohl oder übel in dieser kühlen Novembernacht draußen übernachten müssen. Zum Glück regnete es nicht. Man hatte genügend Decken dabei, um der Kälte zu trotzen. Wulff hatte Margarete die Fesseln abgenommen, blieb aber ständig in ihrer Nähe. Die Angst vor den Gefahren, die in den Wäldern und Sümpfen drohten, raubte Margarete jeden Gedanken an eine Flucht.

Ihr Bewacher musste auch mal schlafen, aber dann würde ein anderer der Männer ein Auge auf sie haben. Ihre einzige Hoffnung bestand darin, dass der selbstmörderische Plan, mit nur fünf Mann eine Wasserburg zu erobern, scheiterte. Ihre Bewacher würden im Pfeilhagel sterben oder gefangengesetzt werden und sie konnte in aller Seelenruhe in der Burgküche bei Mathilde Spiegeleier mit Schinken verzehren und mit der Magd Bertha plaudern. Der würden die Haare zu Berge stehen, wenn sie von ihren Abenteuern berichtete.

Nach wirren Träumen, bei denen sie einmal in den Armen von Matthias lag, dann wieder leblos in einem Gewässer trieb, wachte Margarete davon auf, dass man ihr erneut die Hand- und Fußgelenke fesselte. »Du bleibst hier ruhig liegen, bis wir die Burg im Handstreich genommen haben!«, zischte ihr Gunther ins Ohr.

»Weglaufen kann ich ja nicht, höchstens wegrollen«, schniefte Margarete, die wieder einmal ein Taschentuch vermisste.

»Danke für den Hinweis! Wulff! Noch ein Seil um die Hüften und zwei Pflöcke, um sie am Wegrollen zu hindern!«

Die Magd Bertha machte sich noch vor dem Frühstück auf den Weg, um im Dorf Eier zu kaufen. Man hätte auch selbst Hühner halten können, aber Heinz von Waldow und Bertram von Eschwege wollten zu den Pferdeäpfeln nicht auch noch Hühnerkot auf dem Übungsplatz der Knappen und Waffenknechte haben. Man wünschte Bertha guten Weg und beeilte sich nicht mit dem Schließen des Haupttores. Man erwartete keinen Angriff. Mögliche Gegner würden erst im Frühjahr hier auftauchen, wenn die Wege trocken waren und das Belagerungsgerät nicht im Morast steckenblieb.

Das Tor blieb auch weiterhin offen. Der Waffenknecht, der es schließen wollte, fasste sich an den Hals, der von einem Armbrustbolzen durchschlagen wurde.

Für Gunther die Chance, mit Wulff und Lieberecht einzureiten. Es war der heikelste Moment der dreisten Attacke. Jeden Moment könnten Waffenknechte, die Heinz von Waldow zurückgelassen hatte, aus ihrer Unterkunft kommen und ihn mit ihren Hellebarden von Pferd ziehen. Es kam alles darauf an, dass die Verteidiger nicht wussten, mit wie vielen Heckenschützen sie es zu tun hatten.

Veit und Jobst hatten drei Leitern gezimmert, mit denen sie zunächst den Graben überwanden, dann die vergleichsweise niedrige Mauer der Burg im Westen erklommen. Sie trafen, wie es Gunther versprochen hatte, zunächst auf keinen Widerstand. Dann trennten sie sich und liefen in unterschiedlichen Richtungen auf dem Wehrgang davon, um Gegner auszuschalten.

Gunther hatte das Schwert gezogen, da sich ihm zu seiner Überraschung Bertram von Eschwege in den Weg stellte. »Sitz ab, du Feigling und stelle dich! Wie dreist muss man sein, durch ein offenes Tor zu reiten und zu glauben, man könne eine Burg im Handstreich mit wenigen Männern einnehmen!«, schrie der Ausbilder von Matthias.

»Du weißt nicht, wie viele meiner Waffenknechte gerade den hinteren Wehrgang stürmen und euch in den Rücken fallen werden! Wenn der Herr Ritter es wünscht, steige ich vom Pferd und stelle mich!«, rief Gunther. Er musste auf der Hut sein. Der Ausbilder von Pagen, Knappen und Waffenknechten mochte zwar älter sein, hatte aber einen besseren Trainingsstand. Wulff hatte die Armbrust im Anschlag und streckte den ersten Hellebardenträger nieder, der sich ihm näherte. Da es zu lange dauern würde, die Armbrust erneut zu spannen, griff er zu einer Wurfaxt.

Der zweite Waffenknecht ging zu Boden. Er war von einem Bolzen im Rücken getroffen worden. Gunther registrierte aus den Augenwinkeln, dass der Überraschungsangriff gelungen war.

Der Schuss kam von Jobst. Irgendwo links auf dem Wehrgang musste Veit stecken.

»Leg dein Schwert nieder, Bertram! Falls ich im Schwertkampf mit dir in Bedrängnis gerate, lauern oben meine Heckenschützen und machen dich nieder!«

Dass es keine leere Drohung war, sah Bertram an den Leichen, die herumlagen.

»Niemals, Gunther! Du hast zwar damals gedroht, dass du wiederkommst, aber ohne Belagerungsgerät und mit so wenigen Männern ...« Bertram schüttelte den Kopf.

Die beiden Schwertkämpfer umkreisten sich. Noch wagte es niemand, zu einem Oberhau auszuholen. Veit wollte nicht, dass sein Anführer im Schwertkampf unterlag. Gleichzeitig wollte er auch vermeiden, den Gegner einfach so abzuschießen. Es musste der Schein von Ritterlichkeit gewahrt werden, zumindest für Gunther. Er war der geschickteste Schütze. Sein Bolzen schlug im linken Fuß von Bertram ein, der sich den Schmerz nicht anmerken ließ, aber abgelenkt war. Gunther konnte durch einen Unterhau den erfahrenen Kämpfer entwaffnen. Das Schwert segelte zu Boden. Gunther wischte es mit einem Fuß weg.

Zwei weitere Waffenknechte waren in Deckung gegangen, weil sie nicht wussten, wie viele Schützen auf dem Wehrgang lauerten.

»Waffenknechte des Heinz von Waldow! Ich, Gunther von Bentheim, habe die Burg eingenommen. Wer sich uns anschließen will, bekommt einen Beutel Silber! Wer das großzügige Angebot ablehnt, landet wie Bertram im Kerker!«

Nur ein Waffenknecht legte die Hellebarde ab und gab zu verstehen, dass er sich den Eroberern anschließen würde. Ein anderer wollte durch das immer noch offene Tor fliehen, wurde durch einen Schuss von Veit niedergestreckt.

»So geht es allen, die sich uns jetzt noch widersetzen!«, schrie Gunther.

Margarete war entsetzt, als Wulff ihr die Fesseln abnahm und nicht, wie erwartet, einer der Waffenknechte von der Burg. Sie wurde an all den Leichen vorbei in die Küche der Burg geführt, sank an die Brust von Mathilde. »So hätte ich mir unser Wiedersehen nicht vorgestellt«, schluchzte sie. Die erste Küchenmamsell hatte ebenfalls Tränen in den Augen. »Ich auch nicht.«

Unten im Burghof hatte Gunther angewiesen, endlich das Haupttor zu schließen. Dann befahl er, Bertram von Eschwege den Schuh auszuziehen und die Wunde zu versorgen. Auf das Gezeter des alten Kämpfers, dass man ohne die Heckenschützen siegreich gewesen wäre, achtete er nicht. Gunther musste an die Zukunft denken. Schon bald würden hier Heerscharen mit Übermacht auftauchen. Der Burgbesitzer selbst mit dreißig Mann und der Richter von Haugstein mit vier Kämpfern. Karl Brandt hatte man ja in Lindena niedergestreckt.

Er wies an, die Leichen wegzuschaffen und die Zinnen zu bemannen, wobei ihm zugute kam, dass einer der ehemaligen Waffenknechte des Ritters von Waldow die Seiten gewechselt hatte. Auf das versprochene Silber würde der Mann lange warten müssen, Gunther hatte keines mehr.

»Wie macht sich der geläuterte Dieb und ehemalige Gefolgsmann des gesuchten Verbrechers von Bentheim?«, fragte der Abt des Klosters Dobrilugk seinen Secretarius, Bruder Michael, beiläufig.

»Er geht Bruder Franziskus im Klostergarten zur Hand, lernt schnell und drückt sich vor keiner Zusammenkunft«, antwortete Michael.

»Es bleibt dabei wie vorgestern besprochen. Ein halbes Jahr Laienbruder, anschließend Novize auf Probe, mindestens ein Jahr. Vielleicht haben wir ja hier einen Fall von Einsicht und Umkehr. Die verschärfte Bewachung durch einen Waffenknecht kann meinethalben aufgehoben werden. Ich empfehle, den Mann im Auge zu behalten!«, bestimmte der Abt.

Bruder Michael legte es so aus, dass der neue Laienbruder zwar nicht mehr offen bewacht werden sollte, die Mönche und Waffenknechte, die sich in der Nähe befanden, auf jede auffällige Handlung achten sollten. So gab er es auch an Bruder Franziskus weiter.

Berthold war froh darüber, hier zunächst als Laienbruder angestellt zu sein. So musste er bei einer Flucht nicht die Mönchskutte wegwerfen und neue Kleidung stehlen. Der größte Teil des Tages wurde mit Gebeten und Singen verbracht. Immer wieder die gleichen Litaneien. Im Klostergarten gab es im Spätherbst nicht mehr viel zu tun. Unter Anleitung von Bruder Franziskus musste er Laub harken und abgestorbene Pflanzen entfernen. Einmal musste auch ein Beet umgegraben werden. Lieber das, als in einer Zelle die kahlen Wände anzustarren. Einzige Unterhaltung: Eine Bibel auf Latein. Berthold überlegte, ob Wernher, den er nicht in seine Pläne einweihen konnte, vor lauter Langeweile darin blätterte.

Am nächsten Tag fiel ihm auf, dass die Bewachung gelockert worden war. Das hieß nicht, dass man ihn aus den Augen ließ. Da die Zeiten mit Arbeit an der frischen Luft immer kürzer ausfielen, musste die Flucht zeitnah gelingen. Tags darauf bemerkte er, dass ein Mönch die Tür aufschloss, die vom ummauerten Garten in die vermeintliche Freiheit führte. Berthold war gerade dabei, Laub auf eine Schubkarre zu laden. ›Jetzt oder nie!‹ Er ließ Harke und Forke fallen, rannte dem Mönch hinterher und streckte den verblüfften Kuttenträger mit einem Fausthieb nieder.

Bruder Franziskus war zu alt, um schnell reagieren zu können. Er rief nach einem Waffenknecht und machte sich dann selbst an die Verfolgung.

Berthold lief durch die Pforte und überblickte ein parkähnliches Gelände. ›Wozu ein Schloss, wenn es dahinter nichts zu verbergen gibt?‹, wunderte er sich. Dann packte ihn das Entsetzen. Der Park wurde wiederum von einer Mauer umsäumt, auch wenn diese längst nicht so hoch war, wie jene zur Straße am Haupttor. Berthold straffte sich und rannte weiter. An irgendeiner Ecke musste es doch die Möglichkeit geben, die Mauer zu überwinden. Wernher, der in die Burg Senftenberg geklettert war und auch wieder hinaus, hätte sicher Rat gewusst. Aber der schmorte in seiner Zelle. Jeder Versuch einer Kontaktaufnahme hätte die Mönche nur misstrauischer gemacht und die eigenen Pläne erschwert. Berthold pustete durch. Endlich! Ein Gitter für Weinranken. Der ehemalige Dieb war schon nahe der Mauerkrone und wollte gerade dahinschwingen, als ihn ein Schmerz am rechten Knöchel durchzuckte. Bruder Franziskus hatte ihn eingeholt und seinen Gehstock als Speer benutzt. Berthold ignorierte die Blessur und schwang sich auf die Mauerkrone. Der herbeigerufene Waffenknecht mit seiner Hellebarde war zum Glück noch mehr als hundert Schritte entfernt.

Als weiteres Erschwernis kam hinzu, dass gleich hinter der Mauer ein Graben verlief. Das hieß, er würde auf einer Böschung aufkommen. Der pochende Knöchel ermahnte ihn, es zu unterlassen. Die Alternative war, vom Waffenknecht mittels Hellebarde da heruntergeholt zu werden und in einer Zelle zu vergammeln. Berthold sprang und überschlug sich an der abschüssigen Böschung. Zum Glück befand sich kein Wasser im Graben. Der ehemalige Dieb kraxelte nach oben und hinkte weiter. Über die Mauer hörte er die Rufe des enttäuschten Mönches. »Wir hatten wirklich geglaubt, du bist geläutert! Elender Wicht! Dir mögen die Zähne ausfallen und du sollst mit Blindheit geschlagen werden!«

Berthold achtete nicht weiter darauf. Wichtig war jetzt nur, Land zu gewinnen, den Knöchel zu kühlen und herauszufinden, wo sich Gunther verschanzt hatte.

Bruder Franziskus und der Waffenknecht machten zähneknirschend Meldung, dass der ehemalige Gefangene entkommen war. Da befand sich Berthold schon auf der Höhe von Kirchhain.

Für die Verfolger unter der Führung des Richters von Haugstein kam erschwerend hinzu, dass Gunther nicht das Wappen des Grafen von Bentheim führte und das des Nikolaus von Polenz und dessen Vetter nicht mehr nutzen durfte. Für zufällige Beobachter am Wegesrand war daher der Anführer einer kleinen Schar, die eine Frau bei sich hatten, nicht identifizierbar. Durch Befragungen von Bauern und Bürgern verdichteten sich die Anzeichen, dass Gunther in Richtung Sallgast geritten war. Christoph von Haugstein rückte sein Samtbarett gerade und bat zum Kriegsrat. Da er niemand ausschließen wollte, durfte auch die ehemalige Nonne Katharina teilnehmen.

»Alle Zeugen sagen, Sallgast. Was will Gunther da? Eine Burg mit vier Waffenknechten und einer Geisel im Schlepptau einnehmen? So etwas nenne ich Größenwahn!«, ereiferte sich der Richter.

»Kann klappen, vorausgesetzt, Heinz von Waldow ist mit einem Großteil seiner Männer wieder einmal unterwegs und hat nur eine kleine Wachmannschaft zurückgelassen«, meldete sich Matthias zu Wort. Als ein von Köckritz hatte sein Wort in den Ohren des Richters besonderes Gewicht. »Die Wasserburg Sallgast ist im hinteren Bereich im Westen nicht so gut befestigt, wie im Osten. Ich war eine Zeit lang dort Knappe in Ausbildung«, fügte er für den Richter hinzu, der nicht alles wissen konnte.

»Gesetzt den Fall, Gunther von Bentheim hat mit einer List tatsächlich die Burg eingenommen, alle weggesperrt, die sich ihm nicht anschließen wollten, dann sind wir nicht genug, um Sallgast erfolgreich zu belagern. Das ginge nur, wenn …«

»Heinz von Waldow sich uns anschließt und die eigene Burg zurückhaben will«, mischte sich Friedrich ein. »Entschuldigen Sie, Herr Richter, dass ich Sie unterbrochen habe.«

»Ich vergaß, Sie sind ein Gefolgsmann des Ritters von Waldow. Wann dürfen wir denn erfahrungsgemäß mit der Rückkehr des eigentlichen Burgherrn rechnen?«, fragte von Haugstein.

»So spät im Jahr wird kein Streifzug nach Süden unternommen. Ich nehme an, Heinz wurde um Hilfe von einem befreundeten Ritter bei einer Fehde gebeten. Bei einer offenen Feldschlacht drei, vier Tage, bei einer Belagerung Weihnachten.« Friedrich zuckte mit den Schultern, um zu unterstreichen, dass er es nicht genau wusste.

»Ich schlage folgendes vor, nötigenfalls kann ich es im Namen des Königs und des Landvogtes auch anweisen: Wir reiten nach Sallgast und überzeugen uns davon, ob Gunther die Wasserburg im Handstreich genommen hat. Falls dies so ist, stellen wir Posten auf und beobachten die Lage. Ausfälle sind zu verhindern.«

Am nächsten Tag erreichten sie das Dorf Sallgast. Von Haugstein wurde beim Pfarrer vorstellig und verlangte eine warme Stube für das gnädige Fräulein Katharina von Wildenfels. Im Dorf machte das Gerücht die Runde, ein verfemter Ritter aus Senftenberg habe die Abwesenheit des Heinz von Waldow ausgenutzt und die Burg übernommen. Es wurde auch Margarete von Polenz gesehen, bei deren Verbannung in das Kloster Marienstern in Mühlberg der Pfarrer mitgewirkt hatte.

Man war sich uneins in der Frage, ob Margarete mit dem fremden Ritter im Einvernehmen handelte oder dessen Gefangene war.

Von Haugstein ließ im Gehölz Hartmut und Friedrich Posten beziehen. Sie sollten möglichst unsichtbar bleiben. Noch wollte man die eigene Anwesenheit nicht verraten.

»Sie, Peter Töpfer, reiten in geheimer Mission nach Senftenberg, warten die Rückkehr von Hans von Polenz ab. Dann erbitten Sie Instruktionen, wie weiter zu verfahren ist, auch was das Mitwirken und die späteren Rechte des Ritters von Waldow betrifft. Am besten, ich verfasse hier im Pfarramt ein Schreiben. Das macht die Sache noch offizieller.«

Peter verbeugte sich und machte auf dem Absatz kehrt. ›In geheimer Mission‹ - das klang nach Abenteuer und er fühlte sich wichtig.

Christoph von Haugstein nahm Matthias beiseite. »Keine unbesonnenen Aktionen, Herr von Köckritz! Wir beide ahnen, warum Margarete nach Dobrilugk eilte, uns im Gasthaus wähnte, aber von Gunther festgesetzt wurde. Sie hat ihr Herz für Euch wiederentdeckt! Sie wollte herausfinden, ob Sie immer noch Zuneigung empfinden, klopfte an die falsche Tür. Ich sehe es jetzt auch mit anderem Blick, seitdem ich mich …« Der Richter senkte verlegen den Blick.

»Seitdem Sie sich in die ehemalige Magd Hanka verliebt haben«, vollendete Matthias den Satz.

»Haben Sie mit ihr das Lager geteilt? Ich meine, Hanka war ja in ihren Diensten«, bohrte der Richter weiter nach.

»›Im eigenen Stalle auf keinen Falle‹, pflegte mein Ziehvater zu sagen.« Matthias ballte die Fäuste. Zu frisch war noch die Erinnerung an den feigen Mord an Karl Brandt.

»Nein. Peter Töpfer und ich, wir trafen uns immer hier in Sallgast, um die Dienste der Magd Marica in Anspruch zu nehmen. Ach, da kommt sie gerade wie gerufen!«, bemerkte Matthias.

Richter von Haugstein durchzuckte ein Gedanke. »Sie kennen sie gut. Finden Sie heraus, was sie in der Burg will. Im günstigsten Fall rekrutieren wir sie als Spionin. Los jetzt, viel Glück!«

Matthias stellte sich der herannahenden Magd in den Weg. »Guten Tag, Marica! Wohin des Wegs?«

»Wo steckt dein Freund Peter? Ihr wart einst unzertrennlich und wir hatten viel Spaß miteinander«, sagte Marica und schielte zur Wasserburg.

»Der sattelt gerade sein Pferd und reitet nach Hause, um nach seinem Vater zu sehen«, log Matthias. »Du hast meine Frage noch nicht beantwortet«, hakte er nach.

»Immer mittwochs verlangt der Ritter Gernot von Rothstein nach mir und wünscht eine Massage«, sagte Marica mit geröteten Wangen. Matthias wollte gar nicht wissen, um welche Art von Massage es sich handelte. Er konnte es sich denken. Die Freundin von Hanka war sehr geschickt darin.

»Hat man es dir nicht gesagt? Gernot ist mit Heinz von Waldow unterwegs. Gunther von Bentheim hat die Burg besetzt. Geh zum Tor und verlange, Gernot zu sprechen. Man wird dich einlassen. Falls die Besetzer der Burg einen Ausfall planen, gibst du uns von den Zinnen ein Zeichen. Am besten, du wedelst mit deinem roten Halstuch.«

»Ich soll für euch spionieren? Was springt für mich dabei heraus?« Marica stemmte die Fäuste an die Hüften.

»Der Richter von Haugstein wird dich entlohnen, vertrau mir«, flehte Matthias. »Zudem wollte Gunther deine Freundin aus Kindertagen als unliebsame Zeugin beseitigen. Wir konnten es verhindern. Dabei musste mein Ziehvater, Karl Brandt, sein Leben lassen!« Matthias umfasste die Handgelenke und versenkte seinen Blick in die dunklen Augen der jungen Frau.

»Uns verband nur Leidenschaft, keine Liebe. Wenn du es nicht für mich machst, dann für Hanka, bitte!«

»Also gut. Aber was ist, wenn sie mich umgehend wieder zurückschicken?«, fragte die Magd mit dem Nebeneinkommen.

»Dann haben wir Pech gehabt! Los jetzt!« Matthias deutete einen Schubs an, ohne Marica zu berühren. Dann verschwand er wieder tiefer im Dickicht.

Die Magd trat an den Burggraben. »Ich bin Marica Brudka. Lasst mich ein wie jeden Mittwoch, der Ritter von Rothstein erwartet mich!«, rief sie nach oben zu den Zinnen.

Wulff hatte die gespannte Armbrust im Anschlag. Das konnte auch eine Falle sein. Man schickte ein junges, hübsches Weib ans Haupttor, um an anderer Stelle anzugreifen.

Er gab Jobst ein Zeichen, auf dem Wehrgang nach hinten zu eilen, um nach dem Rechten zu sehen.

»Welcher Art Dienstleistung erwartet der Herr Ritter denn von dir?«, schrie er nach unten.

»Ich soll ihn rubbeln und kneten«, antwortete Marica verlegen.

»Der Herr von Rothstein ist unterwegs. Mein Herr, der Ritter von Bentheim hat womöglich Verwendung für dich!« Wulff rief nach dem Knecht, der einen Eid auf Gunther geleistet hatte.

Alle, die es verweigert hatten, schmorten im Kerker. Nach einigen Minuten tauchte Gunther auf und reckte seinen Kopf über die Brüstung.

»Nun, holde Maid, ich habe gehört, Massage? Auch mit warmem Öl?«, lachte Gunther, wurde aber umgehend wieder ernst. »Waffen im Anschlag, Zugbrücke runterlassen, Tor nur einen Spalt breit öffnen und sofort wieder schließen!«, zischte er leise seine Anweisungen.

»Alles, was Sie wünschen, Herr Ritter!«, rief Marica nach oben.

Sie hörte das Geräusch der Ketten und die Zugbrücke senkte sich. Die Magd nahm gerade noch aus den Augenwinkeln war, dass ein weiterer Waffenknecht mit einer Armbrust Stellung bezog, falls ihr Eintreten mit einem Überfall verbunden war.

Das Haupttor wurde nur ein Stück weit geöffnet und Marica hereingezogen. Dann wurde das Burgtor umgehend geschlossen und verriegelt. Zwei Knechte drehten unter der Aufsicht von Lieberecht an der Haspel, welche die Zugbrücke nach oben beförderte.

›Die sind hier auf der Hut‹, dachte die junge Frau. Ihr Weidenkörbchen wurde gründlich durchsucht. Lieberecht öffnete sogar eine Flasche und schnüffelte daran. »Tatsächlich Öl. Das Weib hat nicht gelogen!«

Gunther kam die Treppe heruntergestiefelt und begutachtete die Magd.

»Die Ähnlichkeit ist nicht zu leugnen. Da du einen anderen Namen nanntest, bist du nicht mit Hanka Wessela verwandt.«

»Nein, Herr Ritter! Hanka ist eine Freundin von mir, stammt aber aus einer anderen wendischen Familie.«

»Alles weitere klären wir in den Gemächern, die ich zurzeit nutze«, sagte Gunther und winkte der Magd, ihm zu folgen.

Kapitel 32

›Was für ein Leichtsinn‹, dachte Berthold und schüttelte den Kopf. Er hatte sich zu Fuß an nur einem Tag bis Sallgast durchgeschlagen. Und dass, obwohl er den rechten Knöchel an einem Bachlauf kühlen musste.

Ein Bauer hatte ihm den Tipp gegeben, dass nicht nur fünf Reiter mit einer Frau hier vorbeigekommen wären, sondern ein hoher Beamter mit einem Samtbarett auf dem Kopf, ebenfalls in Begleitung mehrerer Reiter und einer Frau. Die hatten ihn auch schon befragt.

Berthold bewunderte die Kühnheit seines Herrn, mit vier Mann eine Burg einzunehmen. Das ging nur mit Glück und mit Hilfe einer List. Sein Kopfschütteln resultierte daraus, dass seine Mitstreiter ebenso nachlässig waren, wie die ehemaligen Verteidiger. Man hatte sich nicht einmal die Mühe gemacht, zwei Leitern am hinteren Burggraben zu beräumen. Berthold legte sich ins nasse Gehölz und beobachtete die Wasserburg eine Weile. Den hinteren Wehrgang mittels der zurückgelassenen Steighilfen zu erklimmen, war ein Leichtes. Dazu musste man nicht Wernher, der Schattenmann, heißen. Das Problem lag nur darin, die Mitstreiter davon zu überzeugen, dass kein Feind, sondern ein Freund kam. Wenn er laut schrie, konnten es auch die Belagerer auf der anderen Seite hören.

Es gab nur eine Chance. Wenn man ihn bemerkte, musste er einen Gefährten überwältigen und dann davon überzeugen, dass er die Verstärkung war und kein Feind. Berthold legte eine Leiter über den Graben, nahm die andere in die rechte Hand. Im Vergleich zu seiner Flucht aus dem Kloster war das hier ein Kinderspiel. Er stieg hinauf und lugte über die Mauer. Er konnte nur einen Teil des Wehrgangs überblicken. Falls jetzt einer der Waffenknechte von Gunther kam … Da musste er jetzt durch. Berthold schwang sich auf die Mauer und zog die Aufstieghilfe nach oben. Dann ging er sofort in Deckung. Er hoffte, kein Geräusch gemacht zu haben. Es ließ sich niemand blicken. Da Gunther nur vier Männer zur Verfügung hatte, war es auch kein Wunder. Die konnten nicht überall sein.

So wie es ihm gelungen war, konnten auch die Belagerer unter Führung des Richters von Haugstein vorgehen. Berthold wunderte sich, dass sie es noch nicht versucht hatten.

Urplötzlich stand Veit vor ihm. Gunther hatte natürlich angewiesen, regelmäßig zu patrouillieren. Der Waffenknecht hatte die Armbrust im Anschlag. Im letzten Moment erkannte er, wen er da vor sich hatte. »Scheiße, Berthold! Wie bist du hier hereingekommen?«

»Genau wie ihr! Ihr Trottel habt die Leitern liegenlassen! Wenn du nicht willst, dass ich es Gunther stecke, räumt sie weg, bevor die Belagerer sie nutzen!«, ereiferte sich Berthold.

»Du wurdest doch mit Wernher gefangengenommen. Wie gelang dir die Flucht?«, wollte Veit wissen.

»Ich habe den Kuttenträgern vorgegaukelt, dass ich alles bereue und Mönch werden möchte. Sie haben mir das abgekauft, ich konnte mich nahezu frei bewegen und im Klostergarten arbeiten. Bei der Flucht über eine Mauer hätten sie mich beinahe erwischt. Alles gutgegangen! Jetzt bring mich zu Gunther. Der kann jede Verstärkung gebrauchen«, sagte Berthold gutgelaunt.

»Na, ja, ist gerade ungünstig. Der Herr Ritter ist beschäftigt. Er lässt sich massieren«, druckste Veit herum.

Berthold schüttelte wieder einmal den Kopf über so viel Nachlässigkeit. »Die Burg wird nur von euch vier bewacht und Gunther hat nichts Besseres zu tun, als sich von einem Weib durchkneten zu lassen? Oh, Mann! Wenn Heinz von Waldow und Hans von Polenz hier aufkreuzen, haben sie die Burg in drei Minuten zurückerobert! Egal, was Gunther gerade treibt oder mit ihm gemacht wird – bring mich zu ihm!«

Der verfemte Ritter hatte seine Körpermitte zumindest mit einem Handtuch bedeckt.

Marica wickelte sich eines um den Körper, als Veit und Berthold in das von einem Kaminfeuer erwärmte Gemach eintraten.

»Berthold, du Gauner! Du bist den Mönchlein entkommen! Warum hast du Wernher nicht gleich mitgebracht?«, lachte Gunther und ließ sich von Marica ein Glas Wein reichen. Die Magd hielt mit der linken Hand das Handtuch fest, damit es nicht verrutschte. Auch so bekamen die beiden Waffenknechte schon genug zu sehen.

»Ich habe den Mönchen glaubhaft versichert, dass ich einer von ihnen werden möchte, durfte im Garten arbeiten und habe die erste Chance zur Flucht genutzt. Jede Kontaktaufnahme zu Wernher in seiner Zelle hätte sie misstrauisch gemacht. Viel mehr beschäftigt mich der Umstand, dass ich in diese Burg leichter eindringen konnte als in irgendein Bürgerhaus in Elsterwerda! Mit Bädern, Massage und Wein werden wir diese Burg nicht halten können«, sagte Berthold.

»Höre ich da einen Unterton von Tadel? Noch etwas Wein, Marica, danke! Ich ernenne dich zum Hofmarschall und ersten Adjutanten, Berthold! Darauf stoßen wir an!« Die Magd aus dem Ort beeilte sich, Berthold und Veit zwei silberne Trinkgefäße, gefüllt mit Wein, zu überreichen. Die Pokale klirrten aneinander. Der Neuankömmling nippte nur daran.

»Ohne zu wissen, ob ich Befehlsgewalt bekomme, habe ich angewiesen, die Leitern an der hinteren Befestigung zu entfernen. So wie es euch und mir gelungen ist, hier einzudringen, könnten auch die Belagerer vorgehen!« Berthold stellte den Pokal ab. Für die kommenden Aufgaben brauchte er einen klaren Kopf.

»Ach, was, der Richter hat nicht viel mehr Männer als wir. Die beschränken sich aufs Beobachten, warten vermutlich auf Heinz von Waldow. Und ehe Hans von Polenz hier eintrudelt, ist das Jahr zu Ende. Falls er den Feldzug gegen die Hussiten überlebt. Nikolaus von Polenz ist schwerverletzt und Karl Brandt haben wir in Lindena erledigt!« Gunther erhob sich von der Liegestatt, ließ sich die Kleider reichen und zog sich an.

»Wenn du gestattest, Gunther, esse ich in der Küche ein paar Happen und widme mich dann den Aufgaben, die mir wichtig erscheinen«, sagte Berthold und neigte den Kopf. Für seinen Geschmack schien der Ritter zu sorglos zu sein. Der eigentliche Burgbesitzer, Heinz von Waldow, könnte sich mit den Männern um den Richter von Haugstein und Matthias von Köckritz verbünden und die Burg mit Übermacht stürmen.

»Ach, etwas habe ich noch vergessen, Berthold!«, rief ihm der Ritter hinterher. »Margarete von Polenz ist uns in die Falle gelaufen und unser Faustpfand. Der Bastard von Köckritz wird nichts unternehmen, was seiner Liebsten schadet!«

Die Magd Marica hätte die Burg am liebsten wieder verlassen, ahnte aber, dass kein Weg hinausführen würde.

Gunther von Bentheim ließ die kleine Gruppe der Verteidiger auf dem Burghof antreten. Berthold stellte erstaunt fest, dass offensichtlich auch ein Waffenknecht der früheren Besatzung übergelaufen war. Mit ihm sechs Mann – immer noch zu wenige.

»Berthold Bachmann konnte der Gefangenschaft im Kloster Dobrilugk entkommen. Ich habe ihn zum Hofmarschall und ersten Adjutanten ernannt! Seine Hinweise sind zu beherzigen und seine Befehle auszuführen!« Gunther klopfte seinem wichtigsten Mann auf die Schulter, um allen zu demonstrieren, wie sehr er den Mann schätzte.

Berthold machte sich sofort daran, die Vorräte an Holz, Getreide, gepökeltem Schweinefleisch und lagerfähigem Gemüse, wie Karotten und Kohl, zu protokollieren. Während einer Belagerung konnte man nicht einfach eine Magd hinausschicken, um Nahrungsmittel zu kaufen. Die würde nie wiederkehren. Dabei kam ihm eine glänzende Idee.

Wenn die Gefangene Margarete den ganzen Tag mit der Küchenmamsell und der Magd verbrachte, kam sie nur auf dumme Ideen – auf Fluchtgedanken. Wenn man sie beschäftigte, wurde sie davon abgelenkt.

Berthold stiefelte in die Küche und bat Margarete, ihn zu begleiten. Sie hatte nicht vergessen, welchen Anteil dieser Gauner an ihrer und Katharinas Entführung aus dem Kloster Marienstern hatte. Einer der Beteiligten, Hartmut, stand jetzt auf ihrer Seite.

Inzwischen waren überall in Deutschland Papiermühlen errichtet worden. Man fertigte nur noch einige Dokumente auf Pergament aus. Zumeist wurde auf Papier geschrieben. Berthold überreichte Margarete Federkiel, Tintenfass und drei leere Bögen.

»Ich ernenne dich zu meiner Schreiberin, Margarete«, sagte er feierlich und zwinkerte mit einem Auge. Sie lächelte nicht zurück. Sie blieb eine gefangene Geisel, die man bei einem Sturmangriff auf die Zinnen stellen würde.

»Hast du notiert, Margarete? Dreißig Klafter Holz. Hört sich viel an. Bei längerer Belagerung und einem harten Winter wird es eng. Schauen wir mal in den Ställen nach.«

Berthold kam nach einer Stunde zu dem Urteil, dass nur auf den ersten Blick genügend da war.

Bei einer Belagerung bis ins nächste Frühjahr würde man schon nach Weihnachten die Rationen kürzen müssen – für Mensch und Tier. Bei einem Sturmangriff der Männer von Heinz von Waldow und des Richters von Haugstein wären alle Überlegungen und Notizen hinfällig.

Letzte Station war der Wein- und Bierkeller. Berthold hatte eine Fackel dabei und entzündete eine Kerze. »Alle Achtung! Jetzt weiß ich, warum Gunther dem Wein zuspricht. Es ist genügend da. Notiere bitte, Margarete! Fünf Fässer Wein und sieben Fässer

Bier! Da die Burg zudem einen Tiefbrunnen hat, wird hier niemand verdursten!«

Margarete hatte sich über einen Tisch gebeugt, auf dem die flackernde Kerze stand, um das zu notieren, was Berthold gerade gesagt hatte. Unter ihren Gewändern zeichneten sich die weiblichen Formen ab. Der ehemalige Gauner aus Elsterwerda widerstand der Versuchung, seine Hände auf die schmale Taille zu legen.

Er wartete ab, bis Margarete mit der Niederschrift fertig war und den Federkiel weglegte. Dann umfasste er ihre Handgelenke. Die junge Frau versuchte vergeblich, sich zu befreien.

»Ich werde meine Position nicht ausnutzen, dich zu etwas zu zwingen. Hör mir einfach zu!«, zischte Berthold in ihr Ohr. »Es besteht die Möglichkeit, dass wir hier glimpflich herauskommen. Die Angreifer werden sich nicht einig sein und auf die Entscheidung des Landvogtes warten. Hans von Polenz weilt in Böhmen. Kein Mensch weiß, ob er den Kriegszug überlebt. Du wiederum weißt nicht, ob Matthias dich, nach allem was passiert ist, noch haben will! Schließe dich uns an, Margarete! Ich weiß, du vertraust mir nicht, weil ich ein Dieb und Betrüger bin. Die Mönche haben mir die Augen geöffnet, ich will mich ändern!« Berthold lockerte den harten Griff und Margarete richtete sich auf.

»Niemals! Meine ehemalige Freundin Gerda hat mit ihren Machenschaften und Zaubertränken die Sinne von Matthias und Nikolaus verwirrt, anfangs auch meine. Ich bin nur hier, weil ich Matthias noch liebe, leider an die falsche Tür klopfte. Wir sind allein im Keller, du kannst mich schänden. Danach musst du mich umbringen, denn sonst hast du eine neue Todfeindin, die nicht ruhen wird, bis du am Galgen hängst!«, rief Margarete. Berthold trat einen Schritt zurück.

»Von Schänden war nie die Rede, obwohl ich zugeben muss, dass du ein reizvolles Weib bist«, sagte Berthold und nahm die Fackel aus der Wandhalterung, als hätte es die Auseinandersetzung nie gegeben. »Komm, gehen wir nach oben. Vergessen wir es.«

Margarete atmete tief durch. Die Chance, diesen Mann auf ihre Seite zu ziehen, war nicht größer geworden – im Gegenteil.

Die Pferde wurden an den Zügeln zurückgerissen. Weiße Dampfwölkchen vom Atem der Tiere und der auf ihnen sitzenden Männer stiegen in die kalte Novemberluft. Heinz von Waldow war froh, noch vor Einbruch des Winters zurück zu sein, freute sich auf warmes Wasser und kühlen Wein und jetzt stellten sich ihm zwei Hellebardiere in den Weg. Der Ritter war geneigt, die zu attackieren, als ein Mann mit einem Samtbarett auf dem Kopf auf den Weg trat.

»Richter Christoph von Haugstein! Ich weiß, es ist Eure Burg, Herr Ritter. Die wurde von Gunther von Bentheim mit wenigen Männern im Handstreich genommen. Wir sind die Belagerer! Ich darf Sie zwecks näherer Erläuterungen darum bitten, abzusitzen!«

»Was gibt es da zu erläutern? Wir sind, wenn ich Sie recht verstanden habe, in der Übermacht und könnten umgehend einen Sturmangriff beginnen!«, ereiferte sich Heinz von Waldow, stieg dann doch wie angewiesen vom Pferd.

»Bevor Sie fragen, Herr Ritter. Ich habe im Auftrag des Landvogtes Hans von Polenz und König Sigismund hier die Befehlsgewalt. Ich habe einen Boten nach Senftenberg entsandt. Hier passiert nichts, bis wir geklärt haben, was nach der Erstürmung der Burg geschieht. Ich komme aus der Oberlausitz und da gibt es viele Geschädigte, die Sie am liebsten am Galgen sehen würden. Ich kann mir vorstellen, dass Hans von Polenz Gnade vor Recht walten lässt und Sie nicht hängt. Es ist nicht geklärt, ob man Ihnen die vor uns liegende Burg zurückgibt.

Wenn Sie Glück haben, bekommen Sie eine neue Heimstatt«, sagte von Haugstein mit stoischer Ruhe.

»Das ist ungeheuerlich, Herr Richter! Sie verwehren mir nicht nur die Rückeroberung der eigenen Burg, sondern stellen auch noch infrage, ob ich diese je wieder besitzen darf?«, schnaubte von Waldow.

Er war einem befreundeten Ritter zu Hilfe geeilt, es war zu keinem offenen Kampf gekommen – und jetzt das! »Wir sind in der Übermacht! Wir brauchen nur ein paar Leitern, um die Zinnen zu stürmen!«, schrie er.

»Gunther hat nur wenige Männer«, mischte sich Matthias ein. »Sie haben Geiseln, die sie auf die Zinnen stellen können, darunter Margarete und meinen Ausbilder, Bertram von Eschwege - muss ich noch mehr Namen nennen? Wollen Sie das Leben all dieser Menschen gefährden? Ein verirrter Pfeil oder Bolzen …«

»Würde sich daran etwas ändern, wenn Hans von Polenz hier auftaucht und die Befehle gibt? Die Hasardeure, die meine Burg auf welch hinterhältige Weise auch immer eingenommen haben, können die Geiseln nicht überall anbinden! Wir haben genug Männer, um an mehreren Stellen gleichzeitig die Mauern zu stürmen! Schwierig ist es nur an der westlichen Befestigung, da könnte man im Morast versinken. Ich sehe Regenwolken aufziehen.« Heinz von Waldow richtete seinen Blick zum Himmel, an dem graue Wolken vom Wind von West nach Ost gehetzt wurden. Der Ritter führte sein Pferd am Zügel und winkte ab.

»Wohin des Wegs, wenn ich fragen darf, Herr Ritter?«, rief von Haugstein.

»Ich lasse mein Pferd neu beschlagen, wenn's recht ist, Herr Richter! Sie werden keinem Überraschungsangriff zustimmen. Sie warten ab, bis entweder ihr Bote oder der Landvogt persönlich hier aufkreuzen. Sie machen einen Fehler, Herr Richter! Zumindest habe ich verstanden, dass ich hier nichts mehr zu sagen habe.« Heinz von Waldow schüttelte den Kopf und schlurfte mit dem Pferd am Zügel zum Hufschmied des Dorfes Sallgast.

Margarete fiel auf, dass die wenigen Verteidiger unruhiger wurden. Der einzige, der die Ruhe bewahrte, war Gunther von Bentheim. Er vergnügte sich weiterhin mit Marica, sprach dem reichlich vorhandenem Wein zu. Berthold wurde vorstellig. So konnte es nicht weitergehen. Die zur Schau gestellte Gleichgültigkeit und Dekadenz färbten auf die Verteidiger ab.

Berthold hatte mit wenigen Strichen einen Hebelmechanismus gezeichnet, der es erlaubte, dass nur zwei Waffenknechte mehrere angelehnte Sturmleitern gleichzeitig zum Kippen brachten. Er hatte während des Einbruches bei einem Gelehrten eine Skizze erbeutet und die Idee weiterentwickelt.

»Was soll das sein?«, grunzte Gunther, der nach Weingenuss nur bedingt aufnahmefähig war.

»Damit können wir an breiter Front mit nur zwei Mann Sturmleitern zum Kippen bringen!«, sagte Berthold begeistert. »Der ursprüngliche Entwurf sah vor, Löcher unterhalb der Zinnen zu bohren. Dafür fehlt uns die Zeit.«

»Du bist der Adjutant, Berthold«, lallte Gunther. »Lass es bauen, wenn es uns dient.«

Einige Knechte hatten sich bereit erklärt, mit den neuen Besatzern zusammenzuarbeiten. Der Rest saß im Verlies. Berthold fragte, wer sich auf Schreinerei oder das Zimmermannshandwerk verstand. Es meldeten sich zwei. Lieber draußen auf dem Burghof an der frischen Luft, als im Kerker hocken. Auch wenn man sich bei einer Rückeroberung den Vorwurf der Zusammenarbeit mit Gunther und seinen Männern gefallen lassen müsste.

Der Knecht, der nach eigenem Bekunden für das Ausbessern der Leiterwagen und Dachstühle zuständig war, runzelte die Stirn, als er die Skizze mit den Maßen sah.

»Es tut mir leid, Herr Bachmann, so lange Balken haben wir nicht vorrätig. Wenn ich das richtig sehe, brauchen wir fünf davon.«

»Dann verbindet zwei kürzere zu einem langen«, sagte Berthold. »Das bekommt ihr doch hin?« Er registrierte das Nicken des älteren Knechtes und gab dem Bewaffneten, der zu ihnen übergelaufen war, ein Zeichen, die Männer zu beaufsichtigen. Auf dem Weg zur Schreibstube machte er sich Gedanken über ein Frühwarnsystem. Man könnte Draht spannen und Glöckchen aufhängen. Berthold verwarf die Idee wieder. Wenn sich der Richter und Heinz von Waldow einigten, war alles umsonst. Die hatten eine siebenfache Übermacht, konnten an allen Ecken und Enden angreifen. Wie er es drehte und wendete, nach der Rückeroberung der Burg würden sie alle am Galgen hängen. Es musste ein Plan her, das eigene Leben zu retten. Bisher war ihm immer etwas eingefallen.

Bertholds Stirn war umwölkt, als er den Raum betrat, den er Schreibstube getauft hatte. Margarete stand auf und schenkte ihm ein bezauberndes Lächeln. Sein Gesicht hellte sich auf. Nicht nur, weil die junge Frau schön war.

»Wie weit würdest du gehen, wenn ich euch helfe, dem Spuk ein schnelles Ende zu setzen?« Berthold umrundete den Tisch, legte den linken Arm um Margaretes Taille und zog sie näher an sich. »Ein Kuss oder mehr?«

»Ich bin nur hier, weil ich Matthias immer noch liebe! Du hast schon im Weinkeller Andeutungen gemacht. Vergiss es!« Sie schüttelte Berthold ab und trat einen Schritt zurück.

»Ich hatte auf mehr Entgegenkommen gehofft«, sagte der Adjutant von Gunther und wandte sich enttäuscht ab.

»War es nicht so, dass du einst von dieser Burg verbannt wurdest, weil du den Avancen anderer Männer nicht abgeneigt warst?«

»Was erwartest du? Dass ich vor dir in die Knie gehe und dich mit Mund und Händen verwöhne?«, fragte Margarete empört.

»Das wäre ein guter Anfang«, lachte Berthold. Zu seiner Überraschung setzte sich die junge Frau an den Tisch, griff nach einem Silberstift und einem dickeren Blatt Papier und begann zu zeichnen.

»Ich habe eine bessere Idee! Du willst mit deinem früheren Leben brechen, uns helfen und etwas Neues beginnen?«, fragte Margarete und zeichnete weiter. Berthold trat neugierig näher und linste über die Schulter. Sie zeichnete das Porträt einer jungen Frau mit langen, dunklen Haaren und einem bildhübschen Gesicht. »Das ist Hildegard. Gerda, sie und ich waren als Kinder und junge Mädchen in Ruhland unzertrennlich. Tochter eines Mannes, der mit Fellen und Leder handelt. Ich arrangiere, dass du sie kennenlernst und lege mehr als nur ein gutes Wort für dich ein. Hilde muss nicht alles erfahren, was deine Vergangenheit betrifft. Interessiert?«

»Ja, zu einem neuen Leben gehören ein Weib und Kinder«, sagte Berthold.

»Kann ich dir auf dieses vage Versprechen hin vertrauen?«, wollte Margarete wissen. Sie war monatelang nicht in ihrer Heimatstadt gewesen und wusste nicht, ob ihre Freundin Hildegard einem anderen versprochen worden war.

»Du kannst mir nicht vertrauen. Ich bin ein Dieb, Gauner und Trickbetrüger. Wenn das alles vorbei ist – frage mich am ersten Advent wieder!«

Kapitel 33

›Endlich!‹, dachte Peter Töpfer und eilte die Treppe hinunter auf den Burghof. Hans von Polenz stieg vom dampfenden Pferd und übergab es einem Stallburschen. Er hatte nur fünfzehn Waffenknechte mit nach Böhmen genommen. Den Großteil der Truppen hatten der Sechs-Städte-Bund und der Landvogt der Oberlausitz gestellt. Ehe Peter sich verbeugen und eine Frage stellen konnte, war Margarethe von Dohna an ihm vorbeigerauscht. Sie hauchte ihrem Mann einen Kuss auf die bärtige Wange. Hans von Polenz hatte vorsorglich den Helm abgenommen, damit die Lippen seiner Frau nicht auf kaltes Metall trafen.

»Sieg auf der ganzen Linie, Margarethe! Die böhmischen Ketzer hatten sich nach Kratzau zurückgezogen. Bevor eine ihrer Wagenburgen geschlossen war, konnten wir durch die Lücke stürmen. Die eroberten Kanonen richteten wir auf die andere Wagenburg!« Nach all den Fehlschlägen endlich ein Sieg über die Hussiten. Hans von Polenz machte sich nichts vor. Das war nur eine Teilstreitmacht gewesen, deren Winterquartier man vernichtet hatte. Das Erstürmen der Hochburg der Ketzer in Tabor lag in weiter Ferne.

»Darf ich dich darauf hinweisen, dass der Richter von Haugstein einen Boten entsandt hat, der dich dringend zu sprechen wünscht?«, fragte Margarethe von Dohna und wies mit der rechten Hand auf Peter.

»Ich hoffe, es sind auch in diesem Falle gute Nachrichten!«, rief der Landvogt gutgelaunt. »Wie war der Name?«

»Peter Töpfer, Herr von Polenz, aus dem Gefolge von Matthias von Köckritz, im Moment dem Richter von Haugstein unterstellt!«

»Ich muss aus dieser hinderlichen Rüstung raus, nehme dann ein Bad und erwarte Sie in zwei Stunden zum Abendessen«, schlug der Landvogt vor.

»Vielen Dank, Herr von Polenz!«, sagte Peter mit stolzgeschwellter Brust. Vom Sohn eines Töpfers zum wichtigen Boten, der vom mächtigsten Mann der Niederlausitz zum Essen geladen wurde!

Es war kein Abendessen unter sechs Augen, wie es sich Peter erträumt hatte. Als er eintrat, waren Nikolaus von Polenz und dessen neue Verlobte bereits anwesend.

»Seit wann gehört ein Waffenknecht aus dem Volk zu diesem erlauchten Kreis?« Nikolaus von Polenz schüttelte den Kopf.

»Er wurde von mir geladen, werter Vetter! Immerhin geht es um deinen ehemaligen Gefolgsmann Gunther. Herr Töpfer hat wichtige Informationen, die uns alle betreffen! Ich freue mich, dass es dir schon wieder so gut geht, Nikolaus!«, sagte Hans von Polenz.

»Das ist nicht zuletzt ein Verdienst der neuen Frau an meiner Seite. Die stärkenden Tränke und die Zuneigung von Gertrud von Wildenfels haben mir sehr geholfen«, sagte Nikolaus und tätschelte die Hand der neben ihm sitzenden Frau.

Peter hielt eine Hand vor den Mund, damit man sein Grinsen nicht sah. ›Gerda Schneider, Magd aus Ruhland, trifft es wohl eher‹, dachte er.

Margarethe von Dohna ließ zur Feier des Sieges über die Hussiten groß auftafeln. Es gab Kapaun, Wildbret und Schweinebraten, geschmortes Gemüse, Obst und frisches Brot. Dazu wurde der beste Rotwein serviert, den man in der Burg Senftenberg im Keller hatte.

»Und was ist mit Margarete Kürschner? Die war doch zuletzt wieder an deiner Seite?«, fragte Hans und trank einen Schluck Rotwein.

»Die habe ich verstoßen und das Dokument unterschrieben, welches im Kloster Dobrilugk ausgestellt wurde und eine Scheidung wegen Ehebruchs anheimstellt«, sagte Nikolaus und stellte das Weinglas mit Schwung ab.

»Zu Ihnen, Herr Töpfer! Sie sind Gefolgsmann von Matthias von Köckritz. Was können Sie dazu sagen?«, wandte sich der Landvogt an Peter.

»Zur Lage in Sallgast oder zur Beziehung zwischen Margarete und Matthias?« Peter spürte, dass sich seine Wangen Rot färbten. Im Zweifelsfall konnte man es auf den genossenen Wein schieben. Die Anwesenden wussten nicht, wie eng er mit dem Paar verbunden war.

»Am besten, beides, Herr Töpfer«, lachte Hans von Polenz. Obwohl jeder hier eine eigene Meinung dazu hatte, stimmte man ein und heuchelte Heiterkeit.

»Margarete Kürschner ist Geisel von Gunther von Bentheim, der wiederum mit wenigen Getreuen die Burg Sallgast im Handstreich eingenommen hat! Ich bin nur deshalb hier, weil der Richter von Haugstein dem Ritter von Waldow die Rückeroberung der Burg verboten hat! Der Richter wünscht Ihre Anwesenheit oder eine Entscheidung, die ich übermittle!« Peter atmete durch. Er befand, kürzer hätte man es nicht ausdrücken können.

Alle Anwesenden hielten in der Bewegung inne, egal, ob sie gerade einen Löffel, ein Messer oder ein Glas in der Hand hielten.

»Es gibt ein Dokument, dass mir Sallgast gehört«, erinnerte sich Hans von Polenz. »Ich konnte den Anspruch nur deshalb nicht durchsetzen, weil ich stets mit anderen Dingen beschäftigt war. In der Oberlausitz lag man mir in den Ohren, endlich den Ritter von

Waldow wegen seiner Raubzüge dingfest zu machen. Insofern ist die Rückfrage des Richters von Haugstein verständlich.« Hans von Polenz ließ die Hand mit dem Messer sinken.

»Mensch und Tier brauchen einen Tag Pause«, entschied er. »Übermorgen reite ich mit meinen Bewaffneten dahin und übernehme Sallgast. Was mit Heinz von Waldow und vor allem Gunther von Bentheim geschieht, bestimme ich vor Ort!«

Berthold hatte immer noch keinen Plan, wie er dem Galgen entkommen konnte. Wenn erst einmal Hans von Polenz hier auftauchte und den Oberbefehl übernahm, waren die Stunden gezählt. Die brauchten nicht einmal Kanonen zur Belagerung einsetzen. Das Gestell, das er in Auftrag gegeben hatte, um wenigstens oberhalb des Tores mehrere Sturmleitern zum Kippen zu bringen, war beim ersten Test zerbrochen. Die beiden Knechte hatten zu dünne Bretter verwendet, um zwei Balken miteinander zu verbinden.

Berthold schlenderte in die Schreibstube, umrundete den Tisch und zischte Margarete ins Ohr: »In fünf Minuten im Weinkeller!«

Er hatte eine Kerze entzündet und wartete. Als die Kellertür in den Angeln quietschte, hoffte Berthold, dass Margarete kam und nicht etwa ein Knecht oder die Magd Bertha.

Es war wie angewiesen seine Schreibhilfe, die sich umschaute. Berthold trat hinter dem Weinfass hervor, wo er sich versteckt hatte. »Ich habe mich entschieden, Margarete. Ich bin zu jung, um am Galgen zu baumeln! Ich hatte ein paar Ideen, die ich wieder verworfen habe.«

»Ach, ja, und die wären?«, fragte Margarete mit geneigtem Kopf. »Gunther etwas in den Wein mischen, warten, bis er einschläft, fesseln und dann die Burg übernehmen?«

»Ja, so ähnlich. Ich wusste, du bist eine kluge Frau! Nein, sobald der Landvogt hier auftaucht, schieße ich einen Pfeil mit einer Botschaft zu den Belagerern, die sicher auch die hinteren Befestigungsanlagen überwachen. Wenn Gunther dich …«

Sie hörten ein quietschendes Geräusch und verschwanden hinter dem Weinfass, das auf einem Gestell thronte.

»Dieser versoffene Sack! Ich hätte gleich einen Eimer mitnehmen sollen«, grummelte Bertha vor sich hin. Dann sah sie im flackernden Schein der Kerze vier Schuhe hinter dem Gestell. Sie hatte sich ohnehin gewundert, wer denn so leichtsinnig gewesen war, und eine Kerze hatte brennen lassen. Vor Schreck hätte sie beinahe die beiden irdenen Krüge fallengelassen, die sie mit Wein füllen sollte.

Berthold blieb nichts anderes übrig, als Margarete an sich zu ziehen und sie zu küssen. Man konnte der Magd unmöglich erklären, es handele sich um ein Treffen von Verschwörern.

Bertha lugte vorsichtig um die Ecke und stemmte die Fäuste an die ausladenden Hüften.

»Man hat vor Monaten richtig gehandelt, dich wegen Mannstollheit ins Kloster zu schicken! Draußen in Sallgast harrt Matthias deiner! Da du nicht sicher bist, ob er dich noch will, angelst du dir gleich den nächsten. Die Freude wird von kurzer Dauer sein, mehr sage ich nicht! Darf ich jetzt für den Herrn von Bentheim Wein zapfen, Herr Bachmann? Danke!« Die Magd warf Margarete einen vernichtenden Blick zu.

Als Bertha schimpfend wieder verschwunden war, löste sich Margarete endlich aus der Umarmung. Sie wollte Berthold eine Ohrfeige geben, aber er umklammerte ihr rechtes Handgelenk.

»Soll die Magd doch glauben, was sie will. Hauptsache, ich werde nicht als Verschwörer entlarvt«, flüsterte Berthold.

Margarete trat einen Schritt zurück. Sie hoffte, dass Berthold die Situation nicht ausnutzen würde, um sie erneut in die Arme zu nehmen. Sie hasste sich dafür, dass es ihr nicht unangenehm gewesen war, seine Lippen auf ihren zu spüren. Bertha hatte recht! Da draußen wartete Matthias, der Mann, den sie immer noch liebte. Die Unsicherheit blieb. Vielleicht wurde er nur von Rachegedanken beherrscht, die alle anderen Gefühle verdrängten. Sie konnte nur hoffen, dass der Plan des Mannes, der sie gerade geküsst hatte, aufging. Sie schlich zur Treppe.

»Wo willst du hin, Margarete?«, rief ihr Berthold hinterher. Am liebsten hätte er hinzugefügt: ›Falls Matthias dich nicht mehr will, ich stehe bereit!‹

»Zur kleinen Kapelle. Ich möchte dafür beten, dass so wenig Blut wie möglich fließt!«

In Sallgast spitzte sich die Lage zu, als Hans von Polenz mit zehn Bewaffneten und dem Kurier Peter eintraf. Heinz von Waldow stellte den Landvogt, noch bevor dieser vom Pferd gestiegen war, zur Rede:

»Was soll das? Der von dir gesandte Richter verwehrt mir die Rückeroberung der eigenen Burg?« Von Waldow hatte die rechte Hand am Schwertknauf. Zwei Reiter schirmten ihren Herrn von Polenz ab und senken die Lanzen.

Der Landvogt stieg vom Pferd und erhob beide Hände zum Zeichen, dass er die angespannte Situation friedlich zu lösen gedenke. »Wir beide dienten einst dem Markgrafen von Meißen, der jetzt auch Kurfürst von Sachsen ist. Du hast es nur diesem Umstand zu verdanken, dass die Burg noch nicht geschliffen wurde! Du kennst die Strafe für einen Raubritter, Heinz? Ihm wird die Ritterwürde aberkannt und er am Halfter des eigenen Pferdes aufgehängt!«

Heinz von Waldow senkte den Kopf und nahm die rechte Hand vom Schwertgriff. Er hatte kurz darüber nachgedacht, mit seinen Männern die Belagerer um Christoph von Haugstein zu überwältigen. Mit der Ankunft von Hans von Polenz änderte sich alles.

»Ich habe ein Dokument dabei, das beweist, dass mir Sallgast seit zwölf Jahren gehört. Da wir uns lange kennen, habe ich den Anspruch nie durchgesetzt. Diese Nachsicht wurde mir in der Oberlausitz immer wieder vorgeworfen. Der Richter von Haugstein wird es bestätigen.«

Der Angesprochene nickte eifrig. In Bautzen hatte man sich gefragt, warum andere Raubritternester mit aller Härte angegriffen wurden, nur jenes in Sallgast nicht.

»Vorschlag zur Güte, Heinz! Du schwörst auf die Heilige Schrift, dass du nie wieder Raubzüge in die Oberlausitz oder andere Landesteile unternimmst! Im Gegenzug erhältst du ein Lehen westlich von hier! Bei der Erstürmung der Burg bilden deine Männer die Reserve. Es besteht die Gefahr, dass Gunther von Bentheim mit einer Geisel durch die Reihen flieht und dann schlagt ihr zu.«

Christoph von Haugstein wollte protestieren. Der Raubritter wurde mit einem anderen Lehen belohnt? Hans von Polenz gebot ihm mit erhobener Hand Einhalt.

Es hatte über Nacht gefroren. Eine dünne Eisschicht bedeckte die sumpfigen Niederungen westlich der Wasserburg. Matthias von Köckritz und seine Männer fluchten, wenn wieder einmal ein Stiefel im Morast unter dem dünnen Eis steckenblieb. Sie bezogen wie angewiesen Position. Der Landvogt würde ihnen mittels eines Trompetensignals den Beginn des Angriffs auf das Haupttor signalisieren.

Berthold hatte im hinteren Wehrgang Seile versteckt, die als Aufstieghilfen für die zu erwartenden Angreifer dienen konnten.

Peter Töpfer zog den Kopf ein. Nur eine Elle neben ihm war ein Pfeil in einem Baumstamm eingeschlagen. Der Schaft zitterte noch. Sollte er es wagen, aus der Deckung zu gehen? Würden dem Pfeil weitere folgen oder gar Armbrustbolzen? Matthias kam in geduckter Haltung näher heran.

»Am Schaft ist eine Nachricht! Hinter den Baum und dann vorsichtig den Pfeil aus der Baumrinde ziehen!«, zischte er. Peter traute dem Frieden nicht, folgte aber dem Befehl seines Freundes. Er richtete sich vorsichtig auf und tastete mit dem linken Arm um den Baumstamm herum, bis er den Pfeil zu fassen bekam. Dann ging er sofort wieder in Deckung.

»Was steht auf dem Zettel?«, wollte Matthias wissen. Peter reichte das kleine Stück Papier weiter.

»Lies selbst!«

»Ich bin auf eurer Seite und lasse Seile herab! B. Bachmann«, entzifferte Matthias. Eine Falle? Gunther hatte nicht genug Leute, um alle Angreifer unter Beschuss nehmen zu können. Vorsichtshalber hatte Matthias Leitern für die Erstürmung der rückwärtigen Befestigungsanlagen zimmern lassen. Falls Berthold Bachmann wirklich auf ihrer Seite stand, brauchte man die womöglich nicht.

Sie warteten weiterhin auf das Signal zum Angriff auf das Tor. Es passierte nichts. Der um die Wasserburg wabernde Nebel hätte den Angreifern Deckung geboten. Matthias verstand nicht, warum sich der Sturm verzögerte. Gab es wieder einmal Streitigkeiten zwischen Hans von Polenz, Heinz von Waldow und dem Richter von Haugstein? Er war sicher gewesen, mit dem Eintreffen des Landvogtes konnte es nur einen Befehlshaber geben. Matthias war drauf und dran, auf eigene Gefahr anzugreifen, um Margarete aus den Fängen von Gunther zu befreien.

Unerwartet ertönte nun doch das Trompetensignal von der anderen Seite der Burg. Matthias gab Anweisung, eine der Leitern anzustellen. Er wollte sich selbst davon überzeugen, ob Berthold auf ihrer Seite stand oder dies nur vorgab. Da er als Erster die rückwärtige Mauer erklimmen würde, bestand die Gefahr, ins offene Messer zu laufen. Er wies Friedrich und Peter an, ihm mit gespannten Armbrüsten Rückendeckung zu geben. Hartmut, der sich am besten mit der Taktik von Gunther auskannte, sollte ihm unverzüglich auf der Sturmleiter folgen.

Matthias kletterte flink wie ein Eichkater die Leiter empor und lugte über die Mauer. Jeden Moment erwartete er, dass Berthold, der sein Wort brach, oder ein anderer Waffenknecht ihm mittels eines Morgensterns den Helm vom Kopf fegte. Da dies nicht der Fall war, schwang er sich auf den Wehrgang und zog das Schwert aus der Scheide.

Aus einer Ecke tauchte ein Schatten auf, der ein Seil in der Hand hielt. »Nicht zuschlagen! Ich bin Berthold und auf eurer Seite! Von mir kam die Nachricht!«

Es dauerte nur wenige Augenblicke, bis alle Angreifer auf dem hinteren Wehrgang standen. Peter hatte tollkühn das hinuntergeworfene Seil genutzt und kam als Letzter. Von Osten hörte man Geschrei, aber nicht das metallische Geräusch, wenn eine Klinge auf die andere traf. Das konnte nur bedeuten, dass das Haupttor noch nicht gestürmt worden war.

Wegen des Wassergrabens und der geschlossenen Zugbrücke gestaltete sich das Unternehmen mehr als schwierig. Christoph von Haugstein hatte in der Zeit, als er das Kommando führte, einen provisorischen Rammbock bauen lassen. Man benötigte eine Behelfsbrücke, um diesen an das Tor schieben zu können. Hans von Polenz wusste, dass Gunther nur wenige Verteidiger auf den Zinnen hatte. Um die Verluste so niedrig wie möglich zu halten, mussten dessen Armbrustschützen ausgeschaltet werden.

Jobst und Veit hatten einen schweren Stand. Um die Angreifer jenseits des Burggrabens in Schach zu halten, mussten sie immer wieder die sichere Deckung verlassen. Veit spürte einen heftigen Einschlag an der linken Schulter und sackte zu Boden. Die Armbrust glitt aus seinen Händen. Gunther bemerkte es vom Burghof aus und schickte die verängstigte Magd Bertha nach oben, um den Verletzten zu versorgen. »Ich schaffe es nicht alleine, das Kettenhemd auszuziehen, Herr von Bentheim!«, schrie sie nach unten. »Schicken Sie mir Margarete als Hilfe, bitte!«

›Margarete oben auf den Zinnen?‹, überlegte Gunther. Die Angreifer würden sich beim Beschuss zurückhalten, um das Weib nicht zu treffen. Er befahl seinen Reservemann Wulff, die Geisel auf den Hof zu zerren. Margarete bemerkte aus den Augenwinkeln mehrere Schatten auf dem hinteren Wehrgang. Ihr Herz setzte kurz aus, um dann umso heftiger zu schlagen.

Es waren zu viele Männer, mehr als Gunther zur Verfügung hatte! Einer von ihnen hatte die Statur von Matthias!

Berthold ahnte, dass Matthias angesichts der jungen Frau voranstürmen würde, um Gunther zum Zweikampf zu stellen. Er wollte ihn daran hindern, um das Leben von Margarete zu schützen. Es gelang ihm nicht. Matthias war drei Schritte voraus. Ihn beherrschte nur noch der Gedanke an Rache für die Morde an seiner Mutter, der Halbschwester und dem Pflegevater Karl.

Berthold ging zunächst in Deckung, damit Gunther nicht bemerkte, dass er mit den rückwärtigen Angreifern gemeinsame Sache machte.

Zur Dorfseite hatten die Waffenknechte des Landvogtes eine Formation gebildet, wie sie bereits bei den römischen Legionen üblich gewesen war. Von oben und den Seiten durch Schilde geschützt, versuchten sie, Balken über den Wassergraben zu schieben.

Da sich der erste Balken sofort senkte, musste ein Mann die Deckung verlassen und ins kalte Wasser springen. Er war mit zwei Schwimmstößen so dicht an der Mauer, dass ihn der von Jobst abgeschossene Bolzen verfehlte. Dann musste der Balken verkeilt werden. Ebenso wurde beim zweiten verfahren. Noch schwieriger gestaltete sich das Beplanken. Dies glückte nur, weil der einzige verbliebene Schütze Jobst es angesichts des Hagels von Pfeilen und Bolzen es nicht wagte, die Nase über die Brüstung des Wehrturmes zu stecken.

Da er gegen die Angreifer nichts mehr ausrichten konnte, die den überdachten Rammbock immer näher schoben, entschied Jobst, dem Ritter unten im Hof zu helfen. Er stolperte die Treppen nach unten.

»Was soll ich mit der Geisel machen?«, rief Wulff. Da Margarete bestrebt war, sich ihm zu entwinden, hatte er ihr ohne einen Befehl abzuwarten die Spitze seines Dolch an den Hals gehalten.

Jobst hatte nur noch einen Bolzen auf der Armbrust. Er sah den mit gezogenem Schwert heranstürmenden Matthias und betätigte den Abzug. Margarete schrie auf. Matthias ließ sich auf das Pflaster fallen und vollzog eine Seitwärtsrolle. Um sich nicht selbst zu verletzen, musste er das Schwert für einen Moment loslassen. Gunther war mit drei schnellen Schritten bei ihm, trat auf die Klinge und lachte. »Auch dein Ziehvater glaubte, mich im Zweikampf besiegen zu können! Du bist der Nächste, Bastard von Köckritz! Weil du unerfahren bist, erlaube ich dir, das Schwert aufzuheben!« Gunther trat einen Schritt zurück, Matthias nahm die Klinge, richtete sich auf und wechselte in die verschiedenen Huten. Dabei versuchte er, die Reichweite seines Gegners abzuschätzen. Während der Zeit der Belagerung hatte er in jeder freien Minute mit Hartmut und Friedrich geübt.

»Nicht schießen!«, rief Gunther. Jobst zuckte mit den Schultern. Er hatte keine Bolzen mehr.

Von Bentheim griff ungestüm an. Matthias konnte den ersten Oberhau abwehren. Währenddessen hatten sich Hartmut, Friedrich und Peter untereinander verständigt, nur einzugreifen, wenn Matthias entwaffnet wurde und Gunther zum tödlichen Stich ausholte.

Berthold wiederum nutzte die Deckung der Männer, Fässer, Strohballen und Wagen und schlich auf Umwegen näher an Margarete heran, die weiterhin von Wulff mit einem Dolch an der Kehle bedroht wurde. Als er in die Nähe des Tores kam, stand dort Jobst. Der hatte die nutzlos gewordene Armbrust abgelegt und ein Kurzschwert in der Hand. Plötzlich ertönte ein ohrenbetäubender Knall.

Die Waffenknechte des Landvogtes hatten den Rammbock endgültig in Stellung gebracht und waren drauf und dran, mit den nächsten Stößen das gut bewehrte Tor in Stücke zu brechen.

Von Bentheim sah, dass Matthias sein Schwert in der Schrankhut positionierte. Diese Verteidigungsstellung wollte er mit einem schnellen Scheitelhau brechen. Bis Matthias das Schwert aus der unteren Positon nach oben gerissen hätte, wäre der Meisterhau vollzogen. Er hob sein Schwert in die obere Hut, um es mit einem schnellen Hieb nach unten auf den Scheitel sausen zu lassen. Doch anders als erwartet riss Matthias seine Waffe kreisförmig, mit der Spitze immer zum Gegner zeigend, nach oben. Er hob die Arme und schritt zurück, um Gunther mit dem Ochs in Schach zu halten. Matthias ahnte, dass Gunther nur mit ihm spielte. Denn kein Ritter hätte sich auf so einen langen Schlagabtausch eingelassen. Es war ein Spiel aus Hutenbrechen geworden. Immer wenn Matthias glaubte, eine Blöße zu erkennen, konterte Gunther. Ein boshaftes Lächeln zierte dessen Gesicht. Er hätte Matthias schon einige Male mit einem unausweichlichen Stich zu seinem Schöpfer schicken können. Es wurde Zeit, dem jetzt ein Ende zu setzen.

Der Waffenknecht Jobst überlegte, ob es jetzt der rechte Moment wäre, die Seiten zu wechseln, um das eigene Leben zu retten. Die Treue zu Gunther würde mit einem Strick um den Hals belohnt werden. Sollte er das Tor öffnen? Es war nur eine Frage von Minuten, bis die Männer des Landvogtes das selbst erledigt hatten. Berthold nutzte den Krach des dritten Rammstoßes, um Jobst mittels einer Latte bewusstlos zu schlagen.

Margarete hatte aus den Augenwinkeln Berthold bemerkt und stieß mit ihrem Knie Wulff in die Weichteile, der daraufhin aufschrie. Der Aufschrei verstummte, da es Nacht um ihn herum wurde.

»Ich habe es dir doch versprochen, Margarete«, sagte Berthold und reichte der jungen Frau die Hand. Im gleichen Augenblick zersplitterte das Eichenholz des Burgtores und die Männer des Landvogtes strömten auf den Hof. Gunther wusste, das war das Ende. Wenigstens wollte er vorher noch Matthias erschlagen. Dieser hatte den Augenblick der Ablenkung genutzt und war zum ersten Mal selbst in die Offensive gegangen. Gunther war verblüfft, wie nah der Gegner ihm plötzlich war.

Matthias Schwert prallte auf ein drittes, das wie aus dem Nichts auftauchte.

»Ich verstehe, dass du dich rächen willst, Matthias von Köckritz! Aber der Richter von Haugstein und ich vertreten hier das Gesetz! Gunther von Bentheim wird in Senftenberg vor ein Gericht gestellt und verurteilt! Ebenso verfahren wir mit den Männern, die ihm gedient und sich schuldig gemacht haben!«, rief der Landvogt.

»Einspruch, Herr von Polenz!«, sagte Margarete selbstbewusst. »Herr Berthold Bachmann hat eine Zeit lang Gunther gedient, heute den Angriff auf die westlichen Befestigungsanlagen ermöglicht, zwei Waffenknechte niedergeschlagen und mir das Leben gerettet! Ich bitte darum, ihn zu begnadigen!«

»Über Schuld und Unschuld entscheidet ein Tribunal in Senftenberg, dem ich vorsitzen werde! Dabei werden wir Ihre Fürsprache berücksichtigen. Wie darf ich Sie nun nennen? Frau von Polenz, Kürschner?«

»Kürschner, wenn es recht ist, Herr Landvogt. Ihr Vetter hat mich verstoßen …«

Hans von Polenz winkte ab. »Ich weiß, Sie gedenken, Matthias von Köckritz zu ehelichen.«

Gunther von Bentheim hatte man die Hände auf dem Rücken gefesselt. Heinz von Waldow wagte es nicht, die eigene Burg zu betreten. Er schickte Gero von Rothstein vor, der darum bat, die Gefangenen aus den Verliesen zu befreien. Dabei bekam es mit Lieberecht zu tun, der die Gefangenen bewachte. Gero machte nach einem schnellen Schlagabtausch kurzen Prozeß und rammte seine Waffe in den Hals des Gegners. Bertram von Eschwege musste der Blutpfütze ausweichen, hinkte auf den Burghof und wollte zuerst wissen, ob es zum Schwertkampf zwischen seinem Schützling und Gunther gekommen war.

»Er hätte die Oberhand gewonnen, der Landvogt und der Richter von Haugstein hatten etwas dagegen«, antwortete der Waffenknecht Friedrich.

»Meine Schule, obwohl die Ausbildung noch lange nicht abgeschlossen war«, freute sich Bertram.

Kapitel 34

Ein eisiger Wind fegte an diesem Adventssamstag über den Marktplatz von Senftenberg. Das schaulustige Volk zog die Umhänge fester um die Schultern. Niemand wollte sich das Spektakel entgehen lassen.

Nikolaus von Polenz und Margarethe von Dohna hatten sich dafür ausgesprochen, Gunther von Bentheim die Ritterwürde erst nach dessen Tod abzuerkennen. Hans von Polenz, der Richter von Haugstein und Gottschalk Wedemar runzelten die Stirnen, hatten letztendlich zugestimmt. Der Landvogt verlas dem frierenden Volk das Urteil.

»Gunther von Bentheim wird wegen Mord, Verrat, Amtsanmaßung, Entführung und widerrechtlicher Inbesitznahme einer Burg zum Tod verurteilt. Man soll ihm das Haupt vom Rumpfe trennen! Danach wird ihm die Ritterwürde aberkannt. Der Leichnam soll ausgeweidet und auf ein Rad geflochten werden! Scharfrichter, waltet eures Amtes!«

Der nur mit einem Kittel bekleidete Gunther wurde vom Schinderkarren gezerrt. Er fror erbärmlich. Das war im Moment sein geringstes Problem. Bis zuletzt hatte er gehofft, dass man es bei dem ehrenhaften Tod durch das Schwert belassen würde. Wie sollte er ohne Herz und Därme vor seinen Schöpfer treten? Ihm drohte die ewige Verdammnis! Er glaubte nicht daran, dass die Gebete des Priesters neben ihm etwas daran ändern könnten.

Der Scharfrichter hatte zuletzt einen Gaukler gehängt. Heute den Attentäter Wernher, genannt »Der Schattenmann«. Die Arbeit mit dem langen Richtschwert erforderte viel Übung. Zu seiner Erleichterung gelang es ihm, den Hals des Verurteilten mit einem Hieb zu durchtrennen. Auf dem Marktplatz brandete Beifall auf. Danach machten sich der Scharfrichter und sein Gehilfe ans blutige Werk, präsentierten das Herz und flochten den Leichnam auf ein Rad.

Matthias hoffte, gleich bei der ersten Adresse richtig zu sein. Es gab nicht so viele jüdische Geldverleiher und Bankiers in Kottbus. Ein junger Mann mit Schläfenlocken bat ihn zu warten, bis Herr Cohen bereit wäre, ihn zu empfangen.

Als er eintreten durfte, deutete er eine Verbeugung an. »Mein Name Matthias von Köckritz wird Ihnen nicht viel sagen, verehrter Herr Cohen. Vor einiger Zeit hat mein Ziehvater Karl Brandt bei Ihnen beträchtliche Vermögenswerte hinterlegt, die ich gern ausbezahlt haben möchte.«

Der jüdische Bankier runzelte die Augenbrauen und strich mit einer Hand durch den Bart. Er hatte befürchtet, dass eines Tages jemand mit dieser Forderung erscheinen würde.

»Euer Name lautet nicht Brandt, junger Mann. Wie kann ich sicher sein, dass Sie der Berechtigte sind?«, fragte der Bankier.

»Ich habe weder Vollmacht noch Erbschein – aber das Geheimwort ›Vischrad‹ dürfte Sie überzeugen! Draußen auf der Straße warten zwei Waffenknechte des Landvogtes Hans von Polenz. Die werden sicherstellen, dass ein Teil des Geldes für den Kampf gegen die ketzerischen Hussiten verwendet wird!« Das war der Kompromiss, den Matthias mit Hans von Polenz ausgehandelt hatte.

»Sie werden verstehen, werter Herr von Köckritz, dass ich die Vermögenswerte nicht mehr in der ursprünglichen Form habe, denn Geld muss arbeiten«, seufzte der Bankier.

Die Goldbarren aus Böhmen hatte er gewinnbringend verkauft. Die Einforderung der Gesamtsumme war ein Schlag ins Kontor. »Wie möchten Sie es ausbezahlt haben? In Gulden oder böhmischen Groschen?«

Matthias wusste nicht genau, wie viel Karl Brandt hinterlegt hatte. Da der jüdische Bankier Schweißtropfen auf der Stirn hatte, musste es sich um eine erkleckliche Summe handeln.

»Ich nehme an, bei böhmischen Groschen würde ich ein Fuhrwerk oder zumindest zwei Packpferde mehr brauchen«, sagte er mit einem Lächeln im Gesicht.

»Gulden, ich verstehe«, flüsterte der jüdische Bankier und klingelte nach seinem Gehilfen. »Dem Herrn von Köckritz sind 5000 Gulden auszuzahlen!« Herr Cohen griff nach einem Leinentuch, um den Schweiß abzutupfen.

Matthias benötigte Hilfe, um die Beutel voller Goldmünzen zu den wartenden Waffenknechten zu schaffen. Selbst wenn er, wie vereinbart, die Hälfte an Hans von Polenz abgeben musste, konnte man mit dem Rest mehrere Neubauten hochziehen.

Einige Monate später - im Jahr des Herrn 1429. Hartmut und Matthias zügelten die Pferde und betrachteten den Baufortschritt. Eine Auflage des Landvogtes war gewesen, am Bachlauf der Pößnitz eine neue Mühle zu errichten.

»Ich verstehe nicht viel von Politik, Matthias, aber Naundorf wurde doch an Herzog Albrecht verkauft und gehört jetzt dessen Witwe Offka«, sagte Hartmut. »Was hat unser Landvogt davon, wenn diesem Flecken neues Leben eingehaucht wird?«

»Hans gehört zwar die Niederlausitz, aber nicht jedes Dorf. Er möchte sich mit allen gutstellen, da er keine Zeit hat, um sich um alles zu kümmern.« Matthias zuckte mit den Schultern.

Die Zimmerer waren gerade damit beschäftigt, das große Mühlrad zu fertigen.

»Lass uns zum Richtfest unseres Hauses zurückkehren!« Matthias trieb sein Pferd an. In den letzten Monaten musste er notgedrungen bei den Schwiegereltern in Ruhland nächtigen. Bald würden er und Margarete ein eigenes Heim haben.

Seine Angetraute hatte den weisen Roland zu Rate gezogen. Der blinde Seher hatte warmes, sonniges Maiwetter vorhergesagt, weshalb man auf schützende Zelte verzichtete. An den langen Tischen saßen die Gäste.

Neben Katharina von Wildenfels und Hartmut Konnewitz gaben sich die Gebrüder Hentzke aus Ruhland die Ehre. Sie waren von Wilhelm Kürschner und dessen Frau Maria in ein Gespräch verwickelt worden. Peter Töpfer und Bertha tuschelten miteinander.

Der Richter von Haugstein hatte eine Grußadresse geschickt, dass er Johanna Lerche – die allen hier als Magd Hanka Wessela bekannt war – in die Gesellschaft von Bautzen eingeführt habe und sie ehelichen würde.

Margarete war ratlos. Einige Stühle waren noch unbesetzt. Der Landvogt hatte sein Kommen zugesagt. Wen würde er außer seiner Ehefrau Margarethe von Dohna noch mitbringen?

Matthias und Hartmut gaben die Pferde ab und orderten Bier. Von Nordosten näherte sich eine Staubwolke, aus der sich zwei Reiter und eine Kutsche schälten. Die Helme und Brustharnische glänzten in der Sonne. Die beiden Reiter sprangen von den Pferden. Einer beeilte sich, den Schlag der Kutsche zu öffnen, um den Damen beim Aussteigen zu helfen.

Margarete kniff die Augen zusammen. Hans von Polenz hatte es gewagt, seinen Vetter und dessen neue Verlobte mitzubringen. Die waren zwar nicht eingeladen, aber wer stellte sich schon gegen den Landvogt?

Gerda stolperte ihrer Freundin aus Kindertagen in die Arme. »Es tut mir leid, Margarete! Du hast mir zwei Mal das Leben gerettet und ich dankte es dir mit Intrigen. Erst wollte ich Matthias, dann Nikolaus. Ich bin gekommen, um dich um Vergebung zu bitten!« Gerda senkte den Kopf.

»Vergessen und vergeben, Gerda! Schau mal ans Ende des langen Tisches!«

»Hildegard? Die dritte in unserem Mädchenbund in Ruhland! Wer ist der stattliche Mann an ihrer Seite?«

»Berthold Bachmann. Ich hatte ihm versprochen, ihn mit Hildegard bekanntzumachen, wenn er uns bei der Rückeroberung der Burg Sallgast hilft«, sagte Margarete mit einem Augenzwinkern. »Es hat geklappt, die beiden sind ein Paar!«

Berthold war auch angeklagt worden. Dank der Fürsprache von Margarete, Matthias und Peter wurde er begnadigt.

»Herzlichen Glückwunsch zum Richtfest, Matthias von Köckritz!«, sagte der Landvogt zu dem jungen Mann, den er aufgrund seiner Verdienste in Sallgast selbst zum Ritter geschlagen hatte.

Bei dieser Gelegenheit hatte auch Hartmut Konnewitz die Ritterwürde erlangt. Jetzt stand seiner Ehe mit der adeligen Katharina von Wildenfels nichts mehr im Wege.

Matthias bot seinem hohen Gast aus Senftenberg einen Krug mit Bier an. »Darf ich fragen, was aus der Anklage gegen die Waffenknechte Georg und Kilian geworden ist?«

Hans von Polenz nahm einen kräftigen Schluck Bier und wischte den Schaum vom Mund.

»In Finsterwalde stellt man sich quer. Die Genannten sind in den Dienst der Stadt getreten, Waffenknechte des Kurfürsten von Sachsen und außerhalb unserer Gerichtsbarkeit«, sagte Hans von Polenz. Matthias verstand. Der Landvogt war einst ein Gefolgsmann des Kurfürsten und Markgrafen gewesen. Die Mitstreiter von Gunther gingen straffrei aus.

Drei Musiker spielten zum Tanz auf. Zu den Klängen von Fidel, Flöte und Sackpfeife tanzten bald die ersten Paare auf dem Rasen. Matthias schlang seine Hände um die schmalen Hüften von Margarete. »Komm, schließen wir uns Hartmut und Katharina, Berthold und Hildegard und Peter und Bertha an!«

Nachdem Matthias sie zweimal herumgewirbelt hatte, hauchte sie ihm ins Ohr: »Nicht so heftig, Liebster! Ich bin gesegneten Leibes!«

Danksagung

Ich bedanke mich bei den Kultur- und Heimatvereinen sowie kulturellen Einrichtungen der Region, die ich im Rahmen meiner Recherchen konsultieren durfte, namentlich bei

Frau Doris Lanzke, Schwarzheide

Herrn Hubert Pfennig, Ruhland

Herrn Wolfgang Bauer, Sallgast

Herrn Andreas Heil, Sammlungsmanagement Schloss und Festung Senftenberg

Pater Alois Andelfinger, Kloster Marienstern, Mühlberg

Ein besonderer Dank geht an die fleißigen Helfer im Hintergrund, die wie immer wertvolle Hinweise gaben: Sandra (Holly O'Rilley), Caroline (Carry Voorhees) und Peter (Pjotr_X), die als Autoren*innen in den unterschiedlichsten Genres erfolgreich Bücher veröffentlicht haben.

Nachwort

Naundorf bei Ruhland wurde am 21. Juni 1421 erstmals urkundlich erwähnt. Mehrere Dörfer, darunter Kostebrau und Naundorf, wurden an Herzog Albrecht von Sachsen-Lüneburg verkauft. Nach dessen Tod fielen sie an seine Witwe Offka, der unter anderen auch Plessa (Pleso) gehörte.

Dort setzt die Handlung des Romans ein. Ich habe mich bemüht, alle verfügbaren historischen Quellen zu studieren, darunter ein digitalisiertes Buch aus dem Jahr 1832 über die Landvögte der Niederlausitz. Leider musste ich aus dramaturgischen Gründen in einigen Fällen von der überlieferten Historie abweichen. Eine Wassermühle direkt am Lauf der Schwarzen Elster zwischen Naundorf und Biehlen ist nicht belegt. Dafür eine am Wolschinka-Graben – war mir zu weit weg vom Geschehen.

Wegen mehrerer verheerender Stadtbrände im 18. Jahrhundert sind in Ruhland nur wenige Dokumente erhalten. Es ist nicht eindeutig belegt, ob Ruhland im Jahr 1428 der Adelsfamilie von Gersdorff oder den Gebrüdern Hentzke gehörte. Ich habe mich für letztere entschieden.

Historisch belegt ist hingegen der unermüdliche Kampf des Landvogtes Hans von Polenz gegen die Hussiten und Raubritter. Auch dessen Vetter Nikolaus von Polenz, der designierte Nachfolger im Amt, ist eine historische Person. Ich habe ihm einige teils negative Eigenschaften zugeschrieben, die er womöglich nicht hatte.

Die Wasserburg Sallgast gehörte Ritter Heinz von Waldow 1428 seit Jahren nicht mehr. Er wurde von den Städten der Oberlausitz als Raubritter defamiert. Ich habe es so dargestellt, dass sowohl Hans von Polenz als auch Heinz von Waldow einst Gefolgsleute des Markgrafen von Meißen waren und der Landvogt deshalb nicht angriff.

Nahezu alle anderen handelnden Personen sind eine Erfindung des Autors – abgesehen vom Abt des Klosters Dobilugk (Doberlug), dem Erzbischof von Magdeburg, Gunter von Schwarzburg, sowie Margarethe von Dohna.

Beachten Sie bitte auch den Bildband »600 Jahre Naundorf – Geschichte und Geschichten« von Frau Doris Lanzke, der sich ausführlich mit der jüngeren Historie von Naundorf befasst.

Herausgegeben und zu beziehen beim Kultur- und Heimatverein Schwarzheide e. V.

Schwarzheide im Mai 2021

Harry Baumann

Bisher erschienene historische Romane des Autors

»Auf den Schwingen des Windes« - Begleiten Sie das ungleiche Paar Aurelie und Walter Ende des 17. Jahrhunderts auf ihrer abenteuerlichen Reise um die halbe Welt

»Johanna und Hannes – eine Liebe im Schatten der Macht« - Die Bediensteten der Gräfin Cosel werden am Hofe Augusts des Starken in einen Strudel von Ereignissen gerissen, der sie mitzureißen droht

»Annika und Heiko – eine Liebe am Ende der DDR« - Als Heiko von seiner ersten Reise in den Westen zurückkehrt, lernt er eine Frau kennen, die ihm eine unglaubliche Geschichte erzählt. Als sich Annika nicht mehr meldet, macht er sich auf die Suche nach ihr …

BoD-Buchshop